NARRADORES CONTEMPORÁNEOS

JOAQUÍN MORTIZ • MÉXICO

HÉCTOR TOLEDANO

Las puertas del reino

novela

COLECCIÓN: Narradores contemporáneos

Diseño de colección: Marco Xolio / lumbre
Portada: Caspar David Friedrich, detalle de *Monje a orillas del mar* (1809).
Nationalgalerie, Berlín.
Fotografía del autor: Sergio Toledano

© 2005, Héctor Toledano
Derechos reservados
© 2005, Editorial Joaquín Mortiz, S.A. de C.V.
Editorial Planeta Mexicana, S.A. de C.V.
Avenida Insurgentes Sur núm. 1898, piso 11
Colonia Florida, 01030 México, D.F.

Primera edición: agosto de 2005
ISBN: 968-27-1020-0

www.editorialplaneta.com.mx
www.planeta.com.mx
info@planeta.com.mx

A mis muertos: mamá, papá,
Consuelo y Alfonso

Eines ist, die Geliebte zu singen. Ein anderes, wehe,
jenen verborgenen schuldigen Fluß-Gott des Bluts

RAINER MARIA RILKE

Y llorará en las tejas un pájaro salvaje

CÉSAR VALLEJO

UN RECORRIDO EN CANOA

Quicho siempre fue una rata. Había sido una rata toda su vida y lo seguiría siendo en su corazón hasta el final de sus días aunque la edad y las circunstancias actuales del mundo volvieran casi imposible la práctica a plenitud de su oficio. En la ciudad desierta las oportunidades de transgredir las leyes habían quedado reducidas a cero porque las leyes mismas habían dejado de tener sentido. ¿Cómo robar ahora que las cosas no tenían dueño?

Durante sus primeros meses en San Ángel, Quicho salía por las noches montado en su bicicleta y seguía el contorno de los cerros sobre los trozos remanentes de periférico y los senderos que atravesaban el bosque hasta llegar a Las Lomas y volvía cargado de lo que creía botín: relojes de oro, collares, piedras preciosas, perlas, anillos, fistoles, cajas de marfil, cadenas de oro, que escondía con todo sigilo en los miles de huecos y grietas que surcaban los muros a medio derruir, hasta que se fue dando cuenta de que todos los demás viejos tenían tesoros similares y ni siquiera se molestaban en esconderlos. Entonces se propuso robarle sus objetos más preciados a los demás ancianos, pero pronto cayó en la cuenta de que no podía hacer nada con ellos porque no había nadie a quién vendérselos, ni dinero para pagarlos, ni posibilidades de trueque. Todos podían conseguir lo que quisieran con sólo salir a buscarlo, hurgar entre los restos de las ruinas y cargarlo de regreso a sus casas. En San Ángel no vivían más que viejos, cuando menos tan viejos como el propio Quicho y ninguno tenía ni ilusión ni interés ni uso que darle a los millones de objetos de todo tipo que habían quedado abandonados en la ciudad vacía. Y cuando Quicho llegaba a robarse algo que pudiera tener alguna importancia para su dueño, la víctima simplemente caminaba hasta su casa y se lo traía de vuelta, pues todos ya le conocían sus mañas. De pasada podía quedarse a platicar un poco o a tomar una taza de té o a fumar una pipa de mariguana y esperar a que fuera de noche para atizar el fuego y contemplarlo fijamente como a los televisores que habían visto durante tantas horas a lo largo de sus infancias y que resultaban a veces más sencillos de encontrar en sus recuerdos que sus propios padres o hijos o hermanos y quedarse dormidos mientras lo miraban.

Pero Quicho nunca perdió la esperanza de llegar a encontrar algo de verdad robable, algo de lo cual apropiarse implicara realmente una trasgresión y por eso dedicaba su tiempo a recorrer las ruinas de la ciudad en bicicleta o en canoa o en ambas para meterse donde pudiera, a ver lo que se encontraba. Aurelio supo que Quicho había descubierto algo desde que lo vio subir por la ladera con esa sonrisa de pillo que le conocía desde la infancia y que guardaba impresa en su mente como parte de una serie de nítidas imágenes que ilustraban a la perfección los primeros peldaños de su brillante carrera de criminal en ascenso: Quicho sacando de los bolsillos de su pantalón corto el dinero que acababa de robar de la lata donde se guardaba el gasto en la casa de sus tías; Quicho adolescente poniendo sobre la mesa el equipo de sonido recién arrancado de algún automóvil; Quicho con pelo largo y bigotito jalando de debajo de la cama una caja llena de carteras vacías, relojes, tarjetas de crédito y bolsas de mano; Quicho vestido con traje italiano y corbata de seda acariciando la pistola con cachas de concha que le acababa de regalar un comandante de la policía; Quicho sacando de un saco de yute paquetes de a kilo de cocaína pura; Quicho abriendo un pañuelo y derramando sobre un retazo de terciopelo negro un milagroso arroyito de diamantes... y siempre esa sonrisa en el rostro que resumía cualquiera de aquellas anécdotas a su contenido esencial: chingamos.

Claro que algo había encontrado, algo grande, cacareó, que te interesa. Pero no le quiso decir de qué se trataba, sólo que se preparara para bajar esa noche a la laguna, mientras lo miraba con su sonrisita de siempre y levantaba las cejas con sorna, disfrutando al máximo tener por fin algo que nadie tenía, algo que estaba además total y terminantemente prohibido.

Quicho decidió que bajarían por el lomo del cerro hasta Coyoacán, donde era menos probable que alguien llegara a descubrirlos. Aurelio señaló con razón que para llegar al centro era más sencillo tomar por el río Magdalena hasta el río Becerra y seguir por ahí hasta Eje Central. Implicaba finalmente menos esfuerzo remar corriente abajo que caminar hasta Coyoacán, cruzarlo, subirse a una canoa en el canal de Churubusco, donde el agua casi no se movía, remar hasta calzada de Tlalpan y seguir remando entre las ruinas llenas de juncos y de moscos hasta llegar al Zócalo. Esa ruta los obligaría además a pasar por Chimalistac y eso era lo que Aurelio no quería, aunque lo único que quedara del templo fuera el perfil de piedra de sus cimientos, como un plano dibujado por manos enormes sobre la tierra húmeda.

Pero Quicho no estaba dispuesto a renunciar a la ilusión de que el caso requería de un plan riguroso, que debía ejecutarse con disciplina, así que esperaron a que comenzara a oscurecer y bajaron por el lomo del cerro, cuidándose de caminar a la sombra de los muros derruidos. Cruzaron Chimalistac y pasaron junto al claro donde se levantó durante siglos la pequeña capilla, justo cuando la última claridad del día comienza a diluir las sombras y a desvanecer la distancia que separa las cosas y todo parece ser una misma vaguedad intangible que fluye como un relieve líquido al interior de la mirada. Llegaron a la orilla del canal, montaron en una de las canoas que siempre estaban ahí para quien pudiera necesitarlas y empezaron a remar en dirección al oriente, envueltos por la música crepuscular de los insectos, los pájaros, las ranas y el viento.

La luz agonizante del día cedió la superficie del mundo a la pálida claridad de la luna y más que oscurecer propiamente fue como si todo lo que tenía color se hubiera convertido de un momento a otro en blanco y negro. Los eucaliptos seguían ahí y las márgenes cubiertas de hierba y el contorno de las ruinas de la ciudad como los dientes podridos de una calavera. Llegaron hasta la desembocadura del canal en la cuenca de la laguna y pasaron por debajo de los restos de un paso a desnivel que había cruzado División del Norte y que ahora lucía a la luz de la luna como un salto interrumpido de golpe en mitad del espacio. La vegetación colgaba de las ruinas del puente y Quicho pensó como siempre en el cabello empapado de una mujer desnuda. En ese lugar se formaba un remanso, ocluido como casi todas las grandes intersecciones por cúmulos de vehículos amontonados, convertidos en chatarra por el tiempo y dispuestos por los cambios de las corrientes en patrones caprichosos y macabros. La canoa enfiló hacia el noreste. A su izquierda se recortaba contra el cielo nocturno la silueta del único muro restante y casi intacto de la alberca olímpica, revestido todavía por motivos inexplicables de una extraña dignidad.

Siguieron avanzando en silencio sobre el agua inmóvil: un tramo breve del Eje Central hasta el punto donde los derrumbes impedían el paso, vuelta entonces hacia el oriente para cruzar Portales por trozos de lo que había sido Ángel Urraza y una maraña de cauces que dejaron de ser calles identificables y concretas mucho tiempo atrás. El cascarón desierto de la ciudad emanaba un influjo vagamente mortífero y vagamente sagrado que no admitía espacio alguno para las palabras. Hacía tiempo que Aurelio se había dejado de hacer la pregunta que lo rondaba durante sus primeros años de regreso en la ciudad, ¿cómo era posible que se hubiera terminado todo?, y ahora se preguntaba algo acaso más razonable, ¿cómo era posible que hubiera existido durante tanto tiempo? Por momentos encontraba difícil afirmar incluso que la ciudad hubiera estado alguna vez ahí, erguida, concreta, incuestionable, con personas y ruido y movimiento, y él en ella, y no desde siempre ese lomerío de ruinas silenciosas camino de ser tragado en definitiva por las fauces lodosas del lago. A veces le parecía que aquello no podía considerarse seriamente sino como un prolongado y sangriento malentendido, aunque otra parte de él se resistía a renunciar por completo a la hipótesis de que algo pudo haberlo vuelto todo auténtico, contundente, real y significativo porque esa posibilidad estuvo ahí de alguna forma y caminó por esas calles y se llamaba Catalina.

Los escombros formaban una madeja de islotes por donde rondaban perros, mapaches, comadrejas, coyotes que se habían convertido en los nuevos señores de la ciudad. Había quienes decían que era posible caminar hasta el Zócalo sin tocar el agua pero nadie lo había intentado nunca porque era demasiado peligroso y demasiado tardado y además, ¿quién iba a querer llegar hasta el Zócalo con los zapatos secos? ¿Quién iba a querer llegar hasta el Zócalo, punto? Lo más sencillo y seguro era navegar en canoa y tratar de seguir los cauces de las antiguas calles para evitar toparse en la medida de lo posible con alguna sorpresa desagradable.

La canoa llegó por fin a calzada de Tlalpan y siguió su trazo hacia el norte. Navegaban sobre una estela de luz de luna, estática, casi sólida, como un camino de plata, que la quilla iba desmadejando morosamente en fragmentos ondulantes. Los reflejos se bamboleaban en diagonal, parpadeaban por unos segundos y desaparecían después sin dejar rastro sobre la superficie oscura del agua. El movimiento de la barca sobre el lago, el ciclo de los remos al rasgar su extensión líquida, la respiración acompasada de los dos viejos al interior de la canoa, todo se fue sincronizando imperceptiblemente con los demás ritmos de la ciudad desierta hasta formar parte indisoluble del pulso nocturno. Fue entonces cuando ambos se sintieron tocados, sin un motivo aparente, por la pregunta de qué hacían en realidad ahí, más allá del objetivo manifiesto de apoderarse de algo. Si acaso les pertenecía de verdad ese recorrido en canoa, si era un acto de su voluntad o parte de su destino. Porque no era la primera vez que un suceso sin importancia, o claramente dirigido hacia un propósito distinto, se había convertido en el eslabón original de una secuencia de hechos que desbordaba sus cauces y terminaba lanzando sus vidas en una dirección insospechada. Y al mirar en retrospectiva, casi siempre era posible descubrir ahí esa vaga sensación de alarma, esa voz punto menos que imperceptible, en apariencia innecesaria, y sin embargo presente para quien estuviera dispuesto a escucharla.

Frente a ellos apareció de forma repentina el carapacho herrumbroso de un tren del metro, que surgía retorcido del fondo del lago, giraba sobre sí mismo a lo largo de dos o tres vagones y volvía a sumergirse en el agua, como un monstruo marino herido de muerte. Aun Quicho, que procuraba siempre ver las cosas en términos prácticos y eso incluía no pensar casi nunca en el pasado, o si tenía que hacerlo evitar a toda costa cualquier índole de sentimentalismos, no pudo suprimir del todo la imagen de los pasajeros que debían haber abarrotado ese tren cuando una bomba dejada en las vías o un mortero caído del cielo lo hizo saltar en pedazos. No podía ser el primero ni sería el último. Tal vez fuera uno que estalló cuando la situación había llegado al punto en que ya no era posible simplemente recoger los escombros, tratar de disimular el daño, escribir una nota airada en los periódicos, jurar venganza y pretender que la vida seguiría pronto su cauce normal porque ese era ahora y sería durante mucho tiempo el cauce normal de la vida.

El espacio lineal de la calzada fue perdiendo sus contornos hasta diluirse en una zona indefinida, salpicada por la trama densa de montículos que anunciaba la proximidad del primer cuadro. En ese punto la navegación se complicaba porque el volumen de las construcciones era demasiado grande para el espesor de las calles y sus escombros las habían cegado casi por completo. Era necesario sortear con cuidado una maraña de cauces estrechos y poco profundos que se extendía a lo largo de casi un kilómetro, retomar lo que quedaba de 20 de Noviembre y seguir su perfil serpenteante hasta desembocar en el Zócalo. Tras remontar con éxito aquel espacio confuso, la canoa se deslizó como un trago en el espacio abierto de la plaza. Frente a ellos y a su derecha las fachadas de Catedral y Palacio Nacional se mantenían en pie de milagro, aunque tras ellas no sobrevivieran sino escasos veinte metros de construcción, convertida en muñones desgarrados de cantera y tezontle. De los demás edificios no quedaba nada reconocible, pero la balaustrada de la iglesia capital, la parte superior de sus torres caballonas y regordetas como matronas virreinales y la larga línea ondulante del palacio, con los balcones de su primer piso apenas por encima del nivel del agua, conferían a la escena un incomprensible aire de normalidad. Firme en su vocación de persistencia, el Zócalo conservaba aún en aquella desgracia buena parte de su porte majestuoso, su timbre espiritual, su calidad magnética. La canoa siguió su camino por debajo del enorme asta bandera, que parecía haber sido doblado sin esfuerzo por la mano de un gigante y se sostenía en un ángulo casi recto sobre la superficie del lago. Al pasar, Quicho le dio un golpe con el remo y su intención era gritar como tantas otras veces ¡Salve patria, tus hijos te saludan!, mientras el sonido metálico de aquel tubo gigantesco reverberaba en la soledad de la noche, pero algo en la densidad del ambiente le impidió hacerlo y de su boca solo alcanzó a surgir un balbuceo incoherente, como las frases quebradizas de una oración olvidada.

Cruzaron el Zócalo hacia el poniente y avanzaron de nuevo por territorio enmarañado y poco profundo, esta vez 5 de Mayo confundida por momentos con Tacuba, hasta que apareció frente a ellos como súbito fantasma la silueta mortecina del palacio de Bellas Artes. El contorno de la construcción lucía casi intacto y sólo se extrañaba a primera vista la parte superior de su cúpula principal. Tal imagen de integridad era sin embargo un espejismo, pues detrás de los muros de la fachada quedaba muy poco. A unos pasos hacia el sur el perfil colosal de la torre Latinoamericana parecía rodar hacia ellos, socavada en su base por los obuses, partida en tres pedazos bien definidos que ocupaban por completo la línea del horizonte. Por la mente de Aurelio transitaron fugaces las imágenes de otra multitud de construcciones erigidas en su infancia y que también solían terminar dispersas por el piso, víctimas de alguna patada del aburrimiento. Se estremeció al recordar de esa manera casi física, al reconocer arraigado con tal profundidad dentro de sí mismo el palpitante y arrebatador encanto de destruir.

La canoa se detuvo junto a la terraza de la fachada principal de Bellas Artes y los dos viejos desembarcaron sobre aquel suntuoso muelle de mármol con los músculos entumidos por el largo trayecto. Miraron a su alrededor con un gesto instintivo, dejaron salir de sus cuerpos el mareo que acompaña durante unos minutos a quienes han estado sobre el agua durante mucho tiempo y se prepararon para entrar al edificio por uno de los ventanales descascarados de la Sala Nacional. Al centro del boquete dejado por lo que había sido la cúpula principal, la luna brillaba como un seguidor que ya no volvería a encerrar a nadie dentro de su círculo mágico, pues el espectáculo se había tenido que suspender de un modo más bien abrupto.

Las condiciones al interior del palacio no admitían distracción alguna. Apenas quedaba en pie una estrecha franja del piso adherida a los muros, más allá de la cual se abría sin advertencias el espacio vacío. Quicho iba adelante, calibrando cada paso. Aurelio lo seguía de cerca, tratando de no pisar muy lejos de las huellas de su amigo. Así rodearon el contorno de la Sala Nacional y luego el de la Manuel M. Ponce hasta llegar a los restos de los balcones de primer piso. Quicho se detuvo entonces, miró a su compañero con expresión confundida y se recargó de espaldas contra el mármol rojo como si necesitara hacer una pausa para orientarse. De manera por completo inesperada, la piedra cedió al peso de su cuerpo y se abrió una puerta estrecha cuyo quicio rebasaba apenas la estatura de Quicho. El rostro del viejo ladrón se iluminó por un instante con su sonrisa emblemática y mediante un leve movimiento de cabeza invitó a su amigo a penetrar por un pasadizo que en estricta lógica no podía encontrarse ahí.

Entraron a un corredor angosto, ni más ancho ni más alto que lo mínimo necesario para permitir el paso de un hombre. La oscuridad al interior del túnel se hizo total una vez que la puerta de mármol volvió a cerrarse tras ellos de la misma manera inexplicable como se había abierto. Sentirse de pronto encerrado dentro de aquel agujero no le hizo mucha gracia a Aurelio, pero se limitó a seguir a Quicho y después de unos pasos vacilantes quedó convencido de que no iba a encontrar obstáculos de ningún tipo frente a sus pies. La superficie del túnel no sólo se sentía perfectamente lisa, sino también perfectamente limpia, como si no tuvieran efecto alguno sobre ella los elementos que degradaban continuamente la realidad exterior. El pasadizo daba uno, dos, tres quiebres o más en ángulos caprichosos y direcciones contrapuestas que acababan por anular todo sentido de ubicación y desembocaba en una pequeña escalera de siete peldaños mucho más altos y mucho más estrechos de lo que era común. Al ascender por ellos, resultaba imposible ver el filo luminoso que señalaba su término hasta casi el momento mismo en que los ojos se abrían sorprendidos al espacio de una cámara alta, profunda y casi tan angosta como el trozo de laberinto que la comunicaba con el exterior.

Tras la oscuridad completa del pasadizo, la claridad en aquel insólito recoveco resultaba asombrosa. El resplandor de la luna debía penetrar por alguna abertura en el techo, aunque no era posible distinguir nada. Aurelio recorrió las paredes con la vista de arriba a abajo, girando primero la cabeza y luego todo su cuerpo, mientras trataba de conjeturar qué clase de lugar era ése, cómo había sido posible construirlo, quiénes lo habían hecho y para qué. Por último, miró hacia el extremo opuesto de la cámara, donde Quicho lo estaba esperando con su sonrisa de ya chingamos y eran tantas las preguntas que cruzaban por su mente en ese momento que cuando Quicho le dijo ¿cómo ves?, Aurelio tardó unos momentos que parecieron extenderse demasiado en entender a qué se refería, aunque sólo podía referirse a una de tres cosas: la silla, la mesa o el objeto rectilíneo que alcanzaba a distinguirse encima de ella, porque fuera de eso no había nada en lo absoluto dentro de aquel espacio inconcebible.

SAN ÁNGEL

La iglesia del convento del Carmen había sido arrasada hasta los cimientos como todas las demás iglesias en tierra firme y ya no era más que una costra tenue, blanquecina, resquebrajada, entre cuyas grietas iban ganando terreno las flores y donde se podía distinguir aún con un poco de esfuerzo no sólo la planta original del templo como fue trazada sobre la ladera casi virgen del monte, sino la secuencia entera de modificaciones llevadas a cabo de manera sucesiva a lo largo del tiempo. Las provisiones relativas a los lugares de culto eran simples y precisas, como lo eran en realidad todas las demás directrices de la *urdimbre*: no debía quedar de los muros de cualquier templo nada que sobresaliera más de dos palmos por encima de la superficie de la tierra. En los accesos principales de los antiguos lugares de culto se levantaban con las mejores piedras dos pequeñas torretas circulares sobre las que se colocaba una rama robusta o una viga tomada de las construcciones derruidas y que cubierta por enredaderas de ololiuqui siempre frondosas y casi siempre floridas conformaba la *línea del horizonte*, el vigoroso símbolo orgánico, primordial, unificador de la *vida nueva*.

El resto del convento seguía estando en pie, con excepción, por supuesto, de todas sus capillas, grandes y pequeñas, las cuales también habían sido cuidadosamente desintegradas. Nada quedaba tampoco del techo del edificio, de modo que las celdas y pasillos del piso superior, reducidos a un zig-zag de trozos de muro y columnas rotas, ofrecían a la distancia un aspecto monstruoso. El antiguo acueducto y su tanque de agua habían sido restaurados y a su alrededor crecían de nueva cuenta huertos y hortalizas en los lugares donde la tierra había logrado abrirse paso a través de la acumulación de escombros y las capas de asfalto. Libre de la ciudad informe que lo estranguló durante tanto tiempo, el convento había recuperado un aspecto semejante al que debió tener en sus primeros días y se levantaba una vez más en mitad de su entorno como un elegante símbolo fundacional.

Las vidas de los pobladores de San Ángel se veían reflejadas en la figura del convento, compartían con él la condición de seres anacrónicos y precarios. Su transcurrir cotidiano estaba regido por la duración de los días, las condiciones del clima y las tareas relacionadas directamente con la satisfacción de sus necesidades elementales. Las calles habían recuperado su condición de senderos o de monte y sólo dos o tres de ellas permitían el tránsito de algo tan complicado y aparatoso como una carreta. Aurelio vivía en una pequeña cabaña de piedra al fondo del amplio jardín de una vieja casona, muy cerca del solar en donde se asentó durante siglos la iglesia de San Jacinto. Clara habitaba la cabaña contigua, aunque lo cierto era que los dos vivían en ambas, aunque les gustara sentir que cada quien tenía la suya. De los tres niveles de la casa principal sólo quedaba una esquina, que se alzaba sobre las copas de los árboles como una torre desvencijada.

Todos los viejos vivían en arreglos similares y su subsistencia y protección estaban aseguradas. El trabajo en San Ángel, como en las demás colonias de la *urdimbre*, era estrictamente voluntario. La gente podía contribuir o no al cuidado de los cultivos, a la atención de las vacas, al pastoreo de las cabras y de las ovejas. Muchos preferían salir a pescar en los arroyos o montar trampas en las cañadas o irse a raspar magueyes para producir pulque. Otros destilaban aguardientes y mezcales. Cada quien podía ocuparse en lo que quisiera, o quedarse tirado en su casa si eso le acomodaba, pero el fruto de cualquier trabajo tenía que pasar a formar parte de la riqueza común. Nada de esto, sin embargo, distinguía a San Ángel. También en las otras comunidades había viejos y también en ellas podían dedicarse a lo que quisieran. Pero sólo en San Ángel vivían *únicamente* viejos, casi todos ellos gente de ciudad, que había pedido asentarse ahí por voluntad expresa. Y en ningún otro lugar hubieran podido dedicarse a la tarea que ocupaba en última instancia la mayor parte del tiempo de casi todos: el trabajo en los libros.

Visto bajo cierta óptica, resultaba indudable que el convento se había convertido en una especie de universidad, en la medida en que su objetivo fundamental era la transmisión de conocimiento, pero era también un tipo curioso de escuela si se considera que ninguno de sus alumnos sabía leer o escribir y que el programa académico, de haber existido, nunca hubiera contemplado enseñarles a hacerlo. De hecho, uno de los elementos medulares del *pensamiento nuevo* era abolir por completo y prescindir en lo sucesivo y para siempre de la palabra escrita en todas sus manifestaciones, del abecedario mismo en cuanto tal y de cualquier otro código de representación simbólica. La escritura era señalada como una de las causa principales de la larga cadena de crímenes y distorsiones de la naturaleza original del hombre que podían resumirse bajo la palabra *civilización* y cuyos resultados terminales tan poco dignos de festejo se encontraban a la vista. No se trataba únicamente de un problema de contenidos, de modo que la solución no hubiera podido reducirse a una operación de limpieza. La *urdimbre* reconocía sin problemas que en el conjunto inmenso de todo lo escrito tenía que haber por fuerza una cantidad sustantiva de elementos rescatables. La propia simiente ideológica de lo que con el tiempo acabó por convertirse en el *pensamiento nuevo* llegó a quedar plasmada en algunos libros. Pero la escritura, buena o mala, y el tipo de mecanismos mentales a los que daba pie, potenciaban de manera desmedida la capacidad puramente orgánica del hombre para traducir su experiencia en conceptos abstractos, almacenarlos indefinidamente en la memoria y manipularlos más tarde en forma de ideas autónomas, desligadas en el tiempo y en el espacio de la realidad de la que habían surgido. Lo cual no podía sino erigirse tarde o temprano en un obstáculo irremontable para la experiencia directa del mundo que era el elemento central de la nueva doctrina.

Desde un principio, por lo tanto, una de las actividades fundamentales de la *urdimbre* fue confiscar todo libro, impreso, cinta magnética, disco, cartucho digital, película sonora y cualquier otro mecanismo de registro y almacenamiento de información que descubría a su paso. En el caso de los medios electrónicos y a pesar de que la falta de electricidad hacía imposible su operación, tanto los medios de soporte como los aparatos para su lectura debían destruirse en el momento mismo en que se les encontraba. Lo mismo se aplicaba al papel en blanco y a todo tipo de instrumento de escritura, así se tratara de un simple lápiz. Los libros y demás impresos corrían diferentes suertes dependiendo de la naturaleza de su contenido. Aquellos que incluían aspectos que se juzgaban susceptibles de derivar en alguna utilidad práctica eran llevados en carretas hasta el convento de San Ángel. Todos los demás eran destruidos de inmediato, sumergiéndolos, de ser posible, en algún arroyo, río, pozo, pantano, noria, estanque o lago (la *urdimbre* no creía en la purificación por el fuego). En caso de duda, las instrucciones eran inclinarse por destruir. En caso de que el traslado hasta San Ángel de los libros considerados como rescatables presentara complicaciones excesivas, también. Pero un principio fundamental de los operativos era que se llevaran a cabo sin violencia. Si alguien se negaba a entregar sus libros o cualquier otra cosa no se le podía obligar, simplemente se hacía todo lo posible por convencerlo. Los elementos de persuasión de la *urdimbre* eran tales que nunca pasaba mucho tiempo antes de que la gente entregara de manera voluntaria todo su acervo y participara conmovida en su destrucción pública. Como resultado previsible de tales políticas y dada la participación entusiasta del grueso de la población sobreviviente, los libros que alcanzaron a llegar hasta las celdas del convento apenas si sumaban unos cuantos miles.

El trabajo de los viejos consistía entonces en leer los libros en voz alta a pequeños grupos de jóvenes. Aquello representaba una solución de compromiso entre quienes hubieran preferido erradicar por completo y de inmediato todos los escritos del pasado y quienes sostenían la necesidad de preservar al menos parte del conocimiento contenido en ellos, con el argumento de que era indispensable restituir a la especie la multitud de herramientas de adaptación acumuladas en los libros durante tanto tiempo. Así que una vez descartada toda obra que no contribuyera en alguna medida a una mejor articulación entre el ser humano y el mundo material de conformidad con los principios de la *vida nueva,* se acordó verter, por medio de la palabra, el contenido de los libros restantes en la mente de las nuevas generaciones. De ese modo el conocimiento quedaría implantado y comenzaría a evolucionar por cuenta propia, libre de la cárcel de la palabra escrita. La solución terminó por agradar a todos dada su manifiesta calidad orgánica. Las actividades pedagógicas en el convento habrían de prolongarse entonces hasta que todos los libros hubieran sido leídos o todos los viejos que sabían leer estuvieran muertos. Que el resultado fuera uno o el otro no revestía particular importancia para nadie, así que la lectura se llevaba a cabo sin asomo alguno de premura.

No todos los viejos iban al convento cada día y ninguno tenía a su cargo un grupo específico de jóvenes. Éstos podían ir y venir de un grupo a otro según su parecer o renunciar por completo a las lecturas si sentían el impulso de volver a casa. Todos estaban ahí por voluntad propia y sólo podían permanecer en el convento durante una estación, que se extendía del final de una temporada de lluvias al principio de la siguiente. Una vez transcurrido ese tiempo volverían a sus comunidades y transmitirían lo aprendido a los demás, si les apetecía hacerlo, sin más ayuda que la memoria. Los viejos no tenían autoridad alguna sobre los jóvenes y eran ellos quienes tomaban todas las decisiones de importancia, incluyendo, por supuesto, qué valía la pena leer y cuándo un libro se daba como visto, lo cual podía suceder aun cuando no se le hubiera repasado por completo. Bastaba con que los miembros del grupo decidieran que ya no les interesaba. Que dejara de interesarles a ellos implicaba que no habría de interesarle a nadie más, porque una vez que se les daba por vistos los libros eran llevados hasta un extremo del claustro, donde se les colocaba más tarde en una carreta que los conducía hasta la orilla de la laguna para ser sumergidos en el fango.

El trabajo en los libros representaba para Aurelio el último eslabón de una vida entera dedicada a tratar con ellos en una gama de situaciones más o menos absurdas. Lo veía sobre todo como una posibilidad de enganchar su vida a una secuencia determinada de acciones, con un propósito predecible y concreto. Era un respiro invaluable del enredo de sombras, obsesiones y dudas que lo acosaba sin tregua cuando estaba solo. Había dedicado años significativos de su vida a editar libros ajenos y otros no menos intensos a tratar de escribir los propios. Sabía por lo tanto mejor que nadie lo poco que valía la mayor parte de ellos. Ya no se obstinaba en rebatir los argumentos que se esgrimían para justificar la conveniencia de eliminarlos y estaba dispuesto a conceder incluso que su efecto sobre el espíritu humano había sido, en conjunto, mayormente pernicioso. Por eso, al confrontar la realidad cada vez más tangible de que el futuro habría de prescindir en definitiva y para siempre de ese mecanismo de contacto íntimo a distancia, lo que lo embargaba no era tanto la angustia de quien anticipa una inminente catástrofe, sino apenas una leve melancolía, una especie de nostalgia, la falsa sensación de pérdida que produce evocar el pasado no como en realidad ha sido, sino como quisiéramos imaginar que pudo ser.

La lectura de los libros podía ser una ocupación más bien tediosa. Lo habitual era abrir y desechar decenas de tomos antes de detenerse de verdad en alguno. Los libros habían llegado al convento en función de un criterio tan restrictivo como poco preciso y muchas veces quienes habían tomado la decisión final de conservarlos no eran capaces de entender lo que decían. Bajo tales circunstancias, el que un libro tuviera ilustraciones de aspecto técnico, bocetos o diagramas podía ser el factor fundamental que decidía su suerte, ya que dichos elementos solían considerarse como evidencia dura de su naturaleza "práctica". En los hechos, por desgracia, la mayor parte de ellos se ocupaban de asuntos en extremo banales, o resultaban imposibles de leer en el actual contexto, ya porque estaban dedicados a las ciencias puras, cuya mínima comprensión implicaba bases que ninguno de los jóvenes y muy pocos de los viejos tenían, o porque trataban de tecnologías que habían perdido toda posibilidad de aplicación en el nuevo estado de cosas. Aquella situación, sin embargo, no podía ser vista como evidencia de ningún fracaso. Al contrario, era signo de que el proceso había cumplido íntegramente su propósito principal: Aurelio no había visto jamás en el convento un solo volumen de literatura, filosofía, religión o historia, los cuatro temas que encabezaban la lista de lo indeseable. Por lo demás, la mediocridad general del contenido de los libros contribuía en buena medida a propiciar que nadie se sintiera invadido por el impulso de aprender a leerlos; lo cual seguramente formaba parte de los planes de la *urdimbre* desde un principio.

Por todas estas razones, los libros que se acababan leyendo caían casi siempre dentro del ámbito de lo que hubiera podido llamarse *divulgación* y más específicamente el subgénero *hágalo usted mismo*. De vez en cuando, sin embargo, los muchachos tomaban decisiones que Aurelio encontraba sorprendentes. En cierta ocasión dedicaron más de una semana a la lectura de un libro de contabilidad, a pesar de que ignoraban los rudimentos más elementales de la aritmética. Al cabo de varios días, Aurelio creyó discernir el motivo de aquel extraño interés: el pensamiento contable estaba obsesionado con la idea de nivelar, el *pensamiento nuevo* concebía la existencia como un continuo desbordarse. Nunca pudo entender, en cambio, por qué insistieron en leer de cabo a rabo las casi trescientas páginas de un tratado de filatelia.

Todas las lecturas requerían, naturalmente, de una cantidad significativa de explicaciones. Los libros estaban llenos de elementos y de circunstancias que ninguno de los muchachos había conocido nunca. Aurelio disfrutaba ese aspecto de sus tareas más que ningún otro y daba por perderse en disquisiciones y relatos sobre el mundo anterior que llegaban a prolongarse durante jornadas enteras. Había quienes eran afectos a tales desvaríos y tendían a reunirse en torno de los viejos que acostumbraban incurrir en ellos; otros preferían concentrarse en lo que decían los libros, hacer las preguntas necesarias para comprenderlos y tratar de derivar lo que estaban oyendo hacia alguna actividad concreta a la brevedad posible. De ese modo y sin que nadie se lo hubiera propuesto de manera explícita, a cada uno de los viejos se le iba asociando con cierto tipo de temas y congregaba en torno suyo a grupos más o menos regulares de escuchas.

Aurelio tenía una discípula asidua, que se llamaba Laila. Como la mayoría de sus compañeros, Laila era un ejemplar preciso del tipo de ser humano concebido para la *vida nueva*. Había crecido en la selva, en una de las primeras colonias que fundó la *urdimbre* durante los peores años de la violencia. Pero cuando llegó por primera vez a la ciudad, contempló sus ruinas y constató la dimensión inabarcable de aquel pasado, intuyó de inmediato que todo ese mundo no podía ser reducido a las sentencias simplificadoras del *pensamiento nuevo*. Se fue llenando de preguntas, y como Aurelio rebosaba respuestas, entre ambos comenzó a crecer un lazo que tenía mucho de inconsciente sustitución filial y otro tanto de tímido y extemporáneo ritual de cortejo. Pero Laila tocaba también otras fibras en Aurelio. No fue sólo, en un principio, lo que luego resultó para él un evidente parecido físico: el cabello color carbón, un sesgo oblicuo en los ojos, el puñado de pecas apenas visibles sobre la piel morena; o el hecho de que Laila fuera como Catalina breve, armónica, escurridiza, compacta. Más importantes para fraguar la identificación fueron una serie de detalles que se iban revelando poco a poco con el correr de los días, cosas como la forma que tenía de abrir los pies al caminar o de pasarse un dedo sobre la ceja mientras miraba al vacío. Gestos, inflexiones o manías que a Aurelio le parecía recordar con creciente claridad en la compañera de su juventud y que ahora volvía a descubrir o a imaginar de manera puntual en su nueva amiga. Poco importaba que Laila perteneciera a un mundo en el que por mucha imaginación que se tuviera resultaba imposible ubicar a Catalina: Aurelio llegó a convencerse de que Laila la personificaba plenamente, si no acaso como había sido en la realidad de sus circunstancias, sí como creía estar seguro que hubiera sido en éstas.

La historia de Laila era como la de tantos otros jóvenes de su edad, fragmentada y oscura. Sabía que su madre había llegado con ella a una comunidad de la *urdimbre* en mitad de la selva, después de caminar durante mucho tiempo, nunca supo desde dónde. Sólo recordaba el hambre y el miedo, las noches enteras vagando sin rumbo por las veredas de la sierra, el retumbar lejano, el resplandor rojizo de la guerra. Y en medio de todo ese odio, el calor de su madre, el olor a sudor viejo que se desprendía de su ropa. Los días podían ser más oscuros que las noches, escondidas en cuevas y agujeros, acosadas por la necesidad imperiosa de seguir caminando hacia el sur. Las únicas imágenes anteriores a eso eran las de un piso de tablas crudas, el aroma dulzón de las guayabas pudriéndose sobre la tierra y un hombre de cara rasposa que la sentaba sobre sus piernas a mirar dibujos de colores en uno de esos atados de papel que no había vuelto a ver hasta que llegó al convento. Nunca supo más de aquel pasado porque su madre pareció desmoronarse de golpe cuando llegaron por fin a su destino en la selva. En cuanto tuvo la certeza de que su hija quedaba en un lugar seguro aflojó los amarres de su larga resistencia y dejó que el arroyo de la muerte la arrastrara por su cauce como una rama seca. Laila creía estar segura de recordar más cosas, pero había escuchado desde entonces tantas historias similares a la suya que ya no podía distinguir con claridad lo que había vivido realmente de lo que había tomado sin darse cuenta de los relatos de otros. Lo único que estaba por encima de toda duda era el olor de su madre impregnado en la tela, ese sudor saturado de miedo que se fue transformando al interior de su recuerdo en la encarnación palpable y presente, la manifestación íntima y rotunda del miedo mismo.

Aurelio conocía esa historia y todo lo que podía saberse de la vida de Laila. Se había propuesto penetrar en ella hasta donde fuera posible y para lograrlo hizo un último esfuerzo por poner en marcha los magros recursos de seducción que pudieran quedarle.

De ese modo, lo que comenzó siendo apenas una travesura terminó por convertirse en una pasión intensa, que como toda relación amorosa entre un anciano y una mujer joven no le dejaba la conciencia tranquila. Contemplaba a Laila en la perfección de su juventud y lo que veía era el fruto luminoso de ese nuevo mundo en el cual él se sentía con tan poco derecho a intervenir. Entonces le pesaba más que nunca el haber llegado al final de sus días sin tener hijos, que ellos no hubieran tenido a su vez hijos propios y que ahora no pudiera abrigar cuando menos la ilusión de que alguna de esas nuevas vidas prolongaba la suya hacia el futuro con la íntima correspondencia que sólo puede existir en la sangre.

La situación con Laila cobró un giro inesperado cierta tarde en que su grupo decidió ir a darse un baño en el tanque de agua. Hacía el calor seco de la primavera. Después de nadar un rato con sus compañeros, Laila fue a sentarse en una orilla de la pileta. Estaba desnuda, con los pies metidos en el agua y parecía dibujar sobre la superficie de la alberca con una larga vara de espino. Aurelio la miraba desde los restos de piedra de una barda vecina. Mientras procuraba convencerse de que esa inquietud que le desbordaba el pecho no era sólo la intensidad de su deseo por Laila, sino algo claramente más sublime, mezcla de casto apego paternal y de limpia y pura apreciación estética, Aurelio creyó discernir cierto patrón en los efímeros trazos de la vara. Se puso a mirar con mayor cuidado y al cabo de unos instantes quedó convencido. Las letras aparecían como estrellas fugaces y luego se disolvían casi de inmediato en la superficie líquida: Laila estaba escribiendo su nombre sobre el agua.

Aurelio se levantó de la barda y se acercó a la orilla.

—Ahora resulta que sabes escribir —le susurró al oído.

Laila casi se cae al estanque del susto y como si quisiera borrar algo que ya no estaba ahí de cualquier manera, sacudió la vara de espino sobre la superficie del agua.

—No es que sepa escribir —repuso después de un instante, un poco más compuesta—. Lo único que me sé son estas rayas —y con la punta del dedo comenzó a trazar en la arena de la orilla, en torpes letras mayúsculas de aspecto infantil, la palabra LAILA.

Aquellos garabatos habían estado con ella durante toda la vida, ocultos hasta hacía muy poco por la niebla del olvido. Al llegar al convento los habían recuperado de pronto sin darse cuenta. Eran una especie de tesoro de familia, como el olor de las guayabas podridas y el hombre de la cara rasposa; parte de ese tenue espacio del recuerdo, de ese instante fijo y luminoso anterior al miedo.

—¿No sabes lo que quieren decir?

—No.

—Es tu nombre —le explicó Aurelio, mientras pasaba su índice por encima de cada letra: *l-a-i-l-a.*

A pesar de un cierto desencanto frente a lo elemental de su contenido —los trazos nunca tuvieron para ella un significado concreto, pero sí un inmanente misterio, una velada capacidad de conjuro— Laila comenzó a percibir el potencial de la palabra escrita con la intensidad de una sensación física. Consciente de las posibilidades que aquella situación le abría, Aurelio se propuso de inmediato enseñarle a leer y lo fue consiguiendo poco a poco en una serie de furtivos encuentros clandestinos, llenos de expectación, de zozobra, de intensidad y de culpa. La mayor dificultad para Laila fue entender la lógica acumulativa de la escritura, avenirse a fragmentar en unidades permutables lo que siempre había sido para ella un caudal continuo, restringir el libre fluir de su conciencia verbalizada dentro de los rígidos arneses del discurso en oraciones y más difícil aún, constatar la fría inmutabilidad, la comprometedora permanencia de lo escrito. Pronto fue capaz de leer con fluidez pasajes sencillos y de escribir sobre la tierra frases elementales con una letra minuciosa y dura.

De vez en cuando, Aurelio sacaba a escondidas alguno de los libros del convento y se metía con ella al bosque para leerlo juntos. Conforme progresaba en sus estudios, Laila iba desarrollando también ideas propias. Cuestionaba argumentos y actitudes con creciente audacia y al poco tiempo dio muestras incipientes de algo que Aurelio no había visto nunca en aquellos jóvenes: un embrionario sentido de la ironía. La transformación no podía atribuirse al contenido de las lecturas, que eran a fin de cuentas las mismas que escuchaban todos, sino al hecho de poder acceder a ellas de manera directa. Oír a alguien leer no era en esencia distinto de escucharlo hablar, mientras que descifrar sin intermediarios un código de signos silenciosos que cobraban vida al instante cada vez que ella así lo quería, inundaba a Laila de una clara sensación de poder. Todo lo que leía, por el hecho mismo de leerlo, era más íntimamente suyo que cualquiera de las cosas que pudiera escuchar en las sesiones del convento.

Así que la mayor preocupación de Aurelio era cómo llevar adelante aquella aventura. Estaba convencido de que el entusiasmo original de Laila por las letras iba a desaparecer muy pronto si sus lecturas se seguían restringiendo a la clase de libros que podían encontrarse en las bóvedas del convento. Resultaba indispensable ponerla en contacto con otra clase de textos, aquellos que ilustraban las facetas del espíritu que sólo podían cobrar vida de ese modo. ¿Cómo lo iba a lograr ahora que los libros en general y ese tipo de libros en particular habían sido abolidos y eliminados?

La pregunta le daba vueltas en la cabeza desde hacía semanas y su escapada con Quicho la noche anterior sólo había servido para agregar nuevos elementos que la complicaban. La estancia de Laila en el convento llegaba a su fin y sus posibilidades de volver a verla más adelante eran muy limitadas. No sabía aún lo que iba a hacer y tampoco podía concentrarse en ninguna otra cosa. Estuvo tan disperso todo ese día que en más de una ocasión los muchachos tuvieron que recordarle que siguiera leyendo, pues de pronto dejaba de hacerlo sin darse cuenta para quedarse mirando un punto fijo en mitad de la nada.

Con la cabeza llena de fantasmas y una ansiedad creciente, Aurelio esperó a que la jornada llegara a su fin. Los muchachos recogieron sus cosas y se despidieron. Él acomodó los libros en su lugar de siempre y emprendió el camino de regreso a casa. Alzó los ojos al cielo y vio que el sol estaba por ocultarse tras la mole de las montañas. Quedarían acaso veinte minutos de luz. Con los ojos clavados en el suelo remontó las calles fracturadas que lo vieron bajar al convento aquella mañana hasta llegar frente al vano donde estuvo el portón de cedro de la que ahora era su casa: dos columnas de granito y un remate de cantera, todo lo que quedaba de su muro exterior. Entró por ahí como se había propuesto hacer cada día a pesar de que el solar era igualmente accesible por cualquier otro punto de su contorno, cruzó las ruinas de las habitaciones principales y siguió caminando hasta la escalera de caracol. Colgó su morral de un clavo de hierro que sobresalía del muro y comenzó a subir con obligada lentitud y pausas regulares los cuarenta y seis escalones de hierro que llevaban hasta la parte superior de la torre. Al llegar arriba se detuvo un instante a recobrar el aliento, luego avanzó hasta el basamento cruciforme que había sostenido el tinaco de la casa, consideró por un segundo la imagen del tinaco destrozado que yacía cubierto por la maleza once metros más abajo y sacó de un hueco entre los ladrillos del muro la caja de lámina color verde olivo que en otro tiempo contuviera los artículos reglamentarios de un botiquín familiar. Se dirigió con ella hacia el rústico tejabán que los muchachos del convento le habían ayudado a levantar en su pequeña terraza, puso la caja sobre una mesa redonda y tomó asiento en uno de los dos sillones que la flanqueaban. Entonces volvió la vista hacia las ruinas de la ciudad y contempló la traza discontinua de las calles envueltas por el rubor anaranjado de la tarde; dejó que el espacio contenido del valle lo inundara y esperó unos momentos hasta que se asentó en su ánimo el efecto sedante que siempre le producía mirar desde la altura.

Abrió la caja de lámina, sacó un rectángulo de hoja de maíz y lió con él un cigarrillo gordo, apretado, compacto, un barquillo esbelto y trunco del tamaño de un dedo. Se puso en la boca aquel curioso tamal, lo sostuvo entre sus labios mientras frotaba un par de veces la piedra del mechero, acercó la flama a su punta y jaló varias veces en rápida sucesión. Cuando la brasa se hubo consolidado a su gusto inhaló con alivio y con avidez al tiempo que llegaba hasta sus oídos el sonido de los pasos de Clara que ascendía por la escalera.

Por unos instantes todo quedó suspendido en el tiempo, excepto las palpitaciones de su propio corazón y allá en el fondo como un murmullo indistinguible del paisaje mismo la algarabía de los pájaros que se preparaban para pasar la noche. Sin que nada mediara entre una situación y otra, de un modo apenas perceptible, todo cobró de pronto su lugar preciso. La vida no podía ser mejor, era de hecho lo mejor posible. Aurelio se dejó arrastrar por aquella sensación de bienestar y trató de encontrar una posición más cómoda dentro de su asiento mientras Clara ponía sobre la mesa una charola con dos tazas de té y un plato con pan de maíz salpicado de miel y se sentaba en el sillón de junto sin decir palabra.

Aurelio le extendió la mano con el cigarro encendido y como si se tratara de un saludo o de la continuación de una charla apenas brevemente interrumpida, dijo sin apartar la vista de su visión del valle:

—Quicho encontró una computadora.

Clara no pareció inmutarse y siguió concentrada en contener el humo que le atiborraba los pulmones. Al cabo de unos segundos exhaló con lentitud, tomó su taza, sorbió con cautela un traguito y decidió que lo mejor sería andarse con cuidado:

—¿Una computadora?

—Una computadora.

—¿Y sirve?

—Ajá.

—¿Cómo?

—Celdas solares o algo… no sé.

—Mhm…

Clara mojó con saliva la orilla de la brasa mientras trataba de determinar qué podía tener de importante todo aquello pero el efecto de la mariguana no le permitía pensar con fluidez. Se volvió hacia Aurelio en busca de una respuesta pero lo único que encontró su mirada fue a un anciano de barbas blancas con los ojos rojos.

—¿Y para qué la quiere?

—Dice que es para mí. Si me interesa.

—¿Y tú para qué la quieres?

Clara se arrepintió al instante de decir aquello pero ya no tenía remedio. Aurelio se encogió de hombros, cruzó la pierna, miró hacia el suelo y se entretuvo en sacar un piedrita que se le había atorado en la suela de los huaraches.

—No sé. Para escribir, supongo. Para qué más. Pásame el toque.

Clara le pasó lo que quedaba del cigarro, tomó su taza con las dos manos y se la llevó con lentitud a los labios mientras pensaba en la mejor manera de darle un giro a la conversación.

—Algo ha de querer a cambio ¿no?

—Claro.

—Claro.

Aurelio jaló por última vez y dejó caer al piso los restos desgobernados de la brasa que ya empezaba a quemarle la punta de los dedos.

—Quiere la foto —dijo entre dientes sin dejar escapar el humo.

—¿La foto?

—Sí.

—Ah.

LA FOTO

Fue un sábado por la mañana junto a la pared cubierta de hiedra del jardín semisilvestre de la casa de Quicho. Era seguramente finales de julio o bien principios de agosto porque todo estaba húmedo, sombrío, fresco y la sensación de plenitud que Aurelio recordaba aún con palpable cercanía cada vez que miraba aquella imagen sólo pudo haber cobrado vida en su interior durante la parte más intensa de la temporada de lluvias.

Las hojas de la enredadera salpicada de resplandores por las gotas remisas del último aguacero descienden lánguidamente por el muro como una catarata vegetal, un prado erguido cubierto de rocío que se derrama entre los pies de los niños con nitidez metálica, satura de un extremo a otro el fondo blanco y negro de la impresión y confiere a toda la escena un edénico aire primigenio. Aurelio está parado del lado derecho con pantalones cortos, calcetines rabones, botitas ortopédicas y su delgadez quebradiza de aquellos años; un trozo de la falda de su camisa blanca se asoma por debajo del borde inferior del chaleco que le tejió la tía Queta con un estambre cuyo color preciso se le ha extraviado para siempre en algún cajón de la memoria. Su mano derecha roza apenas la izquierda de Catalina, que se cierra sin fuerza sobre su dedo índice, pero la arruga de un doblez en el papel fotográfico rasga como una cicatriz profunda aquel enlace precario. Su mirada de niño triste cruza en diagonal la composición y se pierde en las visiones de un horizonte imaginario, mientras los labios ceden con sorpresa al impulso de una sonrisa involuntaria y ajena. Al centro del cuadro una niña con el cabello restirado hasta lo insufrible y coronada por una diadema irrelevante mira de frente a la cámara con la fascinación con que se escudriña un espejo en busca de las claves perdidas de nuestro enigma personal. Del vestido a cuadros con tirantes y peto de una talla a todas luces rebasada surgen dos piernas desmedidas y flacas que rematan en un fatigado par de zapatitos blancos. Prendida en un extremo del índice de Aurelio la figura lineal de Catalina ondula ligeramente hacia la izquierda y descansa con suavidad la mano libre en el hombro de Quicho, que luce correctísimos pantalones largos, camisa almidonada, corbatita de moño, rebelde pelo lacio sometido con gomina y parapetado tras una mueca desafiante apunta hacia el espectador una premonitoria pistolita de plástico.

Aurelio recargó la foto con cuidado sobre la superficie de concreto de las gradas y siguió mirándola durante algunos segundos. El modesto cuadrángulo de papel con la imagen de los tres chiquillos había dejado de ser tiempo atrás una fotografía simple y llanamente como lo fue en un principio y como lo fueron muchas otras en diferentes momentos de su vida para convertirse en lo que era ahora: un mecanismo disparador de la memoria y antes que cualquier otra cosa la prueba material e irrefutable de la existencia misma de aquel pasado. La madre de Quicho les había regalado una copia a cada uno. Ésta era la única que quedaba. Era la de Catalina. Cora había llegado con ella y ninguna otra cosa a su casa en el monte. Una niña sola en mitad de la sierra con una foto en la mano, sin más explicación que el ruido de una camioneta que se aleja de prisa, una nube de polvo que va serpenteando hasta perderse de vista por la ladera. ¿Cómo te llamas? Cora. Nueve años, los ojos negros de Catalina en un rostro de rasgos inaprensibles y la foto apretada entre las manitas como una tenue tabla de salvación en medio de un mar embravecido.

No era difícil encontrar fotografías de todo tipo en las ruinas abandonadas de las casas, pero muy pocos habían logrado conservar entre las fatigas de la fuga y las inclemencias de la vida al descampado imágenes propias o de seres cercanos que pudieran seguir guardando algún significado personal. De modo que una fotografía como aquella era una posesión preciada, un pequeño tesoro.

Aurelio levantó la vista, Laila estaba parada en el borde de lo poco que quedaba de la plataforma de cinco metros. Un poco más arriba la escalera que conducía a donde estuvo la plataforma de diez metros se cortaba abruptamente como una vara de rosal a la que le han arrancado las flores. Del techo del edificio de la alberca olímpica sólo quedaban trozos de un confuso emparrillado de hierros retorcidos por donde se filtraban algunos rayos de sol. Las paredes laterales ya no eran más que polvo, pero algunos de los pilares de acero que les dieron forma seguían en pie. Aquellos restos esqueléticos eran mecidos por el viento como siniestras palmeras metálicas y el sonido oxidado que producían al rozarse acentuaba en Aurelio la sensación de ir navegando sobre el cascarón perdido de un barco fantasma. Sólo el muro sur permanecía íntegro, convertido en un mural abstracto por las formas caprichosas que la humedad y la vegetación parasitaria habían ido dibujando en su superficie. El agua llegaba a poco más de un metro por encima del nivel original del piso; aquí y allá, grandes trozos de concreto y montículos de escombros cubiertos de vegetación formaban islotes y plataformas, pero la cavidad profunda de la fosa de clavados lucía totalmente libre de obstáculos, al igual que la trayectoria completa de los tres carriles centrales de la alberca de nado. Buena parte de las gradas del lado oriente, donde Aurelio se encontraba ahora, permanecía casi intacta, su cemento gris jaspeado por las incrustaciones azul metálico de la baquelita y el aluminio de las butacas fundidas por el calor de las explosiones. La superficie del agua parecía inmóvil, pero si se miraba con atención se podía percibir una ligera corriente que escurría entre las ruinas en dirección al oriente y mantenía las albercas libres de lama *Quicho dijo Catalina tenía razón pero su mamá apareció de pronto vestida de calle con una cámara en la mano nos dijo rápido niños párense ahí oímos el sonido impaciente de la bocina del auto nos acomodamos de prisa junto a la pared de hiedra y la mamá de Quicho disparó lo que después supe que era el último*

cuadro de aquel rollo no quería llevar a revelar sus fotos con el remordi-
miento de haber dejado en blanco aquel trozo perfectamente útil de película
tomó a Quicho del rostro le dio un beso en la frente le dijo con esa manera
que tenía de dirigirse a él como si se tratara no de su hijo sino de su padre
pórtense bien por favor ahora venimos se volvió entonces hacia nosotros nos
miró a mí a Catalina y sonrió como ella sonreía se despidió de nosotros
con un gesto de la mano con esa sonrisa caminó hacia la cochera tan rápido
como su condición de dama sus zapatos de tacón la falda entallada de su
traje sastre el terreno irregular se lo permitían montó en el auto cerró la
puerta escuchamos el sonido del motor que se alejaba entonces Catalina
dijo qué tal se los dije y yo dije cómo sabes porque aquello me parecía no
sólo repugnante sino contrario a toda lógica pero Quicho nada más dijo
Catalina tenía razón van a ver vengan

El cuerpo desnudo de Laila se recortaba con nitidez contra el
azul del cielo. Su cabello chorreaba hasta la cintura como un macizo
de algas puesto al descubierto por el reflujo de una ola y la superficie
de su piel morena proyectaba los destellos de un número infinito de
pequeños diamantes. La brevedad de su talle, la proporción angosta
de sus caderas, la armoniosa articulación de sus brazos con las manos
afiladas y extensas la hacían parecer más alta y más esbelta de lo
que en realidad era. Una extraña calidad ascendente compensaba
el carácter más bien compacto de ese cuerpo en el que convergían
con fortuna una variedad irremontable de razas. Con los brazos en
los costados, Laila se fue dejando caer lentamente, sin otro pensamiento en la cabeza que sentir el peso muerto de su cuerpo precipi-
tándose por el espacio. La silueta dio una vuelta en el vacío y penetró de pie en el agua con un sonido abrupto y obsceno. El cuerpo
se perdió en el interior turquesa de la fosa pero en la superficie se de-
moró por un instante el flamazo fugaz de su cabello negro. Aurelio
sintió que un silencio líquido lo copaba, como si fuera él y no Laila
quien se hubiera sumergido *encerrados en el cuarto de sus padres Quicho*
tenía en la mano un sobre de papel manila no lo iba a abrir hasta que pro-
metiéramos que nunca por ningún motivo hablaríamos con nadie de lo que
nos iba a enseñar con nadie dijo si rajan les juro que se van a arrepentir

Catalina prometió de inmediato yo me quedé paralizado por la certeza intuitiva de que aquella revelación iba a resultarme desastrosa íbamos a hacer la primera comunión Quicho y yo tienes que contarle todo al padre claro que a Quicho le valía madres yo no quería prometer pero terminé por decir también prometo para que Catalina dejara de mirarme con esa cara prometo dije aunque se supone que el padre no puede decir nada pero cómo saber él nos conocía a todos a mi mamá también y a la de Quicho no me pude confesar porque había prometido no pude comulgar el padre nos conocía a todos tuve que sacarme la hostia de la boca sin que nadie me viera de la boca seca como papel tenía la boca seca la guardé con cuidado en un pañuelo después quemarla porque había prometido Quicho se tragó la hostia le valía madres es sacrilegio entonces Quicho abrió el sobre y fue acomodando las fotos en hilera sobre la colcha de la cama

La cabeza de Laila salió a la superficie. Su ausencia dentro del agua duró apenas unos instantes, pero sirvió para recordarle a Aurelio que en unos cuantos días se marcharía de la ciudad para siempre. Estaban por llegar las lluvias y la estancia de los muchachos en el convento acabaría muy pronto. A pesar de sus reducidos medios y de las limitaciones de la realidad presente, Aurelio no había escatimado recursos ni regateado esfuerzos para darle el mayor lustre posible a aquella ocasión de gala. Hacía tiempo que los viejos habían acondicionado ese rincón de la alberca olímpica con una mesa que no era en realidad más que un trozo de tablarroca que colocaron sobre el boquete producido por el impacto de un mortero en el concreto de las gradas. Durante algún tiempo celebraron ahí lo que les gustaba llamar días de campo, aunque la expresión resultara un tanto inadecuada ahora que ya no existía ni dentro ni fuera de la ciudad nada que no fuera más o menos campo.

Aurelio recubrió la aspereza de los asientos con sus mejores cojines y vistió la superficie de la mesa con un mantel de punto y servilletas de lino. No dejaba de llamar la atención el contraste entre esos materiales refinados y los vasos de barro crudo, las jícaras sin adorno, los guajes lisos del agua y del pulque, el molcajete de piedra y las hojas de plátano que harían las veces de platos, pero a pesar de su carácter ecléctico, la limpieza esencial de todos los utensilios y el acertado acomodo de los arreglos florales daban al conjunto un aspecto distinguido. Aurelio se acercó al fogón que había instalado en la convergencia entre dos líneas de gradas. Un par de truchas terminaban de dorarse sobre las brasas. Otras dos, adobadas con chipotle, envueltas en hoja santa y cubiertas después con arcilla se cocían más lentamente en las cenizas. Una suave brisa atizaba de forma casi imperceptible la intensidad del fuego. Aurelio giró ligeramente las varas, después tomó un palo verde de eucalipto y dio vuelta con él a las bolas de barro.

Con un movimiento del brazo, Aurelio le indicó a Laila que la comida estaba lista. Laila nadó hasta la orilla de la fosa y caminó con el agua hasta las caderas en dirección a las gradas. Saltó a la superficie, se sacudió de la piel el exceso de agua y luego se exprimió el cabello por encima del hombro. Tomó su vestido de algodón crudo, lo extendió sobre una mancha de sol que brillaba sobre el concreto y se tumbó sobre él para acabar de secarse. Aurelio puso un comal sobre las brasas y echó a calentar las tortillas. Todo el tiempo, inevitablemente, miraba con el rabillo del ojo el cuerpo desnudo de su amiga. Muy a su pesar, la completa falta de pudor que Laila compartía con los demás jóvenes lo seguía perturbando. Le recordaba la distancia que había entre ese tiempo y el suyo, lo obligaba a reconocer que vivía en calidad de reliquia en un mundo que apenas lo toleraba. Sentía que su virilidad se descartaba de antemano y al mismo tiempo le costaba admitir la clase de impulsos que lo atraían hacia quien hubiera querido ver únicamente como una nieta electiva. Aurelio retiró las truchas empaladas del fuego y sacó las bolas de barro de las cenizas. Al hacerlo, un trozo de carbón disparó en el aire un súbito reguero de chispas *los volúmenes lucían aplanados por la luz del flash disparado en corto se alcanzaban a ver pedazos del cable del disparador de chicote con el que fueron tomadas la primera foto parecía a simple vista un mero retrato de medio cuerpo de la madre de Quicho tomada cinco o seis años atrás cuando las tenues líneas en la parte externa de sus grandes ojos oscuros apenas comenzaban a insinuarse dos hilos de perlas naturales cruzaban con una secuencia de nítidos acentos la piel de su cuello en contraste con el remanso de caireles negros que corría sobre sus hombros la imagen hubiera podido ser parte de la serie de momentos familiares que figuraba de manera prominente en la pared del comedor de no ser por la desconcertante coquetería de esa mirada que acosaba la lente con el brillo de una leve embriaguez y la abertura en la blusa de seda de donde surgía un seno rotundo respingado y tenso la blusa abierta y un seno impaciente rotundo respingado y tenso pero en la segunda fotografía lo único que quedaba sobre el cuerpo de la señora Márquez desbordado majestuosamente sobre el lecho como la cresta inalcanzable de una ola eran las perlas*

—Listo. A la mesa —ordenó Aurelio.

Laila se metió en su vestido y ocupó su lugar sobre los cojines bordados. Las truchas asadas humeaban magníficas sobre las hojas de plátano. Aurelio tomó el guaje del agua y llenó hasta el borde los vasos de barro. Después tomó el guaje del pulque y lo sirvió en las jícaras crudas. Ambos levantaron su jícara para brindar. Sólo los viejos podían beber pulque fuera de las fiestas. Hacerlo juntos ahora acentuaba el carácter transgresivo de aquella reunión.

—Salud —dijo Aurelio.

—Salud —respondió Laila.

—Te voy a extrañar.

Laila lo miró sin expresión por un instante. Era el tipo de comentario para el que no conocía respuesta. Extrañar implicaba un desplazamiento de la atención lejos del pulso inmediato de la vida que le era desconocido. Prefirió arrancar un trozo considerable de pescado con un pedazo de tortilla, salpicarlo de salsa y llevárselo a la boca. Masticó con determinación mientras preparaba el siguiente bocado de la misma manera. Y enseguida el otro. Poco después sólo quedaban sobre su hoja de plátano un montoncito de espinas pelonas. Aurelio retiró los restos de la primera trucha y puso otra hoja limpia en su lugar. Tomó una de las bolas de barro cocido y la abrió de un golpe seco: el ambiente se llenó de inmediato de un aroma intenso a hoja santa, pescado, ajo y chipotle.

—Qué rico —exclamó Laila.

El encuentro procedía de acuerdo con lo planeado. La cocina de Aurelio contenían un rasgo de exuberancia que la sobria comida de las comunidades había perdido. Era una sensualidad y un espíritu de juego incompatible con la nueva mentalidad y con la estrecha base material que sustentaba la vida. Laila disfrutaba aquellos usos del pasado desde su muy incipiente noción de lo que era la extravagancia. Aurelio calentó más tortillas, sirvió más jícaras de pulque y más vasos de agua, renunció a una mitad de su propia trucha para poder seguir gozando del apetito prodigioso de Laila y agotó todas las fórmulas de la perfecta hospitalidad hasta que el último de los higos que había traído como postre desapareció entre los dientes blanquísimos de su invitada. Laila tomó la jícara de pulque y se la llevó a la boca. Un delgado hilo viscoso escapó por la comisura de sus labios y empezó a escurrir por su barbilla. La punta de su lengua dio cuenta del derrame con un movimiento prolongado y lento *Quicho dijo miren se los dije miren y ya no pudimos escuchar nada atrapados en una hermética burbuja de silencio frente a nuestros ojos hipnotizados transcurría pieza por pieza la secuencia íntegra de imágenes los cuerpos ávidos trabados en un exhaustivo repertorio de actividad carnal sólo había en el aire el ritmo sincopado de las respiraciones el imperceptible paso de la saliva por las gargantas cerradas el sonido de las fotografías al salir del sobre su mullido acomodarse sobre la colcha de la cama por fin el último de los cuadros ocupó su lugar al final de la línea un friso de apretada materialidad erótica cobró de pronto una inasible calidad abstracta no sé cuánto tiempo pudo haber pasado más tiempo del que en realidad existe hasta que Catalina torció la boca en lo que quiso ser un gesto de asco aunque la avidez de su mirada delatara una fascinación profunda dijo guácatelas Catalina dijo y la burbuja estalló de pronto en la foto el padre de Quicho lamía con devoción el sexo irisado y dúctil de su esposa mientras las dos primeras falanges de su meñique desaparecían dentro de la oquedad rugosa de su ano Catalina dijo guácatelas y aquella compacta atmósfera ritual se desmoronó de golpe*

La comida había concluido. No quedaban del banquete sino un cúmulo mínimo de restos que hasta un gato miserable hubiera despreciado. Con el estómago satisfecho y el contenido del guaje de pulque corriéndoles por las venas, la atmósfera vaporosa de la alberca fue adquiriendo ante sus ojos una textura de ensueño que no había tenido apenas unos minutos antes. Laila empezó a reír sin motivo. Su cuerpo no estaba habituado al pulque.

—Mi padre me llevaba al río —dijo sin pensar.

La palabra padre sonaba extraña en su boca. No la hubiera empleado en circunstancias habituales. Los padres ya no existían. Los hijos eran de todos. Para ella tampoco había existido cabalmente y no podía saber con certeza lo que hubiera significado tenerlo. Sus propios hijos no tenían padre. Tampoco, para el caso, madre, en el sentido en que todavía la suya lo había sido. La comunidad lo era todo. Pero quedaban algunos jirones de recuerdo. Cuando estaba con Aurelio esos fragmentos impalpables cobraban una dimensión distinta. Cuando estaba con él la palabra padre se volvía un cuerpo grande de hombre y vibraba en su interior una olvidada fibra. No tenía en realidad recuerdo alguno de ningún río. Pero las palabras habían aparecido y ella sintió la necesidad de decirlas. Las palabras eran el recuerdo. Las palabras eran el padre y el río.

—Te traje algo —dijo Aurelio.

Había llegado la hora. Todo el trabajo de ese día tuvo como único propósito poner aquel momento en el contexto preciso. Se levantó de la mesa, caminó hasta donde se encontraba su morral y regresó con un paquete en la mano. Era un envoltorio pequeño, cubierto con una mascada de seda y sujeto por un cordón de yute. Aurelio se sentó junto a Laila y le puso el regalo en las manos. Laila lo contempló incrédula. Repasó con la punta de sus dedos ásperos la suave superficie de la seda, la frotó varias veces sobre su rostro sin atreverse a abrirlo. No sabía qué pensar. A nadie se le hubiera ocurrido halagarla con un recurso semejante. Su primer impulso fue abrazar a Aurelio. El pulque contribuía a potenciar en su ánimo una sensación expansiva. Puso el regalo sobre la mesa, siguió contemplándolo en silencio durante algunos instantes y cuando parecía estar a punto de abrirlo se levantó de pronto como si acabara de recordar algo, caminó de prisa hasta la orilla de las gradas, se remangó el vestido y se sentó en cuclillas. Un cordón translúcido se proyectó desde su entrepierna hasta la superficie del agua. En el silencio del edificio en ruinas el rumor de la orina de Laila se fundió con el sonido casi imperceptible del agua que se escurría entre los escombros en dirección a la laguna. Un tenue rastro de burbujas siguió siendo visible durante algunos segundos sobre la superficie.

Laila volvió a ponerse de pie como si nada hubiera sucedido, remontó los escalones de unas cuantas zancadas, volvió a ocupar su lugar entre los cojines y tomó de nuevo en sus manos el regalo de Aurelio. Tiró por fin de uno de los extremos del nudo corredizo y la mascada se derramó sobre su brazo como el cuerpo sin fuerza de un animal herido *algo se quebró en mitad del silencio la madre de Quicho ya no era otra cosa que un conjunto palpitante de orificios que se abrían y se cerraban sobre la carne encendida Catalina dijo guácatelas y fue como si un agujero aún más grande nos estuviera tragando a todos no pude seguir mirando era pecado eso era lo que nunca nos decían qué era pero yo supe en ese momento que era lo que decían que era pecado eso era lo que era pecado y dije con la voz quebrada es pecado Catalina me tomó de la mano y dijo no es pecado porque son esposos cuando te casas se puede se puede todo dijo sin sombra de duda pero no era posible que entendiera aunque hubiera sabido ella fue la primera que supo la primera que dijo pero cómo relacionar ese febril entreverarse de los cuerpos con jurar amor eterno en una iglesia esas lenguas esos cuerpos sudorosos con acepta usted por esposa entonces Quicho dijo como si estuviéramos viendo las láminas de una enciclopedia y no a sus padres cogiendo de arriba a abajo como si a fin de cuentas lo importante fuera encarrilar de nuevo el asunto dentro de la discusión de donde había surgido como si diera igual sus padres cogiendo o cualquier otra cosa porque las imágenes ponían punto final a la discusión Quicho dijo Catalina tenía razón sí cogen eso es coger así nacen los niños*

—¿Qué es esto?

En el interior del paquete había una especie de ladrillo negro. La cara superior era brillante y lisa; la inferior, mate; las caras laterales parecían estar surcadas por estrías. Los dedos de Laila repasaron suavemente los bordes afilados de aquel extraño volumen. Nunca había visto nada parecido. Su textura y la densidad de su color le resultaban incomprensibles. No lograba entender cómo abordarlo. De pronto sintió que la primera capa se desprendía. Entonces se dio cuenta de que estaba compuesto por una multitud de láminas de un material oscuro. No hubiera podido saberlo, pero eran trozos velados de radiografías. Aurelio había recortado cada rectángulo a un tamaño exacto. La estática del material los mantenía unidos y por eso parecían formar un solo cuerpo.

Laila tomó por el borde la primera lámina y la desprendió del resto. La revisó por todas partes sin encontrar nada, luego la sostuvo frente a sus ojos y se percató de unos trazos que rasguñaban la oscuridad uniforme de la superficie. Sonrió igual que un niño que intuye que lo que hace el mago no es magia pero no logra aún desentrañar la mecánica oculta de su artificio. Entonces giró su cuerpo para colocar la mica contra la luz del cielo.

—¡Son palabras! —declaró triunfante.

Eran palabras. Aurelio había escrito con un punzón sobre los trozos de radiografía. Laila empezó a recorrer las letras con dificultad. Aún le resultaba indispensable mover los labios para leer y suspiraba lentamente el sonido de cada sílaba. Recorrió varias veces las dos líneas que habían sido garrapateadas sobre la película antes de atreverse a declamar en voz alta:

—No es lo mismo cantarle a la mujer amada / Que invocar al oculto y culpable dios fluvial de la sangre.

Laila levantó la vista y sonrió satisfecha. Su tosca lectura no traicionaba el sentido de los versos. Junto al estremecimiento que le produjeron siempre, Aurelio sintió esta vez una emoción distinta, esquiva, impalpable, que no tenía que ver con las palabras en sí sino con el hecho de que fuera Laila quien las leyera. En su cabeza resonaron las tres palabras del original en alemán que condensaban para él el embrujo de aquellas líneas, una mezcla del contorno de las letras en la tipografía de la edición bilingüe donde las había leído por primera vez y del sonido arbitrario que su ignorancia de aquella lengua les había asignado: Fluß-Gott des Bluts. Flufsgotdesbluts. El dios que corre por las venas. El dios de los ríos de la sangre *todos habíamos nacido así todos los niños sí también mi madre sí plausible hasta cierto punto al menos como una hipótesis sí pero cuando el silogismo se deslizó de manera inevitable hacia las imágenes que tenía frente a los ojos tuve que descartar la conjetura con una leve sacudida de terror Quicho dijo todos los adultos cogen cuando creces te dan ganas muchísimas ganas no te puedes aguantar mi madre también todos pero yo ya había decidido que el mundo podía dejar de ser lo que era si te proponías con toda firmeza negarlo los santos lo hacen se elevan por encima del mundo yo no voy a coger nunca dije y Catalina casi de inmediato pues yo sí dijo sin pensarlo o sea cuando me case claro no digas que nunca Aurelio qué tal si me caso contigo una vez nos habíamos besado con la boca abierta su lengua era húmeda y tibia cuando te casas se puede se puede todo su lengua era como un animalito mojado que sabía a paleta de piña se puede todo cuando las lenguas se tocan sientes cosquillas en el estómago y el pito se te pone duro*

—¿Qué es flu… fluvial? —preguntó Laila.

—Ríos, todo lo que tiene que ver con los ríos —respondió Aurelio.

La naturaleza no se detenía nunca. El agua que corre era uno de los símbolos fundamentales de la nueva doctrina. Todas las formas de interrumpir el transcurso del agua estaban proscritas. El mero concepto de presa era una blasfemia. El agua corría con libertad por todos los rincones de todas las comunidades de la *urdimbre*. Cada arroyo estaba consagrado, cada pozo era un lugar de culto. Cuando llegaba a ser necesario, la comunidad entera se desplazaba hacia asentamientos alternativos antes que atreverse a afectar el curso de un río.

Laila colocó sobre la mesa la primera lámina y separó del resto la segunda radiografía. Ésta estaba cubierta casi por completo por algunas estrofas dispersas de *Piedra de sol*. Eran trozos inconexos y seguramente falseados por la mala ley de la memoria. Aurelio sintió vergüenza de presentar a Laila aquella cantera majestuosa convertida en un puñado de grava. Le resultaba difícil comprender por qué llegaba al final de su vida sin otro patrimonio que legarle que esa minúscula colección de versos desvalidos. ¿Qué podía hacer esta vez que no hubiera intentado antes? Estaba convertido en un anciano. Había jugado y perdido en esa ruleta cuando la vida se extendía frente a su juventud como una posibilidad formidable. Ya no le quedaba nada. Dudaba de que la computadora valiera incluso renunciar a la foto. Pero Laila seguía ahí, ajena a tantos reparos, volcada sobre los trozos de película que contenían para ella la realidad completa de la poesía, el arte proscrito del pasado, tratando de dilucidar el tortuoso enigma de las letras, de sopesar los significados en la balanza de su juicio casi virgen de connotaciones. Las palabras escritas eran diferentes. Sonaban en silencio dentro de la mente. Se disparaba en ráfagas por el entendimiento, corrían por derroteros inesperados, sembraban a su paso inquietudes y desconciertos *nadie se puede aguantar dijo Quicho todos los grandes cogen sí todos cogen dijo hasta a mí ya me están dando ganas y Catalina jijiji te imaginas y yo primero te tiene que crecer dije la tienes muy chica dije para chingarme a Quicho Catalina miró otra vez las fotos asintió con un suspiro se metió las manos debajo del vestido a mí me tienen que crecer las chichis pero Quicho no se iba a quedar como si nada al menos la tengo más grande que tú dijo y yo no es cierto y él sí es cierto y yo estás loco y Catalina a ver bájense los pantalones y los dos nos quedamos helados yo me los bajo si tú te los bajas sí me los bajo pero tú primero y Catalina dijo rajones Catalina dijo ándenle maricas y se pasaba la lengua por los labios resecos ándenle parecen jotos y luego se quedó mirando con frialdad de especialista los pequeños miembros encogidos el tuyo tiene bolita yo estaba circuncidado se parece al de las fotos dijo Catalina pasó los dedos sobre la punta y pareció dar un pequeño respingo híjoles Catalina dejó escapar una risita aguda Quicho protestó es trampa entonces Catalina también tocó el suyo con la mano y después otra vez el mío fue fácil intuir el poder que residía en la capacidad de su mano para hacer crecer a voluntad esas curiosas extensiones en el cuerpo de los niños los dos crecieron entre sus manos Catalina los examinó con cuidado se paró muy derecha en mitad del cuarto alzó el rostro con gravedad Aurelio la tiene más grande dijo con un gesto de complicidad gozo*

travesura pero enseguida quise decir Quicho o sea Aurelio es decir Quicho
más bien Aurelio no Quicho Aurelio Quicho Aurelio Quicho Aurelio
empezó a gritar cada vez más fuerte y se tiró en el piso a revolcarse de risa
como si fuera una bruja o una loca

Laila levantó la vista de las placas y descubrió por fin la foto
recargada sobre el borde de concreto. La tomó con la mano y la
miró detenidamente.

—¿Quiénes son? —preguntó después de un rato, con los ojos
llenos de anticipación y asombro.

BELLAS ARTES

La pantalla se encendió casi al instante con un sonido corto y seco, como si una invisible película de estática o de tiempo súbitamente se quebrara. Una serie de ventanas con protocolos numéricos y listados de instrucciones cibernéticas se abrieron y cerraron en rápida secuencia y enseguida aparecieron uno tras otro iconos de programas y carpetas con archivos en dos pulcras franjas verticales sobre el lado izquierdo de la superficie azul turquesa. Aurelio se quedó mirando la pantalla durante largo rato, no tanto sorprendido por el hecho decididamente milagroso de que la máquina hubiera respondido sin titubeos a la apertura del interruptor, cuanto embrujado por la nitidez líquida de la luz eléctrica, cuyo modo rutilante de fluir desde dentro de sí misma en un caudal continuo de minúsculas explosiones hacía tiempo que formaba parte del oscuro territorio de sus recuerdos perdidos. Sin poder contenerse, recorrió la superficie de cristal con la punta de los dedos, movido por la necesidad imperiosa de constatar del único modo posible que ese magma de fría incandescencia no era sólo un espejismo o un ensueño. Su mano desató a su paso una sucesión de diminutas tormentas, que sintió sobre la piel de sus yemas como el ataque suicida de un ejército microscópico.

Al término de un lapso impreciso, Aurelio quitó los ojos de la pantalla y se levantó de la silla. El corazón le palpitaba con fuerza. Encontraba difícil creer que había pasado tantos años frente a pantallas iguales sin sentirse afectado por ellas. Levantó la vista al cielo y trató de serenarse un poco. Una luz difusa descendía desde la parte superior del cuarto, produciendo una luminosidad pareja, inaprensible, blanda. Examinó con cuidado el techo, en busca de la fuente de esa brillantez extraña. Por más esfuerzos que hizo, no alcanzó a descubrir aberturas, tragaluces ni ventanas. Era como si un resplandor uniforme fuera generado por la piedra misma. La luz del día no le reveló nada que no hubiera visto ya aquella primera noche con Quicho, después de remar a través de las ruinas de la ciudad durante horas. Fuera de la silla, el escritorio y la computadora, el cuarto estaba totalmente vacío. Se veía, si acaso, más angosto. No podía tener más de un metro y medio de ancho por unos cuatro de largo y cinco o seis de altura. Todo parecía estar recubierto por una especie de mármol blanco sin pulir. El piso lucía inmaculado y lo único que llamaba la atención era que estaba separado de las cuatro paredes por una fisura angosta, regular, de no más de medio centímetro de espesor, que corría a todo lo largo de su contorno. Recordó la antesala de una tumba egipcia, cuya réplica había recorrido alguna vez en un museo. Al igual que aquélla, le pareció que el espacio donde se encontraba ahora no había sido concebido para preservar el pasado, sino para acceder al futuro. Lo más extraño era que no había polvo. La superficie de la piedra no sólo se sentía perfectamente limpia, sino incluso fresca, como si hubiera sido repasada con un trapo húmedo apenas unos minutos antes. Se diría que el cuarto era una entidad orgánica, capaz de renovarse; una especie de árbol de piedra, inexplicablemente vivo.

Aurelio tuvo la certeza de que aunque todo Bellas Artes hubiera sido arrasado hasta los cimientos, aquel cuarto seguiría en pie; y que aunque no quedara nada sólido que lo cubriera, seguiría siendo un lugar oculto. Había recorrido el edificio entero sin encontrar un solo signo que denotara su existencia desde el exterior. En estricta lógica, el cuarto tendría que estar contenido dentro de un muro derruido a medias, cuyo espesor era de apenas un paso. El interior impecable y la luminosidad perfecta tampoco parecían responder a las leyes de lo posible. Con todo, se vio obligado a reconocer que no había nada de mágico en él. La sensación que producía era de una materialidad absoluta. Una materialidad tan concreta y rotunda que ningún agente externo era susceptible de incidir en él, nada fuera de sí mismo parecía capaz de afectarlo de manera alguna. Comenzó a dudar de que Quicho hubiera realmente descubierto ese lugar, como aseguraba y de las verdaderas razones que pudo haber tenido para llevarlo ahí. No le parecía un lugar *encontrable*. Pero Quicho ya no estaba cerca para responder a sus preguntas. Unos días después de que Aurelio le diera la foto con la que se cerraba el trato, Quicho salió de su casa con unos cuantos bultos y nadie había vuelto a verlo desde entonces.

La computadora seguía ahí, tensa como un arma primitiva, imperturbable. Aurelio volvió a sentarse frente a ella. Su angustia se había disipado casi por completo, absorbida al parecer, como todo lo demás, por la materialidad insólita del cuarto. Sobre el escritorio estaba la pantalla, un teclado parecido a cualquiera y una especie de caja rectangular con una larga ranura en el frente. Había también una extraña esfera de caucho negro, del tamaño de un puño, unida al escritorio por un cabo cilíndrico de metal. A pesar de su mediocre capacidad informática, Aurelio pudo darse cuenta de que aquella suma de elementos no podía formar una máquina completa. Se trataba sólo de una terminal, que tenía que estar conectada a un servidor más grande. Había entonces una red que se extendía por fuerza más allá del cuarto. Una red en activo, funcional, intocada.

Aurelio decidió probar suerte con la esfera de caucho. Al tomarla en su mano derecha sintió que se expandía de inmediato hasta amoldarse con exactitud al contorno de su puño. Casi al mismo tiempo, apareció en la pantalla una imagen translúcida de su palma, que empezó a abrirse. Su superficie se fue cubriendo de líneas. Aurelio supo que aquellas líneas eran un mapa preciso de sus huellas digitales. En ese momento, largas cadenas de letras, signos y números empezaron a correr en oleadas sucesivas de un lado al otro de la pantalla. Un instante después, el monitor se oscureció del todo y en la esquina superior izquierda apareció una línea escrita con letras amarillo claro. Aurelio la leyó sin entenderla, no porque tuviera nada de ininteligible, sino porque no podía creer que dijera lo que decía. Eran cuatro palabras que lo saludaban, con familiaridad insólita: *Buenos días, Aurelio Castellanos.*

Aurelio levantó la vista. Dio un giro completo al interior de su silla. Se sintió a la intemperie. ¿Cómo era posible que la computadora reconociera su mano y supiera su nombre? El sobresalto le duró apenas unos segundos. Por alguna razón, pasaba por aquella escena descabellada con una calma que lo sorprendía. Algo lo obligaba a aceptar que las cosas no podían ser de ningún otro modo. Entonces se percató de que había desprendido la esfera del escritorio. La examinó con más cuidado. En su parte inferior había un anillo de metal. Decidió apretarlo. Sintió o escuchó un *clic*. En la pantalla surgió de inmediato la imagen de un globo terráqueo, con la apariencia real de volumen de un holograma. Aunque la imagen era pequeña, representaba al mundo con un grado de precisión y un detalle de naturalismo desconcertante. No sintió que estuviera viendo una representación de la tierra, sino a la tierra misma, condensada en una imagen en miniatura. Pronto descubrió que la fricción de sus dedos sobre la superficie del caucho le permitía hacer girar la imagen a su antojo y que podía acercarse o alejarse de un punto cualquiera con sólo dirigir hacia él el extremo del cabo y apretar el anillo. La esfera había sido diseñada para navegar sin dificultad por aquel espacio virtual, que replicaban con perfecta nitidez los puntos infinitos en los que hubiera podido descomponerse la totalidad del globo.

Cada cosa se encontraba ahí tal y como Aurelio la había conocido y muchas otras más que nunca supo que existieran o imaginado siquiera que fueran posibles. La computadora contenía un registro pormenorizado y exhaustivo de los recursos físicos del planeta, desde la mezcla de gases en las diferentes capas de la atmósfera hasta los más recónditos reductos de energía. Estaban ahí todos los montes y todos los ríos. Estaba el mar. Estaba el peso del hielo sobre el agua y toneladas de mármol y de lodo. Estaban los laberintos de sal. Estaba una vereda sobre el lomo de la sierra y unos manzanos. Terrazas y mazmorras. Estaban las islas de arena y las olas dirigidas a arrasarlas. Estaban los túneles y los acantilados y satélites girando en el espacio. Estaba la pared de una noria y la roca socavada de un arroyo seco. Todo silencioso. Todo expectante. Todo mansamente dispuesto a su existir espectral, a su realidad de ilusión, descorazonado, hueco.

Aurelio se sumergió en aquella colección de imágenes con el abandono de un niño. Cada cosa en la pantalla volvía a tener a sus ojos un carácter novedoso y único, como había sido en su infancia. El mundo de la computadora era un mundo de nítidas individuaciones. Una vitrina inmensa de superficies impecables. Sus archivos estructuraban la totalidad del mundo en sectores perfectamente clasificados y a partir de cada registro visual se podía acceder al cúmulo de los conocimientos existentes sobre cada cosa. La esfera funcionaba como una puerta, que conducía a cierto ámbito específico, pero una vez entrando por ella se podía transitar sin dificultades de un lugar a otro. El sistema estaba diseñado para proseguir cualquier indagación hasta agotar por completo la gama íntegra de sus posibles respuestas.

Tras abrir, por ejemplo, la imagen aérea de un manglar en el estado de Campeche, se podía obtener un registro de las aves migratorias que lo frecuentaban, indagar los hábitos alimenticios de alguna de ellas, dar con la especie de gusanos que prefieren, considerar las reacciones químicas que operan en los tubos gástricos de dichos gusanos y la concentración de minerales específicos en los suelos que habitan, descubrir cómo una vez convertidos en guano por las aves alteran la acidez relativa de las aguas del manglar y cuántas toneladas de cierta bacteria se necesitan para restablecer los niveles necesarios para la sobrevivencia de las colonias de bagres. En ese punto se podía pasar sin problemas al diseño de un proceso completo para enlatar la carne de los bagres y embalarlas en cajas de cartón, incluyendo la medida óptima de las latas y todo lo necesario para fabricar cartón a cualquier escala.

Llegado el momento, la esfera parecía adivinar las intenciones de quien la operaba, de modo que si una combinación específica de movimientos había servido en un momento dado para rotar la perspectiva de un objeto en la pantalla, la misma combinación de acciones podía servir después para modificar su color o para revelar su estructura interna. La máquina era capaz de detectar sus indecisiones y proponía entonces las alternativas más viables, o incluso llegaba a insinuar, como Aurelio acabó por convencerse, la elección íntimamente deseada.

Las capacidades de la computadora no se reducían a la ilustración de lo existente, también podía generar modelos hipotéticos y someterlos a la acción de diferentes fuerzas en una variedad de escenarios. Dada cierta cantidad de lluvia en una zona determinada, sus programas podían calcular el nivel que alcanzarían las aguas de los ríos vecinos, las áreas de sus riberas que quedarían inundadas, el tiempo que les llevaría volver a secarse y los puntos precisos en donde hubiera convenido construir diques para contener sus cauces. Aurelio dedicó una tarde completa a simular erupciones cada vez más intensas del Popocatépetl, hasta que logró cubrir de lava toda la zona sureste de la ciudad de México. Pero la máquina no se limitaba a reproducir un fenómeno cualquiera de un modo arbitrario, sino que generaba todas las condiciones que se hubieran requerido para hacerlo posible y calculaba las probabilidades precisas de que tales condiciones llegaran a presentarse. Le cumplía el capricho de inundar de fuego su valle, pero también le hacía ver que aquello sólo podía llegar a producirse si ocurrieran de manera simultánea una serie imposible de cataclismos en diversas regiones de la tierra, cuya combinación exacta sólo podía resultar de un súbito vaivén en el eje de rotación del planeta, la expresión de cuyas probabilidades reales en el futuro previsible eran unas cuantas fracciones perdidas al final de una línea interminable de ceros.

En uno de sus extravíos por los vericuetos de la computadora, Aurelio descubrió por casualidad una carpeta electrónica con lo que parecía ser su expediente personal: un escueto compendio de generalidades biográficas acompañadas por una extraña fotografía, en la que encontró difícil reconocerse de inmediato. No era que la imagen no lo reflejara con fidelidad, sino que lo hacía en términos puramente abstractos. Más que corresponder a un momento específico de su vida, daba la impresión de haber sido compuesta por muchos de ellos. Era un Aurelio promedio. En cierto modo más puramente sí mismo de lo que nunca había sido y al mismo tiempo una mera conjetura. Tras el breve preámbulo documental y la extraña fotografía, la parte sustancial del expediente estaba formado por una nutrida serie de largas cadenas de números, ordenadas en bloques de dimensiones variables, que Aurelio nunca supo cómo interpretar o para qué servían.

El encuentro con su ficha personal no hubiera tenido mayor relevancia si no lo hubiera conducido a un hallazgo de implicaciones más amplias. Jugueteando con su imagen en el expediente, Aurelio descubrió que la podía ir alterando sobre una línea de tiempo. Bajo la acción de la esfera, el conjunto de elementos conjeturales que lo representaba en la pantalla se fue convirtiendo de manera casi imperceptible en la estampa real del Aurelio sombrío que había sido al final de sus treintas, luego en el joven delgado y perplejo que fue a la mitad de sus veintes, el muchacho impaciente y despectivo de sus diecisiete, el niño tímido y triste de sus once, un bebé de ojos espantados en los brazos de su madre y por último, en una nítida espiral de proteínas y aminoácidos. Aurelio se tardó en asimilar que esa armazón de moléculas era también él y que lo era, de hecho, en los términos más depurados. Se quedó mirándola durante largo tiempo, impresionado por la viva claridad de intención que proyectaba.

Una vez alcanzado el límite de su origen, Aurelio tuvo la idea de invertir el procedimiento y ver si lograba desplazar su imagen en la dirección contraria. Vio cómo la línea de su frente se retraía, la piel de su rostro se cubría de arrugas y sus ojos adquirían una expresión distante, propia de quien ya no espera encontrar a su paso ni sobresaltos ni maravillas. Pero a diferencia de las imágenes de su pasado, que reproducían literalmente su apariencia en diferentes momentos de su vida, el rostro más bien plácido del anciano que mostraba la computadora tenía muy poco que ver con el semblante abrumado del viejo correoso en el que Aurelio se había convertido. La computadora no era capaz de mostrarlo tal y como había envejecido en los hechos, sólo la vejez que debió haber sido suya bajo las circunstancias que la máquina hubiera considerado probables. Contenía los registros precisos de todo lo pasado, pero apenas una proyección hipotética de lo que sería el futuro. Tal vez por eso se negaba a llevar su imagen hasta lo que tenía que ser su desenlace obligado: la decrepitud y la muerte, la disolución definitiva. Por más años que pasaran, su rostro sólo envejecía hasta convertirse en el de un viejo de barba blanca y mirada serena, dueño todavía de una vitalidad robusta.

Tras haber explorado su propia superficie, Aurelio se dedicó a recorrer el transcurso de las edades en el rostro de la tierra. Ciclos en apariencia indistinguibles se repetían con una regularidad que se antojaba eterna y lo que pasaban por alteraciones bruscas en la escala de los miles de años se revelaban como matices de la uniformidad en la escala de los cientos de miles y era sólo al considerar los miles de millones que el planeta parecía desarrollarse de verdad, envarnecer, asentarse. En medio de aquella magnitud la existencia del hombre era apenas un chispazo y la suya propia poco menos que un parpadeo. Como quien repasa de manera obsesiva las páginas favoritas de su álbum familiar, aquéllas en que la madre es aún y para siempre una mujer joven, Aurelio volvía una y otra vez a las imágenes de ese mundo todavía infantil y se gozaba en la contemplación reiterada de la secuencia de eventos milagrosos que transformaron un meteoro desangelado y candente en una esfera húmeda, colorida y blanda. Y si bien la formación puramente química de los océanos y de la atmósfera, la sencilla elegancia de ir transformando poco a poco y en silencio moléculas de esto en moléculas de aquello, resultaba a sus ojos un espectáculo insuperable, todo lo que tenía que ver con el desarrollo de las formas superiores de vida —su origen putrefacto en los tibios charcos de inmundicias, su avance voraz, regido desde el primer momento por el signo de la violencia— le repugnaba profundamente. Así que transitaba a toda prisa por el apretado mosaico de génesis providenciales y fulminantes exterminios hasta llegar al hombre y entonces se detenía otra vez, como si hubiera encontrado su retrato de recién nacido en aquel gabinete universal de los recuerdos.

La computadora contenía los registros del más mínimo rastro de intervención humana sobre el entorno y a partir de tales vestigios ofrecía reconstrucciones razonadas de las edificaciones y objetos que yacían ocultos bajo su origen. De ese modo, un bordo vagamente recto en el norte del Sudán daba pie a la revelación de un intrincado sistema de canales de riego, asociado a una serie de asentamientos dispersos sobre los cerros vecinos y a un pequeño centro ceremonial consagrado a la luna, del cual sobrevivían unas cuantas piedras. Cierta aguja de hueso podía conducir a las rutas de navegación de una tribu dedicada a la caza de focas, a los rasgos de carácter ritual de su comercio y a su forma peculiar de labrar canoas o de degollar a sus enemigos. Pero la computadora sólo contenía fichas puntuales, relacionadas de manera directa con los objetos registrados y con sus circunstancias precisas. No había en ella una narrativa articulada y exhaustiva de la historia, ni análisis de las estructuras de los distintos sistemas sociales, ni valoraciones de cualquier tipo sobre sus consecuencias para la vida de los hombres, ni nada más que breves atisbos sobre la naturaleza de sus experiencias espirituales. No consignaba las escrituras sagradas de los pueblos, ni obra alguna de filosofía, ni arte que no hubiera quedado plasmado en la roca, ni reflexión de ninguna especie sobre la condición existencial del hombre, su mundo interno, su razón de ser o su destino. Sólo había la realidad y sus residuos; la naturaleza y los instrumentos requeridos para dominarla.

Cuando Aurelio se decidió por fin a explorar el futuro, apenas si pudo controlar el temblor de su mano al manipular la esfera. Como fue en la realidad, también en la pantalla las ciudades iban desapareciendo una tras otra, pero en lugar del caos que ocupó su sitio en los hechos, en el porvenir de la computadora un patrón de construcciones regulares iba cobrando forma. La máquina mostraba planos, alzamientos, cortes topográficos, maquetas y prototipos. Lo primero en surgir era una serie de estructuras elevadas y estrechas, en las que Aurelio reconoció de inmediato cámaras idénticas a aquella en la que se encontraba ahora. En torno a éstas aparecían después una serie de asentamientos de población, rodeados por amplias franjas de terrenos agrícolas. Se trataba, hasta donde podía verse, de comunidades autocontenidas, tecnologizadas y permanentes. Todas las ciudades nuevas seguían un modelo similar y se esparcían a lo largo del mundo en las zonas con los mejores climas. Fuera de ellas sólo se distinguían algunas estructuras menores de apoyo, de esparcimiento, de observación y de acopio de materias primas. Aunque no había lazo material alguno entre una estructura y otra, todas daban la impresión de formar una entidad continua. El resto de la tierra aparecía intocado y la naturaleza resplandecía sobre ella con una intensidad desconocida.

Era claro que las nuevas comunidades sólo podían alojar a una pequeña fracción de los habitantes de las ciudades antiguas; lo que no quedaba claro era qué se había decidido hacer con todos los que no iban a caber en ellas. La tierra sería heredada por una reducida casta de elegidos, el resto de la humanidad era un estorbo y de una u otra forma tendría que ser apartada del camino. Aurelio llegó a convencerse, aunque no era nada concreto lo que se lo decía, que esas comunidades perfectas no sólo serían habitadas siempre por un número constante de personas, sino que esas personas iban a ser en todo momento *las mismas*. Sin poder evitarlo, sintió la urgencia de abrir de nueva cuenta su expediente y se quedó mirando durante largo rato su imagen compuesta, su código genético, aquellos enigmáticos bloques de números, mientras se preguntaba en términos más bien confusos si de verdad era posible que él mismo estuviera destinado, por la razón que fuera, a formar parte de aquel deslumbrante futuro.

La computadora estaba llena de asombros, pero después de recorrerla de un extremo al otro, Aurelio se vio obligado a concluir que no contenía ninguna de las respuestas que para él hubieran resultado significativas. Con el paso del tiempo, la fascinación ante el desfile interminable de portentos fue dejando su lugar a un indiferenciado hastío. Abrumado por la imagen descomunal del mundo que la computadora ponía a su alcance, la idea de escribir en ella un simple libro le parecía un capricho irrisorio. Con todo, Aurelio seguía pasando la mayor parte del tiempo frente a su pantalla. Como un oficinista indolente, ocupaba sus días en andar picando aquí y allá sobre datos que realmente nada le decían. Se enteraba entonces de las diversas clases de arbustos que conviven en tal o cual punto de las pampas argentinas o del perímetro exacto del foro de Dioclesiano o contemplaba el torbellino descomunal de una tormenta desgajando las palmeras de una isla en el Caribe, con el mismo entusiasmo con el que hubiera leído un altero caduco de periódicos viejos. Y lo seguía haciendo porque el cuarto lo llenaba en todo momento de una paz indisoluble. No era sólo la luminosidad perfecta y la temperatura siempre precisa; algo en su atmósfera cancelaba de inmediato todo rastro de ansiedad con el que hubiera entrado. El cuarto permitía una extraña claridad de pensamiento, desligada por completo de las emociones. Cualquier idea, por terrible que fuera y por directamente que lo implicara, se presentaba a su consideración como una entidad abstracta, para ser examinada con el mismo desprendimiento que un objeto físico. De modo que Aurelio se pasaba las horas sentado en su solitaria silla o se acostaba de espaldas sobre el piso de piedra y llegaba sin aprensiones de ninguna especie a la conclusión obligada de que nada tenía sentido.

Cierta mañana, Aurelio se percató de que llevaba varios días, acaso un par de semanas, sin fumar mariguana. Eso fue de entrada lo que le pareció extraño; francamente inusitado, mejor dicho. Pero enseguida cobró conciencia de que tampoco había comido, ni bebido, ni dormido, ni soñado, ni realizado función orgánica de ningún tipo. De hecho, no había salido del cuarto durante todo ese tiempo y ahora le resultaba imposible saber incluso cuánto había sido, pues su cabello, su barba y sus uñas seguían teniendo la misma longitud que la última vez que se había detenido a reparar en ellas. Con el mismo impasible desapego con el que hubiera considerado cualquier otra cosa, decidió que aquello no podía continuar así, que tenía que salir del cuarto inmediatamente. Pero una cosa era decidirlo y otra muy distinta reunir la fuerza de voluntad necesaria para hacerlo. Pasó otro día completo de injustificable demora hasta que con grandes cavilaciones y reiterados titubeos atinó por fin a apagar la máquina y antes de bajar los breves peldaños de la escalera y caminar por el túnel que lo llevaría a los restos del pasillo se entretuvo en acomodar una y otra vez su silla y los escasos objetos que descansaban sobre el escritorio y en revisar con cuidado el resto del cuarto como si cada milímetro de su superficie no siguiera estando tan cabalmente impoluto como lo había estado en todo momento desde un principio.

En cuanto puso un pie fuera del cuarto, Aurelio volvió a sentir sobre su cuerpo el peso muerto del mundo. La vida regresaba a su modo de siempre y encontrarse de nuevo con ella era como toparse de pronto con un odiado enemigo. La ciudad lo recibió envuelta en una atmósfera sombría. Una lluvia constante y fina escurría sobre los restos irisados del palacio de piedra y su golpeteo continuo contra los bordes de cemento y la forma como se iba congregando en charcos inconexos y arroyuelos sin rumbo acentuaba el carácter desolado de aquel precario refugio. Aurelio se acercó a la orilla del edificio y dejó que el agua le diera en el rostro. Llenó con ella la cuenca de sus manos vacías, bebió como si nunca antes lo hubiera hecho y sintió cómo su cuerpo se reconciliaba poco a poco con la realidad orgánica de su existencia física.

Copado por las nubes de tormenta, el mundo había perdido distancia. Todo eran tonos de gris bajo la cortina impenetrable de la lluvia. El cielo plomizo se fundía sin transiciones con el contorno pardo de la ciudad derruida y ambos daban la impresión de ser apenas una imagen hueca de sí mismos sobre la extensión terrosa de la laguna. Tenues oleadas de apagados brillos salpicaban de manera recurrente el espejo opaco de su superficie, como el roce casi imperceptible de una procesión de fantasmas. Aurelio se fue dejando absorber por la contemplación de aquella imagen serena y muda y con una rara sensación de euforia y un caudal de lágrimas arrasándole la vista deseó con todas las fuerzas de su voluntad haber estado muerto, tan irremediablemente muerto como la ciudad en ruinas.

EL ÁRBOL, LA CASA

Libre por fin del embrujo del cuarto, Aurelio se dispuso a aprovechar el golpe de determinación con el que había salido. Sin más rodeos que procurarse lo indispensable para pasar la noche, montó sobre su canoa y se echó a remar bajo la lluvia. Lo único que importaba en ese momento era alejarse de ahí. No tenía en la mente ninguna idea de destino, así que un par de minutos más tarde, cumplido el objetivo inmediato de poner distancia, levantó su remo y se dejó flotar sin rumbo sobre la laguna. Había llegado al extremo poniente de la extensión de agua vacía que la gente conoció durante tanto tiempo como el parque de la Alameda. Unas cuantas ramas negras de sus árboles hundidos aparecían aún de vez en cuando sobre la línea oscura de la superficie. Nada separaba el agua en reposo del agua que caía, su vista era incapaz de penetrar la burbuja de bruma que lo rodeaba todo, la lluvia se estrellaba sobre su piel con tal monotonía y la soledad de la ciudad desierta se le venía encima con tanta fuerza que al cabo de unos instantes empezó a sentir que flotaba sobre la sustancia intangible de algún sueño. Necesitaba devolverle materialidad a su mundo, convertido por razones que se le escapaban en un amasijo informe de abstracciones y de conjeturas.

Volvió a tomar el remo y sin proponérselo de manera precisa enfiló la canoa hacia los restos de avenida Juárez, se escurrió por el estrecho canal que rodeaba las ruinas del Hotel del Prado y siguió navegando entre trozos de concreto enmohecido y pequeñas islas cubiertas de arbustos hasta desembocar en el cauce de Bucareli. Remaba lentamente en dirección al sur cuando un súbito golpe de recuerdo le trajo a la mente el edifico de un periódico sombrío, parapeto de una camarilla de políticos en desgracia, que disparaban desde sus páginas borrosas las cargas de su resentimiento contra el poder perdido. Fue el primero de muchos en su vida y tal vez no lo hubiera recordado nunca de no ser porque el paisaje hecho pedazos algo le trajo aún de la mezcla de expectación y desencanto presentido con que cruzó aquella remota mañana su dintel de cantera. El edificio (sus despojos) no podía estar lejos y Aurelio decidió que tenía que encontrarlo. Empezó a buscar sobre la acera izquierda de la calle hasta que quedó convencido de que no podía ser esa la orilla correcta, remó entonces hacia el extremo opuesto y siguió buscando, pero al cabo de unos momentos cambió de parecer y decidió que tenía que haber sido después de todo el lado contrario, luego el otro, de nueva cuenta el opuesto, y así fue y vino y volvió una y otra vez sobre sus propios pasos hasta que se detuvo por fin junto a un montículo de piedras de donde brotaba como un vegetal extraño la cresta retorcida de un portón de bronce. Saltó de la canoa, movido por el deseo de tocar con las manos lo que quedaba de aquel metal oxidado y en un principio quedó convencido de que ese era el lugar y aquélla la puerta, pero casi al instante le pareció que no podía ser, que se trataba de otro edificio igualmente dilapidado y sucio, sede de otras oficinas llenas también de redactores insomnes. Levantó la vista y en cada uno de los montículos cubiertos de maleza que alineaban la calle anegada por la lluvia creyó reconocer ahora algún elemento concreto que tenía que ver con su vida anterior: aquí un trozo de la vieja columna donde se recargaba a esperar el pesero; allá el remate de terrazo que cubría la ventanilla de metal de una caja de pagos; en la acera de enfrente tres peldaños de una escalera rota que llevaban a la entrada de un café de chinos; pero restos y recuerdos no dejaban de mezclarse unos con otros, de revertirse y suplantarse, hasta que Aurelio tuvo que convencerse de que jamás lograría que correspondieran.

Un tanto aturdido por el desencuentro, montó de nuevo sobre su canoa y siguió remando bajo la lluvia. Cuando acababa de pasar junto a lo poco que quedaba de la glorieta del Reloj Chino pudo ver que a medio centenar de metros el cauce de la avenida estaba cubierto por una montaña de ruinas. Buscando la forma de darle la vuelta, se encontró de pronto dentro de un laberinto de canales, donde acabó de perder cualquier sentido de dirección que aún pudiera haber tenido. Ahí el tamaño de los escombros era menor y de vez en cuando se distinguían secciones completas de las fachadas de las casas antiguas, cuyos interiores socavados no albergaban ya más inquilinos que algunos silenciosos sauces y otros insondables eucaliptos. La canoa salió de aquel enredijo de cauces angostos a una especie de estanque descubierto formado por la intersección de varias avenidas. Aurelio alzó su remo y dejó que el agua lo arrastrara unos momentos mientras trataba de encontrar entre la bruma alguna referencia que le permitiera establecer en dónde se encontraba. Pronto distinguió en dirección al oriente la silueta rota de una torre de transmisiones que cruzaba de un extremo a otro el arroyo de la avenida. Viró la canoa casi en redondo, puso a su espalda aquella enorme estructura y remó durante un breve tramo hasta que encontró a su izquierda el cauce de avenida Cuauhtémoc. Enfiló por ahí y un par de minutos más tarde vio surgir sobre el fondo pardo de la lluvia la silueta quebrada del Cine México: dos hileras de columnas pelonas rematadas por mechones de varillas que se mantenían de pie en mitad de aquella desolación como melancólicos centinelas de un imperio en desgracia.

A punto de llegar a la esquina de Álvaro Obregón lo inundaba una opaca sensación de vacío. No había puesto pie en aquellos territorios de su infancia desde que tuvo que dejarlos para siempre, tanto tiempo atrás que ahora le costaba trabajo creer que aquella hubiera sido su vida. Había dedicado largas horas de dolorosa introspección a especular sobre la posibilidad de que algo esencial en ese origen que lo determinaba pudiera llegar a trasmutarse o a resarcirse mediante un portento de la voluntad o algún embrujo del arte. Ahora se acercaba al reducto de tales sentimientos con sus expectativas en blanco. Tomó por el cauce de Álvaro Obregón y siguió remando con el corazón desbocado hasta que el agua empezó a volverse cada vez menos profunda. Cuando ya no pudo continuar por la avenida, atracó la canoa en una playa de grava rojiza, al pie de una maraña de vigas de acero.

La intensidad de la lluvia había disminuido. Se alcanzaban a distinguir hacia el poniente tenues resplandores de una luminosidad verdosa. Aquella playa se encontraba en la orilla de una especie de caleta, formada a través de los años por las crecidas de la laguna. A ella habían venido a encallar una diversidad de desechos que acabaron por erigir un montículo informe. Aurelio trepó a su cima y desde ahí contempló un paisaje de tonos dorados. Jirones de luz tentativa salpicaban de resplandores los restos de la ciudad recién bañada por la lluvia. A uno y otro lado de la avenida se alineaban acumulaciones de escombros que denotaban vagamente el trazo original de las calles. Los habitantes distinguidos de la Colonia Roma eran ahora una colección esporádica y ruda de jóvenes ahuehuetes, empeñados en echar raíces sobre su suelo inestable.

Aurelio calculó que se encontraba cerca de la intersección con Orizaba. No podía estar lejos de la que había sido su casa y la de sus padres y abuelos en la calle de Chihuahua y supuso que le sería relativamente fácil dar con ella, así que empezó a caminar en dirección a Insurgentes. Mientras se mantuvo sobre la línea de Álvaro Obregón el trayecto progresó sin complicaciones, pero al salir del espacio abierto de la avenida y empezar a caminar por la zona de calles angostas se encontró con que los restos de las construcciones de ambas aceras se entreveraban y confundían y resultaba casi imposible establecer el contorno de las manzanas. Tenía que subir y bajar por una sucesión de montículos y rodear las áreas cubiertas por el agua, de modo que las referencias que lograba establecer cuando estaba arriba las perdía de inmediato cuando estaba abajo. Al cabo de media hora de deambular sin rumbo tuvo que reconocer que estaba perdido. Todo a su alrededor eran túmulos indistinguibles, trozos de cantera y fierros retorcidos. Sudaba a pesar de la llovizna y el viento le calaba hasta los huesos a través de su ropa mojada. Acababa de sentarse sobre una piedra y ya pensaba en dejar su pequeña aventura de la memoria para un momento más propicio cuando vio de pronto a un tejón que caminaba de prisa sobre los restos de una barda de ladrillo. El animal se detuvo un instante, lo miró con extrañeza y luego se metió en un agujero abierto al pie de un ahuehuete que crecía sobre los restos del piso de duela de la casa vecina. Nada quedaba ya de esa construcción sino el piso horadado y la sección del sótano donde el tejón había instalado su madriguera y los restos de una escalera corta con barandal de herrería que alguna vez condujo hasta el pórtico de entrada. Todo lo demás había desaparecido sin dejar rastro, como si la furia de un dios iracundo la hubiera arrancado de un soplido de la faz de la tierra.

Aurelio retrocedió unos pasos. La lluvia había cesado por completo. Gajos de un sol intenso se filtraban a través de los espacios abiertos en la masa compacta de nubes. La escena capturaba los sentidos por su serenidad desencajada: un solar abierto y limpio en medio del caos de las construcciones destruidas; la escalera incólume, que conducía del agua al vacío; la figura robusta y sabia del ahuehuete bañada por la luz de la tarde como por una lluvia de plata sobre aquel ancestral agujero en el piso, que era lo único que seguía siendo como siempre había sido. Aurelio hubiera esperado una oleada de sentimientos, un desgarramiento del alma, pero su ser estaba cautivado por la belleza del árbol y la forma como se asentaba sobre el terreno con un sentido de pertenencia que la casa nunca tuvo ni podía haber tenido. Consideró mientras lo miraba la cauda de sus desgracias y alegrías personales y las de los suyos antes que él y la trama sin fin de las generaciones que se habían querido y destrozado en ese mismo lugar y por razones parecidas y en un raro destello de optimismo creyó entrever en aquella imagen desnuda que el mundo que venía detrás de él sería más semejante al árbol que a la casa.

El sol comenzó a brillar con mayor fuerza y a envolverlo todo en una bruma vaporosa y tibia. Aurelio trepó sobre una plancha de concreto frente al hueco donde se había levantado la casa de su familia, se quitó la ropa, la puso a secar a su lado y se tendió a tomar el sol sobre el cemento tibio. No hubiera sabido decir si se quedó dormido, o cuánto tiempo pudo haber pasado, pero cuando abrió de nuevo los ojos se sintió repuesto. Volvió a ponerse su ropa y caminó sin dificultad hasta la canoa.

El sol ya estaba por meterse cuando llegó por fin a la privada de Colima, al otro lado de Insurgentes, donde transcurrió la infancia de Catalina. Mientras flotaba sobre los restos del portón de entrada alcanzó a distinguir bajo el agua algunos trozos retorcidos de su reja de hierro. La pequeña casa parecía seguir intacta, sostenida como de milagro por los despojos mutilados de sus dos vecinas. Era la única que conservaba su segundo piso y casi completa la superficie de su fachada. De las construcciones aledañas quedaba muy poco, de modo que la casa de Catalina se alzaba sobre la línea descubierta del agua como un juguete olvidado en mitad de la laguna. Aurelio se acercó hasta quedar encima de los escalones de granito que conducían a la entrada. Al interior de la casa, el agua llegaba a poco más de un metro de altura sobre el nivel del piso, así que tuvo que inclinar la cabeza para meterse con la canoa por el quicio de la puerta.

El vestíbulo estaba en penumbra, como todo el resto de la primera planta. Jirones de cielo raso colgaban aún de las tablas del techo y a lo largo de todas las paredes líneas sucesivas de sílice y de lama marcaban los altibajos en los niveles de la laguna. Se respiraba un aire podrido. No había nada que ver ahí ni espacio alguno para moverse, así que Aurelio colocó la canoa junto al barandal de la escalera, la sujetó con un lazo y después de probar la firmeza de las tablas, desembarcó con cuidado. La escalera se cimbró bajo su peso y por un momento pareció que se quebraba, pero se sostuvo finalmente como de milagro. Pisando con tiento sobre cada peldaño, Aurelio llegó por fin al piso de arriba.

La situación ahí era exactamente la opuesta. La pared del fondo había desaparecido por completo, como cortada por los bordes con un abrelatas y a través de esa abertura se derramaba hacia el interior de la planta la luz amarilla de un sol crepuscular. Las paredes interiores de madera se habían perdido, de modo que toda la superficie del piso estaba descubierta y sólo quedaban de pie en mitad del espacio vacío la sección del barandal que corría junto al vano de la escalera y en la esquina del fondo, extrañamente intactos, como a punto de caerse por la orilla de la casa, los muebles de hierro fundido y porcelana del baño. Todo daba la impresión de ser mucho más pequeño de lo que Aurelio lo recordaba, no sólo porque ya no eran sus ojos de niño los que lo veían, sino porque la ausencia de paredes transformaba el lugar en una especie de terraza, que por amplia que fuera, no parecía capaz de contener lo que había sido el espacio de tres recámaras. En su absoluta limpieza, aquella mitad de la casa proyectaba ahora una sensación de luminosa alegría, en marcado contraste con lo que había sido la vida cotidiana en los tiempos de la madre de Catalina.

Aurelio recorrió la planta de un extremo al otro, cuidándose de caminar despacio, pero pronto descubrió que la madera del piso estaba menos podrida de lo que había imaginado. No le fue difícil reconstruir la distribución original porque las marcas dejadas por las paredes de madera seguían siendo visibles y el baño conservaba aún la mayor parte de su mosaico. Al norte se encontraban las recámaras de Catalina, al fondo, y de su hermana, del lado de la fachada; frente a ellas la habitación más espaciosa de la madre y el cuarto de baño; en medio, el pequeño vestíbulo de la escalera. Siempre fue un lugar oscuro, gris y mugroso. Lucía mucho mejor ahora. Aurelio decidió que sería un buen lugar para pasar la noche, así que bajó a recoger sus cosas de la canoa.

Cuando volvía a subir por la escalera, se le ocurrió probar las llaves del lavabo. Las perillas estaban pegadas, así que tuvo que golpearlas con un palo para que cedieran. Al principio, el grifo dejó escapar un largo gemido, después vomitó un chorro de sarro y luego, para su sorpresa, empezó a brotar de él agua limpia. También las llaves de la tina funcionaban. Cosas así sucedían de vez en cuando en la ciudad destruida, por razones inescrutables y Aurelio no perdió mucho tiempo tratando de desentrañar la mecánica oculta de aquel pequeño milagro. Abrió las llaves de la tina, dejó correr un poco de agua sucia y luego tapó la coladera con un jirón del cielo raso. Mientras el agua alcanzaba el nivel deseado, arrancó algunos postes del barandal de la escalera, los colocó entre las patas de la tina y les prendió fuego. Luego extendió su edredón en un rincón del piso y acomodó junto a él una cesta con comida y un bule con agua. Cuando el agua llegó a su punto se quitó la ropa, retiró las brasas, se metió poco a poco dentro de la tina, respiró muy hondo y dejó escapar un suspiro prolongado.

El disco rojo del sol pareció detenerse por un instante sobre la línea abrupta de los cerros y Aurelio alcanzó a distinguir todavía en la contraluz del atardecer las nubes pardas de la lluvia que seguía cayendo en algunos rincones de la montaña. A la sombra de la sierra la ciudad se fue pintando de gris y el aire cobró tal profundidad y tal transparencia que una mirada joven podría haber distinguido a lo lejos las ruinas blanquecinas de San Ángel. Aurelio siguió llenándose la vista con aquel paisaje hasta que de pronto comenzó a reír y ya no pudo parar. El sol se ocultó detrás del horizonte, el ruido de los pájaros en sus nidos se interrumpió de golpe y las carcajadas de Aurelio era lo único que rompía el silencio recogido de la tarde. Había algo irremediablemente cómico en la forma como llegaba a disfrutar por fin de la esquiva hospitalidad de aquella casa.

Catalina había vivido ahí con su madre y su hermana mayor durante casi diez infelices años. Tuvieron que mudarse de una casa más grande cuando su padre las abandonó para irse a vivir a Guadalajara con una mujer más joven. Su madre decidió desde un principio que Catalina era la culpable de que su marido las hubiera dejado y con la colaboración entusiasta de la hermana se dedicó a hacérselo pagar por todos los medios que encontró a su alcance. Catalina, a su vez, se propuso mantenerse fiel a la figura de su padre y cada semana le escribía largas cartas en unas hojas de papel floreado que compraba con el dinero de su domingo en una papelería de la calle Salamanca. Con el tiempo dejó de importarle que él jamás se molestara en responderle porque de cualquier manera necesitaba una causa que le diera sentido a su guerra cotidiana. Nunca tuvo amigas, acaso porque su capacidad de empatía con el género femenino quedó aniquilada desde la cuna por aquella convivencia agreste con su madre y su hermana. La aversión que éstas le dispensaban se extendía de manera natural a todo lo que se asociaba con ella, así que mientras los amigos de la hermana podían pasar a la sala, Quicho y Aurelio tenían que esperar a que Catalina saliera sobre los escalones de granito de la puerta de entrada.

En las raras ocasiones en que las circunstancias les permitieron introducirse a la primera planta (por coincidir en la puerta con alguna visita o por alguna otra situación similar en que la hipocresía tuviera que prevalecer sobre la saña), alcanzaron a atisbar un conjunto de habitaciones (vestíbulo, comedor, sala) llenas de adornos sentimentaloides que eran más una violenta declaración de principios que una serie fortuita de desbarrones visuales. Todo en el piso de abajo proyectaba una pulcritud pretenciosa y una alegría falsa. En cuanto al piso de arriba, nadie de fuera podía subir jamás, ni siquiera las amigas de la hermana. La primera vez que Aurelio lo hizo, un día en que estaba solo con Catalina y ella le dijo espérame aquí y a él se le hizo fácil subir tras ella cuando se cansó de esperarla, el espectáculo con el que se encontró lo dejó pasmado. Sobre cada rincón del piso había montones de ropa sucia y platos olvidados. Gruesas cortinas de una tela aceitosa mantenían el lugar en permanente penumbra. Las paredes estaban desnudas, a excepción de lo que parecían ser salpicaduras de sopa y lamparones de grasa. Todo olía a sudor reseco y a orines de gato. No era una mugre que obedeciera al descuido, era más bien una complicada forma de venganza. Aurelio ni siquiera sabía que tuvieran un gato.

Al llegar la adolescencia, Catalina empezó a ser presa de terrores repentinos, que le producían sudores fríos y sacudidas incontrolables. Veía cosas que no estaban ahí y se imaginaba víctima de posesiones satánicas. No soportaba la oscuridad, pero su madre le prohibió dormir con la luz encendida y cuando vio que no iba a haber otra manera de obligarla, trajo a un electricista que quitó el interruptor de la pared y lo instaló en su recámara. De modo que la luz se apagaba a las diez de la noche, sin excepciones de ninguna clase. Fue entonces cuando Quicho y Aurelio empezaron a turnarse para trepar por el caño del desagüe y acostarse con Catalina hasta las primeras luces del alba. Nada sucedía en aquellas castas veladas, pero tanto Quicho como Aurelio fueron madurando la certeza de que un elemento esencial de su felicidad futura pasaba por seguir estando cerca de ese cuerpo, que cada noche parecía volverse un poco más curvo y un poco más blando. Finalmente un día el psicólogo de la escuela llamó a la madre de Catalina y le dijo que tenía que sacarla de esa casa a la brevedad posible, así que ella se vio obligada, con la pena, a despacharla de inmediato a Guadalajara. Quicho y Aurelio fueron a la central de autobuses para verla partir y a pesar de sus tenues bigotitos y de su incipiente fama de malos, lloraron sin ningún recato cuando el conductor cerró la puerta del autobús y las luces rojas en su parte trasera se alejaron por el carril de salida hasta perderse por completo en la confusión de la calle.

La noche terminó de caer y el cielo se cubrió de estrellas. En la orilla del horizonte la tormenta todavía relampagueaba. El agua del baño comenzó a enfriarse, así que Aurelio se puso de pie, salió de la tina, se sacudió bien el cuerpo y se secó como pudo con la misma ropa que se había quitado. Luego juntó las brasas que seguían encendidas sobre el piso de mosaico, les echó encima otro par de postes y atizó el fuego. Sacó de su canasta unos trozos de pescado seco, unas nueces, unos panes de maíz endurecidos y unas naranjas viejas, pero apenas si comió un poco de todo porque casi de inmediato se sintió invadido por una fatiga fulminante. Apagó la lumbre, caminó hasta la orilla abierta de la casa y se puso a orinar en el vacío. En el silencio de la noche, el murmullo de su chorro de orina al caer sobre el agua le produjo una vaga sensación de triunfo.

Se quedó mirando la línea de burbujas que brillaban bajo la luz de la luna como pequeñas cuentas de ámbar y luego se metió en la cama que se había arreglado en uno de los rincones del piso. Se quedó dormido mientras cavilaba que había llegado el momento de ponerle fin a su escapada. Extrañaba la modesta compañía de los otros viejos y extrañaba al calor familiar del cuerpo de Clara.

En el sueño, Aurelio estaba durmiendo en el cuarto de Catalina y aunque ya era un hombre adulto se había acostado en la pequeña cama donde solían pasar juntos las noches durante la infancia. Alguien tocaba a la puerta. Aurelio se ponía de pie, solo que en lugar de abrir la puerta caminaba hasta una cuna de lona en donde estaba dormido un bebé, que era el hijo de ambos. Al apartar las mantas con cuidado lo único que encontraba en ellas eran unas cucarachas brillantes y gordas que parecían estar muertas, pero que se movían de manera inesperada cuando acercaba la mano. Aurelio daba un paso atrás, horrorizado. Los golpes en la puerta no cesaban. Decidía entonces huir por la ventana y se ponía a buscar al bebé por el callejón de la privada y luego por las calles de Colima y Salamanca. Había mucha gente en la calle. Al pasar frente al Palacio de Hierro, se daba cuenta de que estaba desnudo. Nadie parecía reparar en ello y era hasta cierto punto como si no lo vieran, como si fuera un fantasma. Un instante después se encontraba en el interior de la tienda, oculto detrás de una hilera de camisones para dama. Por alguna razón, seguía escuchando los golpes en la puerta del cuarto. Aún estaba desnudo, pero ahora su complexión era la de un niño de cabello rizado. Un niño que se acerca a la pubertad, o tal vez una niña, porque no tenía pene. Tampoco tenía vagina, simplemente no tenía nada. Aquella revelación lo llenaba de sorpresa y por un momento se olvidaba del problema en que estaba metido. Entonces aparecía un guardia que caminaba por el pasillo de la tienda con un bebé en los brazos. El guardia preguntaba a todos si alguien conocía al bebé y como nadie lo reclamaba se disponía a tirarlo sin más al incinerador de basura. Aurelio quería salir de su escondite, pero no podía moverse. Era como si su cuerpo y su voluntad existieran en planos distintos. Trataba también de gritar, de decirle a todos que aquel bebé era suyo, pero su voz era un ahogo perdido en el interior de su garganta.

El ahogo se fue transformando en un silbido seco y Aurelio se despertó de golpe, con un sobresalto. El corazón le palpitaba con fuerza. Tenía rígidas las mandíbulas y una capa de sudor frío le cubría la espalda. Se alzó a medias sobre su codo derecho mientras se frotaba los ojos con la otra mano. El sol dibujaba dos trapecios de luz justo encima de su cama. Se reclinó contra la pared, la luz directa del sol lo enegueció por unos instantes. Quitó la cara de la mancha de luz pero aún así no acababa de entender en dónde se encontraba. Seguía escuchando esos golpes secos que habían estado presentes durante todo el sueño. Era un traqueteo irregular, opaco, que se sucedía en ráfagas cortas, luego se interrumpía y luego regresaba. Cuando se hubo serenado un poco, se dio cuenta de que el sonido venía del piso y resonaba con fuerza en el espacio hueco de la casa. Se puso de pie y caminó hacia la escalera. De inmediato cayó en la cuenta de que pasaba algo extraño: de los siete u ocho escalones que bajó y subió la víspera sólo seguían siendo visibles los tres primeros y la mitad del cuarto. Se acostó de bruces, extendió el cuello y se asomó al piso de abajo: la orilla de su canoa golpeaba contra las vigas del techo, movida por el vaivén del agua. El nivel había subido casi un metro. Se acordó de la lluvia: la laguna había crecido durante la noche. Iba a ser imposible sacar de ahí la canoa: los dinteles de las puertas habían quedado al ras del agua.

Una rápida revisión del entorno le sirvió para confirmar que la única manera de salir de ahí sería nadando. La hospitalidad de la familia Orduño iba a tener que prolongarse más allá de lo previsto. Le esperaba, cuando menos, un largo día, así que lo mejor era proceder con calma. Aurelio preparó su desayuno, comió con apetito y luego se acostó de espaldas sobre la madera del piso. Miraba con abandono el azul del cielo mientras un caudal de pensamientos imprecisos iban y venían al interior de su mente. Disimulada por ellos, tras bambalinas digamos, una sección más activa de su cerebro ponderaba con aparente desapego la conveniencia de preparar, encender y fumarse la primera pipa de mariguana de aquel día. A pesar de todos los cambios que había sufrido su mundo, algunos pequeños dilemas de lo cotidiano no acababan de resolverse sin complicaciones. En el fondo, la dinámica de aquella decisión no era distinta en sus aspectos esenciales de lo que había sido en otras innumerables mañanas a lo largo de su vida. En términos más bien crudos consistía en elegir entre fumarse su pipa y hacer cualquier otra cosa. Sabía muy bien que tras los breves minutos de poética plenitud vendría la pereza, la abulia, el desgano y el sueño. Con todo, fumar ofrecía sensaciones definidas, a las que se les podía asignar por adelantado un valor concreto, mientras que el provecho derivable de emprender cualquier otra actividad era por fuerza una incógnita, sujeta a la conjunción afortunada de las circunstancias y ensombrecida en todo momento por la posibilidad del fracaso. De modo que la tentación de tomar lo seguro a cambio de lo incierto era muy atractiva, como lo había sido siempre. Aurelio conocía de cerca y apreciaba en su justa medida el arrebato sublime de la intoxicación mañanera, que bien podía llegar a valer el descarrilamiento prematuro de todo el resto de un día. ¿Y qué otra cosa podía hacer ahí, preso en esa casucha inundada?

Aurelio se alzó del suelo y recargó la espalda sobre la pared de ladrillo. Tuvo que encoger los hombros y exhalar un suspiro. Estaba harto de ser Aurelio Castellanos, de haberlo sido durante tanto tiempo y de saber que no iba a dejar de serlo en todo momento hasta el último instante de su estúpida vida. Se puso de pie y miró en torno suyo. El espacio vacío parecía proyectar la promesa de posibilidades infinitas. Tomó un trozo de carbón de las cenizas de la fogata, caminó a la pared norte de la casa, extendió la mano a la altura de sus ojos y marcó una pequeña cruz sobre la superficie de yeso. Luego se quedó mirándola y acabó por encerrarla dentro de un pequeño círculo. A su derecha dibujó un cuadrado, de cuyo extremo inferior trazó una línea descendente hasta casi tocar el zoclo de madera. Apoyó el carbón entre la cruz y el cuadrado y trazó otra línea en la dirección opuesta. Luego marcó una línea perpendicular a las dos primeras. A partir de estos tres ejes, cuyo centro estaba presidido por el cuadrángulo del Zócalo y la cruz que representaba al palacio de Bellas Artes, Aurelio siguió trazando líneas de arriba abajo y de derecha a izquierda hasta que tuvo lo que a su juicio era la traza básica de su sector de la ciudad; el teatro, por así decirlo, donde se había representado el pequeño drama de su vida. Delineó sobre aquel diagrama su recorrido de la víspera y en el lugar que correspondía a la casa de Catalina dibujó un pequeño diamante. Entonces empezaron a venir a su mente otros momentos y otros lugares: un oscuro cuarto de azotea cerca del convento de Churubusco; la casa de la tía Queta, al otro lado de Ermita y junto a ella el lote baldío donde se juntaban los gatos a fornicar y a matarse; una calle arbolada en San Pedro de los Pinos; la vieja casona del grupo de danza en una orilla oscura de la colonia Juárez... Al final del día, el mapa era un amasijo de puntos, símbolos y anotaciones. Aurelio acabó por concluir que lo único que podía proponerse, lo único que le podía ofrecer con un mínimo de honestidad a Laila, era una versión en palabras de lo que estaba garrapateado sobre la pared mugrosa. Aún entonces, no dejaba de mirar sus motivos con cierta suspicacia. ¿Lo estaba haciendo por Laila o sólo buscaba un pretexto para tratar de darle un orden a ese mundo perdido, pretender que sus vidas habían significado algo después de todo?

Hypocrite auteur... se reprochó, en términos más o menos baudelairianos; y fue en ese momento cuando pensó en Alfonso.

ALFONSO

Mientras caminaba vereda arriba buscando el lomo de la sierra y aun antes, durante gran parte del largo trayecto en canoa hasta la ribera de Chalco, lo que a Aurelio le daba vueltas por la cabeza no era tanto qué lo había llevado a acordarse súbitamente de Alfonso cuanto qué le había impedido hacerlo desde mucho antes. Lo cierto era que no sólo llevaba años sin hablar con Alfonso, sino años desde la última vez que alguien le había mencionado siquiera haberlo visto, porque Alfonso se negó desde un principio a vivir en San Ángel con los demás viejos y decidió instalarse por su cuenta en los restos de una enorme casa de campo en la zona de Llano Grande, cerca de la antigua carretera a Puebla. Al pensar en Baudelaire y enseguida en Alfonso, lo que Aurelio recordó de pronto era que Alfonso jamás consintió en entregar a la *urdimbre* uno solo de sus muchos libros. Nadie supo nunca de otra persona capaz de resistir hasta lo último los hechizos de su persuasión. El influjo sutil que había terminado por transformar al mundo no tenía efecto alguno sobre su ánimo endurecido: la *urdimbre* siempre salió de su casa con las manos vacías. Y como vivía tan lejos, tan aislado y tan fuera de las rutas que llevaban a cualquier parte, con el tiempo no tuvieron más remedio que irlo dejando en paz y acaso terminaron por olvidarse de él, igual que todos.

Nadie más vivía por aquellos cerros. Comenzar a internarse por sus veredas oscuras bastaba para infundir en Aurelio un ánimo sombrío. Estaba deseando haber tomado el camino de la antigua carretera a Puebla, que si bien era mucho más largo, era también sin duda mucho menos tenebroso. Caminaba de prisa, a pesar de que el sentido común le decía que nada iba a ganar con derrochar sus fuerzas. Ahora las cosas cambiaban muy poco y cuando llegaban a hacerlo solían anunciarlo con anticipación de sobra. Si Alfonso seguía con vida lo iba encontrar ahí, sentado en su mecedora como siempre. Si no, los libros tenían que seguir en sus estantes·de cualquier manera. Pero la mera posibilidad de que no fuera así, por remota que pudiera parecerle, era una continua sensación de ahogo que le estrujaba el pecho.

Quicho y Aurelio conocieron a Alfonso cuando eran niños, en torno a una pandilla de malvivientes que se reunía por las tardes en el parque México. Alfonso era el hijo mayor de una joven familia judía, decidida a hacerlo todo por asimilarse. Herederos de un destino trágico, anhelaban erradicar de sus vidas los rasgos que las volvían diferentes. Aun el nombre de su hijo era una manera de marcar distancia de cualquier exceso de fervor etnocentrista. Poca gente llegaría a detectar la sutil referencia en el nombre del pequeño Alfonso Kuntz a la legendaria corte multicultural de Alfonso X *el Sabio,* pero eso no era lo primordial: sus padres identificaban asimilación con normalidad y se aplicaban con enternecedora constancia a ser normales en todo, empezando por los nombres. Dado que habían venido a caer en un país donde cualquier tipo de consenso social era necesariamente un sueño y que su calidad de inmigrantes recientes agregaba distorsiones de registro que volvían casi imposible la tarea, los Kuntz se refugiaban en una normalidad deducida con instrumentos de navegación a partir de los catálogos de Liverpool y las páginas de sociales. Entrar a su casa era como introducirse mágicamente al interior de la revista *Vanidades* y en su trato con todos exhibían siempre una combinación perfecta de cordialidad, camaradería, optimismo y entusiasmo que habían ido destilando poco a poco de las convenciones con que se falsificaba a las familias norteamericanas en los programas importados de televisión. Aurelio encontraba ese mundo encantador y envidiable y no perdía oportunidad de visitar la casa, pero Alfonso lo vivía como una afrenta y en cuanto tuvo edad para hacerlo se dedicó a resistirlo con todos los recursos a su alcance.

Mientras sus padres lo animaban a tomar clases de tenis y a buscarse alguna novia vestida a la moda en las tardeadas del *Magic* (aunque fuera católica), Alfonso prefería andar en patineta por las banquetas del parque y dedicarse a fumar mariguana con los vagos más lúmpenes de la colonia. Nunca fue, sin embargo, un adicto del montón. Lo distinguían su carácter inquisitivo y su aguda inteligencia. Se empeñaba en llegar hasta el fondo de todo lo que le atraía y en su momento consiguió depurar con estricto rigor metodológico una serie de principios universales que regulaban la combinación óptima de cualquier droga. Como tenía además una imaginación fuera de lo común para discurrir maneras inusitadas de esconderlas, empacarlas, transportarlas, dividirlas, diluirlas y falsificarlas, sus talentos resultaron siempre de enorme provecho para las variadas empresas de Quicho y contribuyeron a cimentar entre ambos una relación de mutuo provecho.

Entre aquella canalla llegaba de todo y fue así como alguien trajo cierto día un librito de Baudelaire, cuyo texto de contraportada aludía de manera entusiasta a la afición del autor por las putas y el opio. Tras leer de prisa unos cuantos poemas, la banda decidió que no habían suficiente sexo ni drogas en sus versos tortuosos, pero Alfonso se sintió tocado al instante por la combinación inusitada de degradación y de belleza. Hasta entonces su contacto con la palabra escrita se había limitado a la esfera de lo saludable y de lo positivo que distinguía a todos los objetos que poblaban su casa. Aquel encuentro fortuito lo transformó para siempre. Se propuso aprender francés y empezó a hacerse de libros a diestra y siniestra. Dejó la patineta y a partir de entonces comenzó a vérsele siempre con un morral repleto de abultados volúmenes.

Alfonso leía mucho, pero no fue nunca un buen lector. Su aprecio por los libros tenía que ver sobre todo con su realidad física, con el aura de autoridad que emanaba de ellos. Le gustaba tenerlos a la mano, sentir su presencia. Casi nunca leía un libro com-

pleto y casi siempre lo entendía mal. A cualquier argumento novedoso, por descabellado que fuera ya de suyo, él era capaz de encontrarle una lectura aún más estrambótica y de relacionarlo de
inmediato con otros conceptos masticados a medias. La inteligencia
que tan buenos resultados producía en el plano de lo concreto sólo
era capaz de generar adefesios en el plano de lo abstracto, porque
a diferencia de los bienes del mundo material, a Alfonso le resultaba
imposible juzgar con cualquier asomo de acierto el valor relativo
de las ideas.

Lejos de representar un obstáculo para su desarrollo, tales cualidades se manifestaron desde un principio como los más valiosos
activos de su carrera intelectual. La espesa bruma de su pensamiento pasaba por profundidad y la catarata de referencias insondables que salpicaba con liberalidad sobre todas sus disquisiciones
provocaba un terror inmediato en maestros, interlocutores y riva-
les. Concluyó sus estudios con notas de excelencia y pronto pasó
a impartir materias con nombre esotérico en una universidad privada. Muchos de sus colegas lo tuvieron siempre por un charlatán,
pero todos preferían mantenerse a respetuosa distancia. Sus alumnos, en cambio, lo adoraban. Los señores Kuntz hubieran preferido
verlo convertido en un dentista o en un ingeniero, profesiones
libres de cualquier sospecha de excentricidad, pero no por ello
dejaban de disfrutar sus logros y de ver con orgullo el entusiasmo
con que se embebía en todos sus empeños. Nada más normal,
después de todo, se repetían, que unos padres desconcertados por el
rumbo que deciden tomar sus hijos.

Acaso Alfonso acabó por coincidir con ellos. Los calculados
excesos de su vida de académico retobado terminaron por cobrar en
su boca el gusto insípido de la rutina. Dio entonces por frecuentar
cierta sinagoga marginal, comprometida con una visión del ju-
daísmo esencialista y autárquica. Sus congregantes habitaban un
ámbito hermético, dominado por las exigencias de su relación con
Dios, atentos únicamente a las irradiaciones cósmicas que se deri-
vaban de ella. Alfonso completó su iniciación en esa doctrina orto-

doxa y unos meses después se casó con la hija adolescente de su rabino. Dejó la universidad y se dedicó a atender una serie de ferreterías de su familia política en las calles de Corregidora. Nunca se decidió a tirar sus libros, pero los metió en cajas de cartón y los arrumbó en el rincón de una bodega llena de clavos. A partir de ese punto sus únicas lecturas serían la *Torá* y los exégetas talmúdicos más rigurosos.

La conversión no hubiera cumplido su propósito si no hubiera sido sincera. Su nueva realidad de *jettaturas*, candelabros, conjuros y abluciones, hijos de mejillas rosadas y una vida sexual a la vez circunscrita e intensificada por las directrices de un sinnúmero de ordenanzas, fue para él durante los primeros años indistinguible de la felicidad. La sensación de fractura interior con la que había crecido pareció cerrarse de golpe y Alfonso sintió que encajaba por fin en el curso de un destino que lo incluía por entero y a la vez lo rebasaba. Con el tiempo, sin embargo, la novedad de aquella intensidad mística se fue diluyendo y su vida comenzó a girar, como cualquier otra, en el círculo de una rutina asfixiante, trazado con el compás de un trabajo anodino, pequeños irritantes cotidianos y problemas de dinero. Pero esta vez no iba a ser tan fácil saltar de un tren cuya carrera sentía agotada y montarse en otro que le permitiera un cambio radical de trayectoria. El amor que lo ligaba con su nueva familia forjaba los barrotes de una cárcel que parecía irse cerrando en torno suyo cada día.

Así las cosas, era inevitable que Alfonso acabara por recaer en sus hábitos de antaño. De hecho, nunca se había abstenido por completo de deslices eventuales, pues las escrituras, después de todo, no prohibían de manera expresa ninguna de aquellas sustancias. Quicho, que de todo se enteraba, supo que estaba comprando cantidades considerables de cocaína y que se había vuelto afecto a fumarla. Trató de hablar con él varias veces, pero Alfonso siempre tenía que ir al templo, o arreglar un embarque de tubería, o era sábado, o víspera del sábado, o algo.

Unos meses después, sus amigos supieron por el periódico de un confuso incidente, que comenzó al parecer cuando un vecino descubrió a Alfonso paseándose por la orilla de la azotea con una ametralladora. No tardaron en hacerse presentes las fuerzas del orden y gracias a sus buenos oficios en menos de media hora su familia entera estaba muerta, la casa había sido destrozada a balazos y el cadáver de un policía nadaba en un charco de sangre sobre el quicio de la puerta.

Fue así como Alfonso inició un largo viaje a las Islas Marías, que le salvó la vida durante la violencia.

Cuando volvió a poner los ojos sobre la ciudad en ruinas, no llegaba aún el tiempo de la *urdimbre* y el valle estaba ocupado todavía por una población escasa y pintoresca, que se había venido congregando ahí gradualmente. El agua de la laguna ya cubría grandes zonas, pero aún se podía caminar sin mayor dificultad de un lugar a otro. Alfonso se instaló en el segundo piso de una vecindad del centro, donde se encontraba acaso más solo que en las propias islas. Desde el primer momento, su única obsesión fue recuperar sus libros. No tardó mucho en dar con la vieja bodega y comprobar con alivio que las cajas seguían ahí y que se habían conservado razonablemente secas. Pero todas tenían ahora agujeros del tamaño de un puño y no quedaba en ellas un solo libro que no hubiera sido víctima de los dientes de las ratas. En una de las cajas encontró incluso un pequeño nido construido con trozos de papel impreso: bolitas resecas de mierda sobre las doradas sentencias de los clásicos.

Alfonso cargó con lo que quedaba de sus libros a su nueva casa y los acomodó con riguroso orden bibliográfico en suntuosas estanterías de cedro. A partir de entonces, todas las tardes se sentaba a hojearlos en el extremo de su balcón, desde donde se alcanzaba a entrever el espacio desmedido de un Zócalo silencioso y desierto. Muchos habían perdido las esquinas, otros la mitad inferior o superior de todas sus páginas, otros tenían un agujero en el centro, o medias lunas en sus orillas. Las lagunas y derroteros que los pedazos faltantes imponían ahora a su lectura le sugerían conjeturas e implicaciones que nunca antes había considerado. Le pareció que la sujeción azarosa del discurso dirigido del texto a la acción arbitraria de las dentelladas generaba un equilibrio saludable, que matizaba las siempre excesivas pretensiones de unidad de los autores. Tal vez era la correspondencia inevitable entre esos libros despostillados y mochos y la ciudad descascarada y vencida, pero Alfonso llegó a convencerse de que varias obras habían ganado en sutileza gracias a la intervención editorial de las ratas. Se le ocurrió entonces que con un poco de audacia la industria librera podría haber explotado en su tiempo recursos semejantes. Imaginó librerías donde los clientes tuvieran la opción de tupir a balazos sus novelas, o quemarlas parcialmente, o inyectarles solventes y corrosivos mediante máquinas diseñadas para el caso. Los lectores podrían después intercambiar sus ejemplares y dilatar a lo largo de sucesivas lecturas lo que antes hubiera requerido una sola. El acto de leer, dominado por la urgencia de saberlo todo, se enriquecería con la oportunidad liberadora de seguir ignorando (y los editores con el mercado correspondiente). Nada de eso era posible ahora.

Alfonso necesitaba una actividad con la cual ir llenando el tiempo y fue así como dio con la idea, acaso originada en el morbo, de dedicarse a reunir periódicos. Su objetivo era conseguir un ejemplar correspondiente a cada uno de los días que había pasado lejos del mundo; hasta el punto, claro, en que el mundo se vio obligado a prescindir de ellos. Una vez que los tuviera todos, o tantos como fuera posible, iba a comenzar a leerlos en orden, uno por día.

Cuando la *urdimbre* llegó a la ciudad, los periódicos de Alfonso llenaban dos cuartos completos, ordenados por fechas que abarcaban, con huecos y lagunas, buena parte de los días comprendidos en un lapso de veintitrés años. El primero de todos contenía una nota perdida en las páginas policiales, en la que se aludía al propio Alfonso como "cabecilla" de una "secta hebrea" y luego se glosaba la forma demencial como había consumado la "presunta" ejecución de su familia entera (acaso, se insinuaba, por motivos rituales).

El reportero no olvidaba encomiar la intervención heroica de la policía y el martirio del oficial caído en el campo de batalla. Una foto granulosa mostraba a Alfonso siendo arrastrado por dos agentes de uniforme blindado, las piernas colgándole inútiles bajo el faldón sanguinolento de la camisa, el *cápele* incólume sobre la coronilla calva. Cuando encontró ese periódico, Alfonso leyó la nota sin emoción y sin sorpresa y al llegar a su casa se limitó a colocarlo en el primer sitio de la primera columna, para retomar su lectura completa en el momento indicado. Aquel ejemplar era igual en todo al común de los que conoció en su tiempo, con secciones, anuncios y fotografías; los últimos de su colección eran apenas borrosos pasquines de unas cuantas páginas, sin imágenes, con las fechas desfasadas y hasta repetidas, llenos de crónicas espeluznantes sobre traiciones y atrocidades llevadas a cabo por entidades imprecisas, que terminaban siempre en llamados histéricos a redoblar la contundencia de las represalias.

Inmune a los subterfugios de la *urdimbre*, pero compelido igual que todos a evacuar una ciudad revertida a su condición original de lago, llegó un día en que Alfonso tuvo que empacar sus cosas y emprender el camino a Llano Grande. Fueron necesarios varios viajes de carreta para llevar hasta allá los libros y periódicos acumulados.

Desde el momento en que se instaló en la casa, su vida comenzó a transcurrir en la soledad más completa y a ordenarse en torno a un programa inmutable: se levantaba al amanecer, preparaba su desayuno, el desayuno se prolongaba en la lectura de cabo a rabo del periódico que tocara ese día. El resto de la jornada se consumía en las labores indispensables para la subsistencia. Cuando tenía que trabajar temprano, por la razón que fuera, invertía el orden y dejaba la lectura de su periódico para la sobremesa de una comida de media tarde que se dilataba hasta la oscuridad de la noche. No leía más de un periódico por día y jamás se saltaba fechas; cuando le tocaba un ejemplar de domingo, lo que no necesariamente sucedía cada semana, se tomaba el día libre. Su vida no tenía otro propósito visible que agotar la lectura de los periódicos restantes. Los libros seguían ahí, acomodados en un amplio estudio dentro de las mismas estanterías de cedro, y aunque Alfonso ya no los abriera nunca y pudiera pasar semanas sin acercarse a ellos, los libros seguían siendo el núcleo profundo e inmóvil, el sol en torno al cual gravitaba su existencia.

Al principio, Quicho y Aurelio lo visitaban con cierta frecuencia, pero el trayecto hasta Llano Grande era demasiado largo y demasiado cansado para el ánimo invariablemente lacónico con el que los recibía su amigo. La remembranza de sus aventuras juveniles apenas si le despertaba alguna sonrisa y después de unas cuantas anécdotas terminaba por impacientarlo. Recibía con gratitud la mariguana que le traían para sus fricciones contra los dolores de cintura y les correspondía con algunas botellas de su vino de zarzamora, cuya cruda confección había conseguido refinar hasta lo sublime. Aparte de eso, mayormente los ignoraba.

Así que al cabo de un par de días Quicho y Aurelio se cansaban de mirarlo leer su periódico y de preguntarse por qué prefería esa versión parcial y falsaria de los hechos al testimonio directo de la gente que los había vivido (ellos mismos, por ejemplo) y finalmente se marchaban con la sensación de haber venido a importunar a un hombre sumido en una labor de gran trascendencia, de la cual no había sido prudente distraerlo ni por un minuto.

Construida por políticos o por traficantes, la casa de Llano Grande estaba rodeada por un enorme muro de piedra. Alfonso la había ido reforzando más aún para mantener a raya los embates de un entorno que amenazaba con aniquilarlo desde el primer día. A cubierto del muro tenía una pequeña huerta, una parcela con hortalizas, un pozo, un gallinero y un corral con tejabán donde pasaba las noches su vaca. Tenía también cuatro perros enormes, capaces de convencer a cualquier oso, puma o coyote de la conveniencia de buscar su cena en alguna otra parte.

Aurelio supo que algo andaba mal desde que tuvo la casa a la vista: no escuchó ladrar a los perros. Traía el viento a la espalda, era imposible que no lo hubieran olido. Más extraño aún fue encontrar la reja abierta y la vaca pastando sin protección fuera del muro de piedra. Al entrar a la finca vio de inmediato el gallinero abierto, su interior en desorden, pero se tranquilizó casi enseguida al dar con la figura de Alfonso, sentado en su lugar de siempre, en el extremo soleado de la terraza. Algo raro había también ahí, sin embargo: no sólo tenía consigo el periódico que estaba leyendo, como de costumbre, sino un altero considerable de ellos a uno y otro lado de su silla.

—¡Alfonso! ¡Hermano! —saludó desde el sendero que conducía a la puerta, esforzándose sin éxito por mostrarse tranquilo.

Alfonso levantó los ojos del periódico, contempló por un instante a Aurelio, volvió a poner la vista sobre su lectura y acaso masculló un saludo a un volumen demasiado bajo. Mientras caminaba a la terraza, Aurelio consiguió entrever por la puerta abierta el interior de la casa. También ahí el desorden era completo. Hizo un esfuerzo por alcanzar con la vista el cuarto de los libros, pero sólo logró atisbar el perfil de uno de los libreros. Hubiera querido irrumpir de inmediato y comprobar que los libros estaban ahí, pero se sentía obligado a guardar las formas. Alfonso no se levantó para saludarlo, ni le extendió la mano, ni quitó la mirada del periódico que estaba leyendo, así que Aurelio se limitó a ponerle la punta de los dedos sobre el hombro y ensayó un apretoncito que quiso ser afectuoso.

—¿Cómo estás? —aventuró mientras se sentaba en un equipal contiguo.

—Bien —respondió Alfonso, a secas. Tras una prolongada pausa se dignó agregar:

—¿Tú?

—También.

—Qué bueno.

Aurelio se quedó mirando el cielo por debajo del alero de la terraza. Se sentía desarmado. No sabía si preguntar por los perros, por la vaca o por las gallinas. El cielo rutilaba un azul encendido, mineral, compacto. La casa con su muro de piedra, en guerra contra un mundo desbordado, le pareció anacrónica. Alfonso, por su parte, había adivinado desde el primer momento el motivo de su visita.

—Vinieron hace cuatro días —abrevió bruscamente, detrás del parapeto de su periódico—. Se los llevaron todos.

Aurelio sintió que las paredes de la terraza se cerraban sobre su rostro. Sin poder contenerse, le arrancó el periódico a Alfonso de un manotazo. Entonces pudo ver por fin a su amigo, transformado en un anciano tembloroso, sin otro camino frente a los ojos que la muerte.

—Estaba lloviendo —lo escuchó balbucear apenas—. Llovió sin parar durante días.

Aurelio corrió hacia el interior de la casa. El piso estaba cubierto de objetos rotos, que tuvo que ir esquivando en su carrera hacia el cuarto de los libros. Detrás de un gabinete caído, el súbito encuentro con el cadáver de uno de los perros lo obligó a detenerse de golpe: el cuello rígido, los ojos apagados, el cráneo partido por un mazazo, yacía sobre una mancha de sangre lustrosa con las patas recogidas, como si esperara que su amo le acariciara el pecho. Aurelio tuvo que dar un salto para librar el bulto y abrió por fin la puerta del estudio. Una luz amarilla se filtraba apenas por las ventanas cubiertas de polvo. El cuarto estaba vacío, no quedaba un solo libro sobre los estantes. Los recorrió uno por uno; miró detrás de ellos. Hubiera querido llorar. Tirado en mitad del piso, un rectángulo de cartulina impreso en verde oliva y sepia claro era lo único que había sobrevivido: la portada de un *Buscón* de Quevedo. La metió en su morral y salió corriendo de la casa. Al pasar junto a la terraza, se volvió a mirar por última vez a Alfonso, oculto de nuevo tras las hojas amarillas, apurando el momento de su liberación definitiva.

En lugar de la vereda por la que había llegado, Aurelio enfiló ahora por el camino de terracería que entroncaba con la antigua carretera a Puebla. Pronto distinguió las huellas de la carreta sobre su superficie: dos surcos labrados por el peso de los libros sobre el fango fresco. Se echó a trotar camino abajo, más rápido de lo que sus instintos de viejo le aconsejaban y tras doblar un par de recodos una punzada aguda le atravesó el pecho. Las piernas se le doblaron, el horizonte se le vino encima, cayó de bruces sobre las ramas tiesas de unos arbustos. El bosque se le convirtió en un pequeño círculo verde rodeado por una enorme mancha negra. Trató de regular su respiración, pero sus pulmones no tenían espacio, el aire apenas si se colaba en ellos. Su corazón latía a un ritmo muy lento, en un lugar distante. La humedad de la tierra se filtraba por el tejido de su ropa hasta la piel de su espalda. El tiempo transcurría con una lentitud pasmosa. No podía hacer otra cosa que esperar, inmóvil, a que su cuerpo decidiera si continuaba o no con su vida. Después de un lapso indefinido, los pulmones parecieron irse abriendo poco a poco. El pulso se le fue recuperando. Se arrastró con dificultad hasta una piedra.

Mientras recuperaba el aliento, Aurelio trató de armar en su cabeza las piezas sueltas de lo sucedido: la *urdimbre* se le aparece a Alfonso en mitad de la lluvia; vienen con todo, acaso se hacen acompañar incluso por alguna de las *hermanas*. Se sientan a su alrededor, en silencio. Alfonso ha dejado de ser el de antes, la sola presencia del grupo lo va quebrando. Pasa un día; pasa la mitad de otro. Cuando casi se acostumbra a su silencio, empiezan a hablar. El sonido de sus voces es como leche que brota de los pechos de una madre. Alfonso rompe en sollozos, se abraza a sus piernas, es perfectamente feliz por un instante. Cuando se van, sólo le queda la maraña irreal de los periódicos. Comienza a leerlos de prisa, ya no importa nada. Movidos por el hambre, los perros atacan el gallinero al amanecer del tercer día; uno de ellos se atreve a enfrentar a Alfonso en el interior de la casa. Los libros no deben llevar mucho tiempo sumergidos en el lodo. Tal vez sea posible rescatar algo.

Lo único que Aurelio no lograba entender era qué había movido a la *urdimbre* a actuar justamente entonces. Tenían que haber tomado en cuenta que quitarle sus libros a Alfonso era lo mismo que ponerle una soga al cuello. De hecho, ahora le parecía haber visto una cuerda, colgando de una de las vigas en el interior de la casa. Si lo habían tolerado durante tanto tiempo, podían haberlo tolerado otro poco (a Alfonso ya no podían quedarle, de cualquier manera, muchos periódicos de vida). La única explicación posible era que se habían movido para evitar que los libros llegaran a sus manos y de las suyas a las de Laila, lo cual implicaba que estaban al tanto de todo lo que hacía. ¿Por qué no habían intervenido antes?

Su cadena de razonamientos se estrelló de golpe contra aquella pregunta. Empezó a mirar a su alrededor, como un animal que busca por dónde escapar de la trampa en la que se ha metido. Entonces alcanzó a distinguir una esquina de papel incrustada en el barro seco del camino. La desenterró con cuidado. Era una página suelta de un libro en inglés, que seguramente se había desprendido de uno de los volúmenes incautados. La fricción de la superficie de la rueda contra la tierra húmeda del piso la había borrado casi por completo. De una de sus caras sólo era legible el folio (605) y algunas palabras: "cathechetical", "Gertrude [...], surname", "complete carnal", que no le dijeron nada. Del reverso, aparte de "indicated by catamenic", "[fe]minine interrogation" y "and 6th meridian", Aurelio consiguió rescatar el siguiente fragmento:

being each and both carried westward, forward and rearward respectively, by the proper perpetual motion of the earth through everchanging tracks of neverchanging space.

Leyó la frase varias veces, como si quisiera descifrar no sólo las palabras que la componían, sino un mensaje secreto escondido en ellas. El inglés le sonaba cercano, casi propio, a pesar de no haberlo leído ni escuchado en años. Estaba seguro de reconocer el estilo, pero se le escapaba el nombre que hubiera sellado la íntima sensación de familiaridad que le producía el texto. La lectura de la frase logró serenarlo. No otra cosa había esperado de su vida con Catalina: la diversidad de lo contingente en la inmutabilidad de lo esencial; alguien con quien compartir ese indistinto dar de tumbos por el universo. Siempre supuso, a pesar de todo, que un desenlace similar los esperaba a ellos, a unas cuantas páginas de distancia. ¿Cómo fue que las cosas terminaron así? No acababa de entender por qué se encontraba en ese bosque desierto, siguiendo las huellas de una carreta cargada de libros, en lugar de estar sentado en un jardín, mirando retozar a sus nietos.

El dolor en el pecho había cedido, su respiración volvió a ser casi la de siempre. Se levantó de la piedra y retomó el camino. Más tranquilo ahora, más atento, fue encontrando a lo largo del trayecto algunas otras páginas sueltas, que guardaba en su morral con cuidado. Cerca ya de la laguna, las huellas de la carreta se desviaban hacia la izquierda, en lugar de continuar de frente en dirección a la orilla. Aurelio se preguntó cuál podría ser la razón de aquel rodeo y por un instante imaginó que los libros habían quedado a salvo en virtud de alguna circunstancia inconcebible. Las huellas seguían el contorno de la ribera, a unos cuantos metros de la línea del agua y sólo se distanciaban de ella al momento de remontar una pequeña loma. Cuando llegó a su cima, Aurelio entendió por fin a dónde se dirigían y su tenue filón de esperanza se esfumó de golpe.

Los conductores de la carreta eligieron con cuidado el destino final de su carga: las huellas acababan en la boca de un arroyo, cuyo caudal cristalino producía un reducido borbotón de claridad en el agua turbia de la orilla. En torno a él se acumulaban una maraña de troncos lodosos y de desechos podridos, arrastrados hasta ahí por la crecida de la corriente al terminar la lluvia. No había nada que hacer, los libros estaban ahora debajo de aquella masa informe, entreverados con ella, degradándose al paso de los demás despojos: los libros ya formaban parte del fango de la laguna. Aurelio contempló la situación con una ecuanimidad que sólo podía derivarse de la fatiga. A pesar del desenlace, lo aliviaba que aquella corretina hubiera terminado. Se recostó sobre la hierba que crecía en la margen del arroyo, se quitó los huaraches y metió los pies en el agua fría.

Ya quedaba poca luz cuando sacó de su morral las hojas sueltas de los libros que había ido recogiendo. Además de la portada del

Buscón y la página de la novela en inglés de autor desconocido, su acervo comprendía ahora una hoja del Canto IV del *Inferno* de Dante, en edición bilingüe francés-italiano ("nulla speranza li conforta mai"); el último párrafo y medio de un ensayo de T.S. Eliot, en español, con el reverso en blanco; un colofón en catalán de la *Imitación de Cristo* de Kempis, impreso en Malasia; los folios 117 (cuya primera línea "cuando lo recobró, el presente era casi intolerable de") y 118 (cuya última línea "seis decenas, cinco unidades; análisis que no existe") de una edición en cuarto menor de *Ficciones* de Jorge Luis Borges (Funes le pareció en ese momento su reverso exacto: podría haber reescrito, con puntos y comas, cualquiera de los libros que hubiera leído; no hubiera podido escribir, en cambio, una sola línea propia); dos hojas del Index de un volumen (¿de filosofía?) en un idioma indeterminado, con las entradas comprendidas entre Eudoxus, I: 52, 154, 289, 291; II: 68, 87, 88, y Philolaus, I: 47, 303 *n*. 20; la cubierta en tela roja y las páginas preliminares de una edición mexicana para niños de *Robin Hood,* sin crédito de traductor; y por último, la contraportada en cartulina amarillo canario de una edición artesanal, numerada, de poemas de Ida Vitale.

¿Qué podía hacer con aquellos retazos? Primero puso las hojas en línea sobre una piedra. Luego ensayó encuadernarlas: la portada del *Buscón* encima de la pasta roja de *Robin Hood* y sus páginas preliminares, después Dante, la novela en inglés, Borges, Eliot, el Index, Kempis y la contraportada de Ida Vitale. El volumen contaba con todas sus partes, pero era apenas un remedo de libro. Resultaba absurdo y un tanto insultante. Aurelio pensó que si tuviera completa cualquiera de las tres obras cuyas páginas había puesto en el centro, eso le hubiera bastado para enseñarle a Laila lo que quería que supiera: que hubo un mundo construido de palabras y dedicado a ellas. Luego tuvo que reconocer que Laila no hubiera entendido ni inglés, ni francés, ni italiano. Borges hubiera tenido que dar la batalla solo.

Sin pensar demasiado en lo que hacía, arrancó las tres hojas que estaban todavía unidas a la cubierta roja del *Robin Hood* y construyó con ellas palomitas de origami. Luego tomó las demás páginas y las transformó rápidamente en otros tantos barquitos de papel. Colocó una palomita sobre cada una de las tres cubiertas y luego fue poniendo todo en el agua del arroyo. Al frente iba como barco insignia la novela en inglés, detrás las tres cubiertas con sus palomitas, flanqueadas por Borges y Dante, Eliot y Kempis; en la cola los dos barquitos del Index indeterminado. La pequeña armada conservó su formación con entereza encomiable hasta llegar a un escalón en el arroyo, justo antes de su desembocadura, donde comenzó a caer pieza por pieza dentro de un remolino blanco. La espuma anegó las palomitas de origami; los barquitos de papel hicieron agua; las cubiertas se hundieron, resurgieron y se dispersaron. Sólo el barco insignia, visiblemente escorado, siguió navegando en línea recta hasta encallar en la maraña de despojos.

EL LIBRO DE AURELIO

¿Cuál ha sido nuestra herencia, Catalina? ¿Cuál es nuestra estirpe?

Un caudal que se trasvasa, brinca brechas, corre loco sobre el borde del destino, se arrulla de momento en un remanso, desagua en el vacío, persiste apenas. Un surtidor de tormentas. Un remolino de minúsculos relámpagos. Una posibilidad remota, Catalina, que se abrió paso a sangre y fuego hasta nosotros mismos.

¿Dónde está nuestra semilla, Catalina? ¿En qué páramo perdido quedó olvidada?

Sobre el piso de loza cruda de la cocina, el metate es como un trozo de materia incomprensible desprendido de un planeta extraño. La india que se arrodilla tras él también parece haber llegado de otro mundo. Huele a tierra y a humo. Su piel, su rostro y su mirada son mucho más viejas que ella misma. Su hija se sienta a su lado y no le quita los ojos de encima a ese otro niño que es ahora mi padre. Él la mira y ella lo mira y lo que los asombra no es lo mucho que los distingue sino el desconcierto de reconocer de pronto que son en realidad iguales.

Un puñado de brasas calienta el metate y la cocina se llena al instante de un olor pegajoso y amargo. Mi padre contempla fascinado los movimientos regulares y firmes con que la india revienta suavemente las semillas de cacao. Todo en el metate cobra un color terroso e intrincado y por un momento parece como si la pasta que se va formando sobre la piedra fueran las propias manos morenas moliéndose a sí mismas bajo los golpes rítmicos de la lava.

Mi padre está ahí para vigilar que la india y su hija no se roben nada. Nunca se han robado nada pero aún así las tías de mi padre insisten en que todos los indios son unos ladrones. Cuando mi papá señala que al menos esa india nunca se roba nada ellas le contestan que eso demuestra lo conveniente que resulta vigilarla. La familia de mi padre es muy pobre. Los indios son mucho más pobres todavía.

La tarde pasa lentamente tras el breve vano de la ventana. Papá se aburre de estar ahí hora tras hora sin hacer nada. En cambio, a la hija de la molendera no parece importarle el tiempo. Los indios son especialistas en esperar. Bajan del monte con sus papas y sus chayotes y sus escobas de palma y se pasan el día entero bajo el portal aunque no vendan nada. Mi padre no tiene tanta práctica en esperar y preferiría pasar la tarde jugando con ella. Nadie le ha dicho que no juegue con ella pero hay muchas cosas que él ya sabe que debe saber aunque nunca se las hayan dicho.

La india le muele a la pasta de cacao unos trozos de piloncillo y un puñado de almendras. Luego toma el chocolate con las manos y va formando con él idénticas pastillas redondas y planas. Acomoda con cuidado las tabletas dentro de la caja de madera de la tía Amalita y se pone a limpiar el metate. Con los restos de chocolate que desprende del metate hace dos bolitas, le da una a su hija y la otra a mi padre. Ambos toman el dulce en silencio y se miran impávidos mientras el chocolate se les va deshaciendo dentro de la boca: es lo más cerca que estarán nunca de decirse algo. Aunque la caja haya quedado llena, esa noche durante la cena tía Amalita será la única que tome chocolate. Los demás, como siempre, atole.

Papá me ha contado tantas veces la historia de la molendera de su tía Amalita que ya me parece como si la hubiera vivido yo mismo personalmente. Siempre me habla de ella cuando bajo a estarme con él en su laboratorio. Tal vez sabe que mamá es la que me manda a ver lo que está haciendo y eso le recuerda cómo sus tías lo mandaban a cuidar a la señora del chocolate cuando era apenas un niño y vivía en una casa muy vieja en Córdoba, Veracruz. A mamá le preocupa algo que cree que papá podría estar haciendo aquí abajo pero como nunca me ha dicho qué es eso que tanto le preocupa yo no sabría darme cuenta aunque papá se pusiera a hacerlo enfrente de mis narices. Mamá es enemiga de las claridades y si se te ocurre pedirle que sea más precisa se ofende de inmediato. Ella está segura de que tú en realidad sí sabes pero haces como si no supieras solamente para obligarla a hablar de algo que le resulta desagradable. Así es mamá y tal vez por eso siempre le duele algo y se queda todo el día en su cuarto sin salir de la cama, fumando y leyendo. Yo trato de leer los mismos libros que ella para que luego tengamos algo de qué platicar. Es casi la única manera de que pasemos juntos un rato agradable. Fuera de eso siempre hay algo que le pesa o que le ofende o que le disgusta. Mamá es una mujer más bien difícil.

Estar con papá en su laboratorio es ayudarlo a mezclar un montón de polvos y líquidos que va sacando de unos frasquitos de cristal oscuro, calentarlos, enfriarlos, sacudirlos, colarlos, soplarles, pasarlos por la serpentina de vidrio, esperar a que se sequen, calentarlos de nuevo y al final de todo quedarse con alguna sustancia pegajosa que huele raro y no sirve para nada. O que papá no va a querer decirme para qué sirve. Papá sabe muchísimas cosas pero casi nunca me explica qué es lo que está haciendo o para qué lo quiere. Siempre dice que lo que sabemos ahora es como unos cuantos granos de arena y que todo lo que se puede llegar a saber es como una playa. Él no cree en Dios ni en la Virgen ni en los santos y nunca va con nosotros a misa. Cuando era chico su mamá se enfermó y se murió a pesar de que él se la pasó rezando sin parar durante días para que no se muriera. En esa época casi no había medicinas y las mamás se morían a cada rato de cualquier cosa. Por eso tuvo que quedarse huérfano y ser pobre y vivir con sus tías. Yo creo que papá piensa que con la química va a descubrir una manera de que ya no te mueras nunca. Quicho dice que está loco.

No conozco ninguna otra casa que tenga sótano y mucho menos laboratorio. Al principio creía que todos tenían un laboratorio de química en el sótano de su casa. Luego fui creciendo y acabé por darme cuenta de que más bien somos los únicos que tenemos. El laboratorio era de mi abuelo, el papá de mamá, al igual que toda la casa. Desde que murió el abuelo la casa es nuestra y papá es ahora el único que baja. Según él se dedica a investigar cómo mejorar los remedios para las reumas y las pomadas para los callos que producen en la fábrica (que también era de mi abuelo) y a inventar nuevas cremas y menjurjes para vender, pero lo cierto es que seguimos fabricando los productos de siempre. Papá era alumno de mi abuelo en la universidad y le aprendió tan bien que acabó por ocupar su lugar en todo. A veces pienso que papá se casó con mamá nada más para tener su propio laboratorio. Creo que ella también lo piensa a veces y por eso se la pasa triste. Otra razón por la cual se la pasa triste es porque antes de tenerme a mí iba a tener una niña que nació muerta. Luego nací yo y no le dio tanto gusto porque no era niña. Mi hermana se iba a llamar Aurelia, así que me pusieron Aurelio. Siempre he sentido que Aurelio es como nombre de niña, o casi, y hubiera preferido llamarme Jorge o Pedro o Pancho o Ramón. Pero muchas cosas no son como tú quisieras, sino como te tocan.

Al tapanco de la casa de Quicho se entra por una compuerta de madera que está en el techo de su cuarto. Hay que jalar una cuerda, la compuerta se abate y surge como de la oscuridad misma una imposible escalera plegadiza. Desde arriba puede recogerse la escalera, cerrarse la compuerta y nadie se entera de que uno se ha metido ahí. El tapanco está lleno de cajas olvidadas y de muebles viejos. Es un escondite perfecto, una fuente inagotable de sorpresas y un pasadizo secreto hacia los diferentes rincones de la casa. Uno de los atractivos principales del tapanco, y que no lo era sino hasta hace muy poco, que tantas cosas en nosotros han empezado a cambiar, es una grieta que hay entre las tablas del piso, justo encima de la habitación de Clarisa y Carmela, las hermanas gemelas de Quicho. Estamos apostados ahí porque acabamos de escuchar el sonido de la regadera de su baño. En cualquier momento van a salir desnudas y podremos mirarlas con calma mientras se secan.

El plan camina de acuerdo con lo previsto, pero Quicho se aburre pronto de mirar, como si sólo le interesara confirmar que está en su poder hacerlo; como si esos cuerpos menudos y acaso demasiado próximos al suyo propio no guardaran para él enigma alguno. Me cede el puesto de observación y se dirige como siempre al viejo arcón de la abuela, donde están guardados los papeles y los objetos que pertenecieron a la familia de su mamá. El arcón es lo único que conocemos de la abuela materna de Quicho, a quien no llegamos a ver jamás. Lo trajeron una mañana junto con la noticia de su muerte y la madre de Quicho pidió que lo subieran al desván sin abrirlo siquiera. Tal vez en alguna de las muchas cartas amarillas guardadas en él está escrito por qué la señora Márquez no quiso volver a ver a su madre nunca, ni cuando las monjas le anunciaron mediante recados urgentes el fin inminente de la anciana. Me he propuesto leerlas todas algún día, pero cada vez que estoy aquí me resulta imposible desprenderme de la contemplación exquisita de las gemelas.

Clarisa y Carmela son iguales, simplemente, sin matices ni gradaciones. Llevan siempre la misma ropa, los mismos adornos, el mismo corte de pelo, los mismos lentes de sol; son suyos los mismos gestos, las mismas pecas, la misma chispa en los ojos, la misma voz ronca y desparpajada. Todos sus hábitos resultan igualmente intercambiables y sus metabolismos caminan en perfecta sincronía. Si Clarisa se levanta al baño, Carmela sube las escaleras y se mete al otro. Cuando Carmela dice que tiene antojo de una galleta o de una fruta, Clarisa ya se paró a traerla unos segundos antes. Yo las miro con reverencia y con asombro y con la ligera esquizofrenia de convivir con ellas en el plano inocuo de lo cotidiano, para luego espiarlas con fervor hipnótico en la desnuda intimidad de su recámara. A través de la grieta en el piso he sido testigo de cómo sus cuerpos perdieron el contorno tentativo que los contenía y asumieron la plenitud actual de su forma.

Todo lo cual tiene sin cuidado a Quicho. Aunque en este momento estuviera yo metido en la cama con ellas le daría lo mismo. Lo único que a él le interesa son una serie de documentos que están guardados dentro del arcón, en una vieja carpeta de cuero. Para mirarlos mejor ha colgado una lámpara de mano encima del antiguo diván de piel, uno de los pocos muebles todavía sólidos de los muchos que están arrumbados en el tapanco. La carpeta contiene los testimonios, diagramas y títulos de la antigua Hacienda de la Canaleta, propiedad de Don Saturnino Retes, hijo natural de un cura y padre de la madre de la madre de la madre de Quicho. El arcón guarda también su fotografía de vidrio coloreada a mano: un hombre compacto, recio, de extensos bigotes blancos y mirada fiera, vestido con un rústico traje de gamuza café. Los papeles no sólo describen los terrenos y amparan su propiedad, también permiten rastrear la larga cadena de violencias y despojos que los hicieron posibles.

—Aurelio, mira —me llama Quicho, que ha extendido sobre el diván un diagrama antiguo de lo que fuera la hacienda, trazado a mano libre sobre pergamino. La planta es esquemática, pero permite distinguir sin dificultad las tierras abiertas a la labor, los potreros, los pastizales, las huertas, los magueyales, los abrevaderos, los pozos, las norias, los canales de riego, los corrales, las capillas, los obrajes, el matadero, los establos, los jacales de los peones y la casa grande, sus patios y caballerizas. También están marcados con rudimentaria topografía los principales accidentes del terreno: cañadas, arroyos, colinas, el lindero de los bosques, algunas veredas, algunos caminos y a la orilla de todo, el contorno agreste de la sierra.

—¡Aurelio! —insiste Quicho sin alzar la voz.

Yo ya he visto el mapa muchas veces y no me interesa verlo de nuevo, pero me levanto porque sé que Quicho no me va a dejar en paz hasta que vea lo que quiere enseñarme. Junto al mapa viejo tiene abierto un mapa actual y algo está marcando en él con un lápiz.

—Aquí —proclama al fin con seguridad absoluta, mientras señala en el pergamino el recodo de un arroyo casi al extremo sur del límite de la hacienda—, es donde se encuentra ahora la Unidad Independencia. Y acá —agrega, tocando con la punta del lápiz unos potreros en la diagonal opuesta—, es Barranca del Muerto.

No sé cómo habrá identificado esos puntos, pero ya trazó en el mapa moderno una línea que sigue más o menos el contorno que tiene la propiedad en el pergamino: una franja enorme de terreno que corre desde la orilla norte de San Jerónimo hasta muy cerca de las cañadas de Santa Fe. Aquel ir y venir de Quicho con los papeles de la hacienda es mucho más que un simple ejercicio de nostalgia. Poco importa que las vegas y parajes del siglo pasado sean ahora un amasijo de construcciones amorfas sobre una estéril plancha de concreto o que su posesión por parte del mítico tatarabuelo no sólo haya sido espuria y efímera, sino prácticamente virtual. Quicho ya siente que cuenta con un principio de recurso que apunta hacia la posibilidad, por remota que parezca, de que algo deseable y valioso llegue a ser suyo, y desde ese momento considera que no actuar en consecuencia sería un acto de cobardía.

Yo asiento varias veces con la cabeza y trato de mostrar el mayor asombro y admiración posibles, con la esperanza de que Quicho se dé por satisfecho y me deje tranquilo, pero lo que me tiene de verdad inquieto es saber que en ese mismo momento Clarisa y Carmela deben estar a punto de empezar a ponerse la ropa interior. Así que finjo interesarme por este o aquel aspecto de la propiedad mientras me deslizo de nuevo, gradualmente, hacia la grieta en el piso. Las ambiciones de Quicho no me dicen nada. Me resulta imposible remitirlas a forma alguna de sensación concreta. Pronto se desvanecen por completo dentro de mi mente mientras me sumerjo de nuevo en la contemplación paralela de los cuerpos desnudos de sus hermanas, con su palpable inmediatez y su infinito misterio.

A veces pienso que las gemelas saben que las miro, que en realidad se quitan la ropa para mí y retozan sobre la cama para que yo las vea. Cuando me cruzo con ellas en la casa creo descubrir en sus ojos un guiño de asentimiento, cierto aire de equívoca complicidad. Todos mis pensamientos se han ido convirtiendo en uno solo, estar tendido con ellas, desnudos los tres, sobre el diván de piel del tapanco: repasar cada espacio duplicado de sus cuerpos, arrullarme en el compás de su respiración conjunta, meterme en ellas, sentir cómo se meten a través de mí una en la otra y envuelto en el abrazo simultáneo de sus pechos, alcanzar a distinguir por fin, inexplicable y nítido, el latido único con el que palpitan sus dos corazones idénticos.

—Un guato son las colas, no les voy a decir que no. Lo demás es bulto —reconoce el Gusano mientras acaba de rellenar el paquete con varios puñados de polvo de mariguana que va tomando de una bolsa de plástico para basura—. Todo mundo quiere colas, pero a veces lo que más quieres es desafanar antes de que haya pedo, ¿me entiendes? Si hay pedo, yo le saco, ¿agarras? A menos que te sientas muy cabrón, ¿no? Muy pinche felón, muy pinche ojete —aclara, y se queda un momento en silencio, mirando a Quicho por entre los pelos aceitosos que le escurren sobre la cara, como si quisiera dejar abierta la posibilidad de que Quicho efectivamente sea, o pueda llegar a ser, un felón cabal, es decir, un ojete—. Pero en esta vida no todos pueden ser colas, carnalito. Vale más que lo vayan maliciando. La mota tiene pata y alguien se la tiene que chutar. Y así como es la mota es todo. Si puedes pasar de guarumo en esta vida, chido, ¿no?, pero no está tan pelado de verga. Y se los digo porque soy su carnal. Porque no me late namás caciquearlos y ya estuvo. O sea, porque somos ñeros, ¿no?, somos banda.

Le damos el billete de cien pesos y guardamos el tubo de papel periódico en un morral de cuero. El Gusano no tiene más de veinticinco años, pero parece que tuviera cuarenta. Fuma un cigarro tras otro y las manos le tiemblan sin cesar. De chico era niño prodigio y todos pensaban que llegaría a ser pianista de concierto, pero él prefirió dedicarse a inhalar thiner. Lamentablemente, ambas ocupaciones exigen tiempo completo. El Gusano se guarda el dinero en la bolsa del pantalón y no deja de hablar sobre los múltiples matices, ángulos, giros y sutilezas de la vida del perfecto drogadicto, como si nos comunicara en la más estricta intimidad los ritos iniciáticos de alguna orden de caballería, mientras yo me pregunto cuál pudo ser la cadena de acontecimientos que lo condujo de la cómoda casa de sus padres en la colonia Del Valle a este cuarto de azotea con las ventanas tapadas con cartones negros para no dejar entrar la luz del día. A la primera oportunidad, Quicho y yo nos levantamos. Salimos por fin de aquel ámbito cavernario y respiramos varias veces a todo pulmón como por instinto. Bajamos la escalera de caracol, salimos a calzada de Tlalpan y caminamos sin prisa hacia la estación General Anaya.

—¿Cómo ves a este güey? —le pregunto a Quicho mientras esperamos el metro.

—Tanto pinche rollo para comprarle un puto puño de grifa culera.

—El buen tío Gusano instruyendo a sus alumnos.

—Y dejándoselas ir, para que aprendan.

Cada vez entendemos mejor que lo esencial en este negocio es conocer al bueno. Pero conocer al bueno es el cuento de nunca acabar. Siempre detrás del bueno hay uno más bueno. El bueno que tú conoces nunca te va a llevar con el bueno que él conoce. Y no se puede brincar eslabones de la cadena sin correr riesgos: tratar con gente que no sabes, gente cabrona que te puede chingar. Lo que se vende y lo que se paga no es nada más la merca sino también el miedo; y lo que más valor agrega a la suma total es el miedo. Por eso de vez en cuando alguien tiene que morirse de verdad, alguien tiene realmente que ir a dar al bote. Y ese alguien jamás pensó que fuera a ser él, como tú nunca piensas que vayas a ser tú.

Los padres de Quicho están de viaje, así que vamos a su casa a repartir el botín. Abrimos el paquete sobre la mesa del comedor, escogemos la mejor cola y nos forjamos un churro gigante. Salimos al balcón a fumar, nos ponemos hasta la madre y entonces el paquete de papel periódico abierto sobre el vidrio de la mesa cobra a nuestros ojos su verdadera dimensión heroica. Misión cumplida. Vamos a repartirnos las colas y el resto lo vamos a dividir en cuatro o cinco rollos pequeños con unas cuantas varas para disimular. Y cuando los otros chavos nos reclamen que los cartones que les vendimos son de puro polvo vamos a decirles que sí, que es polvo, pero polvo de colas. O sea. Para ellos nosotros somos el bueno y si no le entran no fuman. O dicho con mayor claridad: no hay peor mota que la que no hay.

Encontrar un vicio para la vida es como llegar por fin a casa después de un largo viaje; es recobrar el calor del hogar que imaginaste siempre.

Entrar al grupo de danza fue la mejor idea que se nos pudo haber ocurrido. Bueno, la mejor idea que se le pudo haber ocurrido a Catalina. No faltará quien piense que nos volvimos putos, pero ni modo; al que se pase de hocicón le reventamos su madre y listo. Las cuentas son muy sencillas: en el grupo hay cinco hombres y veintitrés mujeres. Dos de los hombres resulta que sí son putos, así que quedamos tres: Aurelio, Marcos y yo. Como quiera que sea nos acaba tocando.

Claro que al que más le toca es a Marcos. Es el director del grupo y a pesar de su estampa ridícula (piernas flacas, hombros estrechos, cabello crespo aplanado con gomina) ha logrado crearse una imagen de gran artista. Al menos así lo ven sus alumnas; hay que ver cómo se le lanzan. No es difícil entender por qué lleva toda la vida dedicado a esto. En lugar de andar de burócrata en una oficina de cuarta, como acaso hubiera sido su destino, Marcos organiza festivales, diseña coreografías, preside jurados y recibe becas. Sus pupilas lo llaman *maestro*. Tiene un sueldo jodido que le paga el gobierno, pero un montón de becas y de premios lo mantienen a flote. Como las becas y los premios las dan otros bailarines iguales de chafas y de grillos que él, no hay ningún problema. Hoy por mí, mañana por ti. Nunca va a pasar de mediocre, pero siempre va a tener a su alcance un caudal de mujeres jóvenes, con el cuerpo firme y la cabeza llena de sueños, dispuestas a todo con tal de penetrar el misterio. Se le podría considerar un simple lacra, pero hay que admirar el jugo que ha sabido sacarle a sus limitaciones. Es un reverendo cabrón, ese pinche Marcos.

Me gusta esto de los artistas. Me gusta cómo hacen las cosas. Todo ha de ser a la chita callando, con intrigas y con tenebras. Algunos de verdad esperan llegar a volverse ricos y famosos, pero la mayoría está dispuesta a conformarse con no tener que trabajar nunca. Eso puede llegar a requerir mucho más esfuerzo que cualquier trabajo, pero no importa. Vivir con la ilusión de que haces lo que quieres y no lo que alguien quiere que hagas vale mucho, aunque no sea cierto. Lo esencial en el arte es ir en contra. Es el gremio más antisocial que he conocido. El bálsamo de su tolerancia sólo abarca aquello que se aparta de la norma. En el fondo de sus corazones, los artistas siempre están fraguando alguna pequeña, secreta venganza. No parecen darse cuenta de que las únicas bajas en sus íntimas batallas contra el mundo suelen ser ellos mismos. Supongo que de eso se trata. Estoy aprendiendo mucho.

Es realmente poco lo que Aurelio y yo tenemos que hacer para pertenecer al grupo. Nuestra participación en las coreografías es casi por completo decorativa. Damos de pronto algunos brinquitos y algunas vueltas, pero la mayor parte del tiempo estamos parados en distintos puntos del escenario con los brazos extendidos y las rodillas tiesas o con las piernas dobladas y la cabeza chueca, como pájaros mirando al cielo. Es una situación envidiable, pero Aurelio no hace otra cosa que encontrarle peros. Nunca voy a entender por qué no puede simplemente relajar y divertirse, tomar lo que tiene a la mano en lugar de vivir de luto por lo que pudo haber sido. Es preciso entender una cosa: Catalina nos trajo aquí justamente para que pasemos a lo que sigue. Resulta que lo que quiere ahora es andar con Marcos, ¿qué le vamos a hacer? Al menos tuvo la consideración de traernos a donde no nos iba a faltar con quién sacarnos la espina. Sólo que a Aurelio no le basta con la parte que le toca de las veintidós alumnas que sobran, tiene que echarse sobre los hombros la tarea de proteger a Catalina de lo inevitable. Todos sabemos que Marcos no va a dejar jamás a su esposa gorda y a sus dos niñas. Es gracias a ellas que puede cogerse a todas sus alumnas, una tras otra, sin tener que comprometerse nunca con nadie. Catalina también lo sabe. Y si no lo sabe, de nada va a servir que se lo digamos nosotros. Cuesta trabajo creer que se haya enamorado, pero es posible. De una u otra forma, viene a dar lo mismo. Nunca es fácil desprenderse de lo que ya pasó, pero no hay otra forma de quedar listo para lo que está por venir.

—¿Sauris? ¿En serio?

—Qué, ¿no te gusta?

—Al contrario. Es de las mejores. Eso creo, pues.

—¿Hubieras preferido una editorial jodida o qué?

—No. Lo que pasa es que nunca pensé que la cosa llegara a tanto.

—Con ellos se pudo. Qué mejor que sean tan chingones.

—Pero, se va a ver muy raro, ¿no crees? Nunca he publicado nada y de pronto: Sauris. Es demasiado.

—¿Te quieres rajar?

—No. Pero se va a ver raro.

—No te preocupes. El libro es bueno ¿no?

—A mí me gusta.

—A mí también.

—¿Lo leyeron?

—Según eso.

—¿Y qué dijeron?

—Que estaba más o menos.

—O sea que seguro dijeron que era una chingadera.

—¿Qué esperabas? Son una pinche mafia. Tú mismo me lo advertiste. Nunca le van a dar chance más que a sus puros cuates. Ahora se van a tener que abrir un poco, eso es todo.

—¿Cómo le hiciste?

—Apretando algunas tuercas, por aquí y por acá.

—¿Tuercas de cuáles?

—El hijo.

—¿Qué tiene?

—Es bien coco.

—¿Nada más?

—No. De pronto le gusta ponerse hasta atrás con alguna piruja.

—¿Y?

—Torturarla un poquito.

—Ya veo. Un buen día se le pasó la mano…

—Así es.

—Y tú lo ayudaste a salir de la bronca.

—Exacto.

—O sea que voy a publicar mi libro gracias a la muerte de una pobre puta.

—La puta muerta ya estaba. Así al menos sale algo bueno de un crimen idiota.

—¿Y si mejor hubieran metido a la cárcel a ese hijo de su pinche madre?

—No digas pendejadas, Aurelio.

Casi siempre sabes que algo camina directo al desastre desde el momento en que estás dando los pasos que lo van a volver irreversible. Tiene que ver en parte con el hecho de pisar terreno desconocido pero tal vez mucho más con el no tener del todo claro qué es realmente lo que te está moviendo a actuar. O no querer reconocerlo. Lo cierto es que a pesar de la advertencia, difícilmente nos detenemos nunca.

Visto a la distancia, me parece que el factor determinante en este caso fue ese tonito paternalista con que Villaseca trató de explicarme que no se iba a poder, que no estaba en sus manos hacerlo. Su rostro abotagado y su mirada vacía, el tic que lo movía a pasarse los dedos una y otra vez por el borde de su camisa; la voz aflautada, completamente fuera de lugar dentro de su enorme barriga, contribuyeron de manera irremediable a acentuar la falsedad de sus palabras. Por eso consideré insultante que saliera con el cuento de los dictaminadores externos y el comité editorial. En realidad, su única salida era tratar de convencerme de que lo que yo le estaba pidiendo no era la mejor manera de lograr lo que yo quería. Hubiera sido relativamente sencillo, pero nunca lo entendió así. Me obligó a puntualizar lo obvio, a insistir en la satisfacción de un capricho absurdo. Así acabamos perdiendo todos, aunque yo sintiera en ese momento que ganaba.

Ahora me parece natural que haya sido Aurelio quien más raspado saliera de todo este asunto. Nada hay más letal a veces que la buena voluntad de los amigos.

DESCONCERTANTE NOVEDAD DE SAURIS
Por Edmundo Rivas-Lancy

Como sabemos, desde hace varios años Editorial Sauris viene publicando con enorme acierto el trabajo de jóvenes novelistas en su serie "Crisol de luz". Gracias a ella hemos podido tener acceso a las *opera primae* de nuevas y prometedoras voces, muchas de las cuales han devenido con el tiempo sólidos baluartes de nuestra narrativa nacional. La apuesta de la editorial ha sido modesta en términos de tiraje pero ambiciosa en cuanto al rigor literario puesto en la selección de los textos publicados hasta ahora. Y no me queda más remedio que poner el énfasis en *hasta ahora*.

No sería justo exigir a una primera novela la originalidad de un escritor maduro. Figuras señaladas de nuestras letras han cumplido su iniciación mediante el recurso más o menos flagrante a la piratería. En ese sentido, el hecho de que *Andrómeda, una incitación al sueño* del joven (20 años) Aurelio Castellanos retome el multitransitado argumento del triángulo amoroso entre los dos amigos y la compañerita de la infancia no constituye en sí un obstáculo insalvable. Hace apenas unos años el bosnio Malako Janich (se pronuncia *yanij*) actualizó su vigencia mediante la estupenda *Repicad, campanas del olvido,* y más cerca de nuestras costas, Julio Lope Casillas y Cecilia Rescoldo han sacado a la luz en fecha reciente tratamientos frescos y articulados en torno a temas afines.

El problema con la novela de Castellanos es, desde un principio, su carácter errático, ajeno por completo a los fundamentos elementales de lo que podríamos llamar, sin pretensiones de ninguna especie, literatura. Un mismo árido (mono)tono se usa para describir barrios y casas, dinámicas familiares, infamias estudiantiles, tardes abrumadoras y una plétora de personajes secundarios prácticamente indistinguibles. Con similar desgano se intenta la narración de algunos otros pasajes que acaso pretendan significar momentos iniciáticos: una función en el autocinema, el robo de unas botellas de licor en un supermercado, la visita a una tía ciega, el descubrimiento de que el padre de la chica ha mantenido una amante durante años, la compra-venta de ciertos discos usados, una confusa escena de alcoba que podría o no implicar la pérdida de la virginidad para uno o varios de los protagonistas y un largo etcétera. Tal disposición a prescindir de la técnica, que un poco más de malicia pudo haber conducido con éxito hacia un inquietante minimalismo *avant la lettre,* naufraga sin embargo bajo el lastre de su persistente insustancialidad (transcribo sin ánimo de escarnio):

> Carla abrió el frasco de mermelada, metió sus dedos en el frasco y se puso a embarrar los panes con mermelada. Nunca usaba cuchillo. Después, mientras mirábamos la tele, yo sentía que había un poco de Carla en el sándwich de mermelada y lo mordía con más ganas.

Ahora bien, la dificultad que enfrenta el lector para mantenerse montado en la narración no es, *stricto senso,* que no pase nada, sino que nada de lo que pasa parece contribuir en modo alguno a cualquier forma concebible de *discurso,* o siquiera aproximarse al concepto de *devenir fáctico*. En mejor castilla: las cosas suceden sin ton ni son. La prolongada secuencia de lúgubres viñetas podría verse con imaginación o con indulgencia como un intento por elaborar, al margen de *lo narrativo*, una cierta textura, tramada de redundancia y de claustrofobia, que nos condujera por acumulación al vislumbre repentino del mundo interno de los personajes. Sin embargo, cualquier esperanza en este sentido se cancela ante la frecuente irrupción de una lírica salpicada de lugares comunes, que desemboca, pero no consigue redimirse, en el *kitsch:*

> Carla se asomaba a la ventana como un sol entre las nubes de la tarde. Mirarla era como ver por vez primera a un ángel o a una virgen. Como saber por fin que Dios realmente existe. Carla miel, luz bendita. Grieta que me come las entrañas.

Después de casi doscientas páginas de este irritante ir y venir entre lo anodino y lo etéreo, y sin que nada de lo que hayamos leído hasta entonces lo prefigure o lo sustente, la novela se resuelve en un desenlace desorbitado, que aniquila de golpe y por completo a toda la población de la ciudad de México y, muy probablemente, del mundo entero. Todo para que nuestro entrañable triángulo primigenio pueda acometer por fin la dura pero irrenunciable tarea de regenerar a la humanidad y sentar las bases de una nueva civilización "superior".

Debo puntualizar ahora que leí, no sin sacrificios, todas y cada una de las páginas de *Andrómeda, una incitación al sueño*. Mi confianza en la solvencia intelectual de la casa editora me hizo abrigar, hasta el último momento, la esperanza de que apareciera de pronto en el texto, como providencial *deus ex machina*, algún giro que revelara una clave de interpretación, algún guiño que permitiera considerar este abultado conjunto de equívocos como una descomunal broma literaria. No lo encontré. No existe. El texto mantiene hasta el fin, impávido, su inflexible distancia de cualquier consideración estética.

A pesar de la paliza que significó toparme con su obra, no le guardo mala voluntad al joven Castellanos. Es concebible incluso que si se decidiera a frecuentar la gramática y accediera a lecturas menos rústicas que esas que lo han nutrido, con seguridad, hasta ahora, el buen ojo que se insinúa por momentos en algunas de sus tomas del natural y su innegable aunque fallida imaginación, pudieran llegar a cuajar en algo legible. No sería justo descartar por completo la posibilidad de un milagro.

El fracaso no nos disminuye, nos obliga a considerar la distancia que nos separa de nuestros sueños. Esa claridad es la que nos aplasta. Abrir los ojos es empezar a andar desnudos por el mundo.

Retícula Ediciones es un conglomerado de escritorios repartidos por los cuartos y pasillos de una casa vieja. Un palacete de dudosa arquitectura en San Pedro de los Pinos. Techos altos, ventanas erguidas, castas celosías de madera, los restos mutilados de un patio inmóvil, con su fuente de azulejos, senderos de grava y unos naranjos enjutos, temerosos, como resecos aristócratas en desgracia. La puerta principal abre a un vestíbulo de doble altura, iluminado por la eterna primavera de unos floridos vitrales, a cuyo pie arranca una escalera tan suntuosa que aún ahora, tantos años después de que sus difuntos señores presidieran por última vez desde el balcón alguna ridícula gala, no es posible ascender la lenta dimensión de su trayecto sin sentirse parte de una estampa bochornosa. La casa es una rara fortaleza, el incierto refugio de un ejército arrinconado. Sus silencios y sus sombras, el espacio que protege y delimita, la considerable masa de su estructura y el rancio abolengo de su pasado van perdiendo poco a poco, día con día, una guerra de años contra el tráfico vociferante, el grasoso reptar de la inmundicia, los fúnebres olores a fritanga y el sudor desesperado de la muchedumbre que transita sin descanso y sin destino sobre las indolentes banquetas de avenida Revolución.

Al interior de la casa también se libra, o queremos creer que libramos, una guerra igualmente encarnizada, igualmente perdida. El enemigo es el mismo: la realidad voraz, indiferente, informe. Como cualquier otra editorial en el mundo, la mayor parte de lo que publica Retícula Ediciones es una porquería. Lo que nos distingue es que tratamos de hacerlo como si no lo fuera. Que las cosas puedan ser así, aquí y ahora, se debe únicamente a la existencia milagrosa del señor Ávila. Sin él, nuestros libros-basura serían simplemente basura. Dueño de un acervo infinito de recursos asombrosos, el señor Ávila llegó a jefe de producción de la editorial sin haber pisado nunca las aulas de una escuela secundaria. De barrendero a cajista, de cajista a formador, de formador a corrector de pruebas: su reverencia por los libros sólo es entendible en el hijo de un linaje al que siempre le fueron negados.

Retícula Ediciones es ahora mi casa. Una casa más sólida, más íntima y más propia de lo que nunca pudo ser la de mis padres. Mónica y Brenda, Raúl, Joaquín y Herminio, el licenciado Antúñez y el señor Ávila son mi nueva familia; una familia entablada por voluntad propia y sostenida por lazos que se renuevan de manera continua, no un accidente abstracto en la ruleta del destino. Mucho más importante que un oficio, lo que he aprendido aquí durante los últimos años es el amor a la forma, la disciplina de la forma, la gimnasia introspectiva y espiritual que radica en el ejercicio cotidiano de la forma. Entre peor sea un manuscrito, mayor es el desafío y mayor es el provecho que puede derivarse de convertirlo en un objeto íntegro, inteligible, amable. Practicando la forma he aprendido también a dejar de temer a la forma. A ver más allá de la forma, a desentrañar los velos de la forma y acceder al peso específico, la densidad expresiva, la sustancialidad intrínseca de cada cosa. El efecto ha sido abrumador. Por los caminos más extraños, he venido a dar de frente contra la literatura.

En medio de este instante luminoso ha surgido sin embargo una sombra funesta. La aparición de Ramiro Garza en la oficina es una catástrofe de tal magnitud que nunca la hubiera creído posible, como barcos españoles desembarcando en las costas de una tierra virgen. Ramiro es la joven estrella en curso de las letras mexicanas.

Siempre atento a las últimas tendencias de la moda literaria, produce piezas agudas, redondas, bien trabadas, divertidas y apenas lo bastante frívolas para ponerse a cubierto de cualquier ataque. Escribe con penetración y con ingenio, pero nunca con la crudeza que pudiera perturbar el conformismo ilustrado de sus lectores.

Ramiro no tuvo que empezar, como todos aquí, en uno de los escritorios del pasillo de la planta baja; llegó de entrada a una de las oficinas de arriba con vista al patio. Fuera de sentarse frente a su mesa, no está obligado a hacer, si no le apetece, nada. Está aquí por recomendación personal y expresa del poeta Setino Fontana, director de la revista *Giros,* de cuyo consejo de redacción forma parte. Su verdadero trabajo es seguir siendo estrella y mantener para la editorial la buena voluntad de las personalidades que hacen posible su sobrevivencia.

Desde que llegó Ramiro todo comenzó a moverse. Las jerarquías se han trastocado, las lealtades se han perdido. Son otras las aspiraciones y son otras las apuestas. Frente a su brillo instantáneo, el prestigio rústico y esforzado del señor Ávila parece asunto de telenovelas. Odio el tono de burlona condescendencia con que pretende escuchar sus indicaciones, odio el descaro con que se sienta en el sofá de la biblioteca a leer el periódico durante horas, odio el embrujo que ejerce su fama, las inmediatas expectativas que desata su presencia. Odiarlo me parece perfectamente entendible y perfectamente lógico. Lo que me resulta un misterio, un misterio que me hace ver lo mal que entiendo todavía la mecánica profunda de las personas, son los motivos que pueda tener él para odiarme a mí. Yo no tengo nada que él hubiera deseado, ni conozco a nadie que pudiera servirle, ni le quito la atención de la gente que quiere, ni he venido a poner su mundo al borde de la debacle. Pero Ramiro Garza me odia a mí con la misma intensidad y la misma voluntad de aniquilación con que yo lo odio a él. No tengo la menor duda al respecto. Fue difícil creerlo, pero ahora que estoy seguro no puedo contemplar su odio sino como un halago. Al menos en ese terreno es posible tratarnos como iguales.

¿Mónica? Quiubo, soy Brenda. ¿Supiste? Sí, puta, estuvo horrible. Yo no vi el mero mero principio, pero me contaron. Como loco, como pinche loco. No sé bien, porque te digo que yo no estaba arriba en ese momento, pero parece que estaban en el comedor Joaquín y Herminio con Ramiro, sirviéndose café, y en eso entró Aurelio y entonces Ramiro sacó un frasco de mermelada que estaba en el refrigerador y se puso a embarrar un pan con los dedos. Con los *dedos*, ¿me entiendes? Leíste las fotocopias, ¿no? Exacto. Todos empezaron a cagarse de la risa. Digo, también el pinche Ramiro se pasó de lanza. Estará muy guapito y será muy niño prodigio y lo que quieras pero no hacía falta. Ya bastante bromita pesada fue desenterrar el libro ese del olvido y repartir copias de los pasajes selectos a diestra y siniestra para encima aventarse la mamada de la mermelada enfrente de todos. No es que justifique, pues, pero fue demasiado. ¿Por qué? Quién sabe por qué. Me imagino que nada más porque le caga la madre. Ya ves que Ramiro sabe ser ojete cuando se lo propone. Pero ahora sí te juro que no le calculó, manita. Dicen que Aurelio ni dijo nada, nada más se acercó y le azotó la cara contra el frasco de mermelada. Y luego siguió y siguió y siguió madreándolo sin que nadie pudiera ni arrimarse. Así como lo ves de flaco. ¿Que cómo? ¿Cómo querías que quedara si lo aventó por la escalera y lo fue rodando a patadas hasta el piso de abajo? Lo que sí te puedo decir, porque me consta, es que cuando llegamos a donde quedó tirado ya casi ni respiraba…

Clara es como una ola.

—Pase, pase, amigo Castelazo. No sabe lo mucho que le agradezco que haya venido.

    Y yo:

—Castellanos.

—¿Cómo dice?

—Castellanos. Mi apellido es Castellanos.

—Ah, sí, claro. Disculpe. Castellanos. Pero pase, por favor, siéntese.

La oficina es gris y no tiene ventanas. Más que una oficina es un cuarto de utilería con un escritorio en medio. Un reducto declaradamente clandestino. El hombre también es gris. Gordo y gris, con un traje café claro, cabello relamido y lentes opacos, verdosos, inescrutables. El cuarto está lleno de humo. El hombre fuma sin quitarse nunca el cigarro de la boca. Fuma sin aspirar, respirando, como si su organismo funcionara a base de una mezcla constante de aire y nicotina. La oficina y el personaje parecen haber salido de una de las planas color sepia de los periódicos deportivos de la tarde. O yo haberme sumergido en ellas. Un mundo gris y sepia, indefinido, inexistente, insignificante, viejo.

—¿Gusta? —tres o cuatro cigarros sin filtro saltan por la boca rasgada de la cajetilla.

—No, gracias.

—¿Café?

—Tampoco.

—Muy bien. Trataré de ser breve y si me lo permite, directo. Hemos recibido noticia del… ¿cómo llamarle…? incidente. Sí, incidente protagonizado por usted en las oficinas de Retícula Ediciones. Y permítame asegurarle de entrada que compartimos su indignación. La indignación y la urgencia de enfrentar este tipo de provocaciones con la mayor energía. Ese muchachito…Garza o como se llame, es un ejemplo perfecto del grado de degradación al que hemos llegado. Un mozalbete amanerado y petulante convertido de súbito en "nueva revelación" de las letras mexicanas. ¿Con qué méritos? Ninguno que yo conozca, aparte de dedicarse de tiempo completo a lamerle el culo al pederasta de Setino Fontana —al final de las palabras, apenas el rabillo del ojo tratando de calibrar su efecto sobre mi rostro.

—Sí, amigo Castorena…

—Castellanos.

—¿Disculpe?

—Castellanos, me llamo Castellanos.

—Por supuesto, Castellanos. Qué cabeza la mía. Pero le decía, amigo Castellanos, a nosotros lo que nos interesa es el dueño del circo, no los payasos...

El hombre hace una pausa y mira a lo lejos con la barbilla en alto, convencido de que un poco de silencio es la mejor manera de infundirle dignidad a su resentimiento.

—Nadie ignora —retoma con voz engolada, cadenciosa, los ojos puestos en un punto indefinido por encima del marco de la puerta— y usted ahora menos que nadie, el asfixiante y cada vez mayormente hermético control, el descarado monopolio que ejerce sobre todos los ámbitos de nuestra vida cultural la mafia de ese mal llamado poeta, Fontana. Setino Fontana —repite, despacio, como quien paladeara un veneno al que ha logrado volverse inmune—. No hace falta abundar en la perfidia del personaje: todos estamos al tanto, lamentablemente, de sus delirios y de sus atropellos. Pero déjeme asegurarle una cosa: habemos quienes no estamos dispuestos a cruzarnos de brazos mientras esa pandilla de vendepatrias y de maricones nos desfiguran la identidad. De ninguna manera. Y no estamos solos, se lo aseguro. Tenemos apoyos, tenemos fuerza; más de la que mucha gente piensa, créame.

Alentado por esa certidumbre repentina, el hombre cambia de tono. Parece que relaja. Se detiene a considerar con cuidado lo que sigue mientras fija su atención en desprender metódicamente la ceniza de la punta de su cigarro.

—Usted nos interesa, Castellanos. Le vemos madera. Ya demostró que es capaz de actuar con determinación, algo que para nosotros es importante. Como ha podido darse cuenta, en este negocio no todo es cosa de encontrar la palabra precisa y el giro perfecto. También se necesitan huevos. Huevos, amigo Castellanos, porque a estos hijos de su puta madre tenemos que pegarles con lo que se pueda.

Las palabras flotan sobre nuestras cabezas como nubes negras, cargadas de un odio elemental y transparente, un odio que casi consigue remontar su sordidez y redimirse en lo pintoresco, conmover, de algún modo vagamente obsceno, mientras el hombre se inclina hacia mí por encima del escritorio y me mira con verdadero afecto; una mirada que quisiera hacer las veces de mano extendida.

—Queremos ayudarlo —continúa—, sabemos que comienza. No vamos a pedirle lo que no pueda darnos. Es más, no vamos a pedirle nada. Sólo queremos que se desarrolle con nosotros, que madure y participe, en los términos que le marque su propia conciencia —y entonces su rostro cede al impulso de una sonrisa irónica, una especie de silenciosa carcajada, una sonrisa que crece, desborda, abarca, desnuda las intenciones reales de nuestro encuentro, amarra—. Participar con convicción, con entusiasmo —insiste, ya deliberadamente ambiguo, casi con sorna— en esta gran tarea de preservar lo nuestro. Ahí tiene, por lo pronto, la revista *Claves*. Le voy a pedir que pase lo antes posible a ver a su director, Rufino Acra. Él ya sabe de usted, lo está esperando. Un tipazo, Rufino, estoy seguro que se van a entender de maravilla. ¿Qué dice, Castellanos, se va animar a entrarle?

Lo primero es arreglar el piso. Lo demás podemos irlo haciendo juntos poco a poco. El piso es lo más importante. Una mínima intención de bienvenida. Abres la puerta de entrada y el boquete en el piso parece que se lanza sobre ti como un augurio funesto. Es casi un umbral del inframundo. La boca de una realidad opresiva y lúgubre, de un pasado infeliz, vergonzoso y estéril.

Cuando recibí la casa quise imaginar que heredaba un patrimonio. Pero estas paredes no son otra cosa que un montón de muertos. Me pesa la casa, sus achaques y sus lamentos. Me pesa el cúmulo, al final de las generaciones, de todas sus pequeñas desgracias. Nunca quise vivir aquí y sin embargo he vuelto. Pensé que venía de paso, pero las semanas se me han ido convirtiendo en años. Más que ocuparla propiamente fui dejando que la casa me envolviera. Entro y salgo cada día como nos ponemos sin pensarlo la ropa de siempre. Regreso a ella cada noche con la misma sensación de vacío con la que vuelve una pareja desentendida al lecho de un matrimonio muerto. He transcurrido entre sus muros como si no me concernieran. Ahora la miro con asombro, como se mira a un extraño. No sabría decir en qué momento comenzó a perderse, porque en mis primeros recuerdos ya figura como un ideal en ruinas. Ahora es una ruina a secas.

Veo de pronto la casa tal cual es, como si no la viera cada día: el piso desencajado, las paredes carcomidas, los baños sin agua, las ventanas rotas. El pequeño jardín sumergido en un marasmo de humedades y de sombras. Esto es lo que soy, lo que vino antes de mí y en mí converge. Puedo ver la casa como es porque la inminencia de Catalina me permite imaginarla por fin de un modo distinto. Un edificio íntegro, luminoso, restaurado en torno al centro que nunca tuvo. Un puente hacia el origen, en algún lugar anterior al recuerdo. Una casa como un árbol, entre la tierra y el cielo: larga, sólida y fecunda. Catalina ha vuelto y sobre ese atisbo de milagro habremos de fincar un sueño.

La portada del libro es de cartulina gruesa, con ligera textura y acabado mate. Su tipografía marrón se recorta con nitidez sobre el fondo violeta pálido: *Andrómeda, una incitación al sueño.* Más arriba puede leerse en un tipo más pequeño, impreso con tinta azul marino: Aurelio Castellanos. El pie de imprenta es una viñeta de un brujo medieval parado junto a un caldero, a cuyo pie corre un rótulo que dice: Crisol de luz, en versales y versalitas de un cuerpo más fino. Es una cubierta sobria, alegre, elegante, pensada para un libro cuyo público potencial podría incluso llegar a leerlo.

El libro descansa sobre el buró de Catalina, un huacal de madera donde acumulan polvo otros tres o cuatro volúmenes que también le interesan mucho pero que no va a terminar de leer jamás. Yo sé muy bien que no va a leer mi libro como sé que de verdad le gustaría hacerlo y que si algún día llegara a leer un libro completo es probable que fuera ese o cualquier otro que yo hubiera escrito. El libro está ahí para hacerme sentir que le importa lo que hago. No lo había vuelto a ver desde aquella noche hace tantos años en que Quicho y yo rompimos una ventana de las bodegas de Sauris para robarnos el tiraje recién impreso. Después recorrimos las librerías de la ciudad, compramos los pocos ejemplares que alcanzaron a distribuirse y los quemamos todos en un lote baldío de la colonia Portales.

Cuando llegó a la casa, Catalina colocó el libro encima del huacal, en el sitio exacto donde se encuentra ahora. Quién sabe cómo lo consiguió y desde cuándo lo tenga. No puede imaginarse lo que me hace sentir verlo ahí todos los días porque nunca hemos hablado de ese tema. Mucho menos puede saber que si lo escribí a toda prisa y conspiré con Quicho para que me lo publicaran pronto, al precio que fuera, era porque tenía la urgencia de hacer algo dramático para crecer a sus ojos.

Es curioso que tanto el libro como el maestro de danza que propició su escritura estén ahora reunidos en ese espacio silencioso donde hemos ido arrumbando todo aquello que nos perturba. Los muchos asuntos a los que no vamos a aludir jamás. Las cosas que hicieron que dejáramos de ser lo que éramos entonces y nos convirtiéramos en lo que somos ahora. Las cosas que hicieron que el mundo se nos llenara de abismos.

Comencé a leer el cuaderno dos o tres semanas después de que llegué aquí. Supe que tenía que hacerlo cuando me di cuenta de que él se preocupaba tanto por ocultarlo. Aurelio sólo esconde las cosas de las que necesita que yo me entere pero de las cuales no quiere que hablemos. Por eso las esconde en donde sabe que tarde o temprano me voy a topar con ellas. Los recibos de la escuela de las niñas de Clara y esas tarjetas pintadas con lápices de colores que le regalan y que no se atreve a tirar, como si fueran de verdad sus hijas, estaban detrás de una caja de jabones en el mueble del baño.

Jabones para mujer, claro. Su famoso libro, el que se supone que nadie sabe que existe, lo encontré en el baúl de barco que me prestó para guardar mis cosas. Es realmente un libro muy malo y puedo entender que le duela tanto haberlo escrito. Lo que nunca va a saber es que a mí me gustó, de cualquier manera, como acaban por gustarnos tantas cosas de nuestro pasado que durante años deseamos que jamás hubieran sucedido. Pasa el tiempo y caes en la cuenta de que es lo único que siempre será tuyo. Puse el libro sobre mi buró, al lado de la cama, para hacerle saber que podíamos hablar de él algún día; pero Aurelio sólo lo mira como si fuera el diablo. No dice nada, nunca.

Aurelio escribe todo el tiempo. Escribe para las revistas, para la editorial, para el periódico. Escribe los libros que otros van a firmar y las palabras que otros van a pronunciar como si fueran propias. Cada cosa que escribe es como un pequeño movimiento de tropas en una guerra indefinida y perpetua. Todo denota siempre una gran impaciencia y todo parece responder a un secreto agravio. A pesar de que su vida gira en torno a las palabras, Aurelio vive con la sensación de que no dice nada. Cada cosa que produce le parece irreversiblemente degradada por su función práctica. Es la realidad pueril que se le impone, no ese territorio sublime del significado puro en donde él espera poder expresarse con libertad algún día. Yo sé, sin embargo, que ese día no va a llegar nunca, pues parece difícil que el mundo acceda a detenerse por completo para que Aurelio se instale sin agobios en el ámbito de sus intuiciones abstractas. El problema con Aurelio es que no consigue aceptar que por original e impalpable que pudiera llegar a ser su obra, forzosamente tendría que ser *algo*.

El cuaderno es como un hilo precario que lo mantiene enlazando con ese sueño. En él están garrapateados años de inútiles aproximaciones a lo imposible. Es, a su manera, un objeto hermoso, lleno como está con lo más intenso de su vida. Pero no tiene viabilidad alguna. Es el boceto de un libro que no va a existir nunca y también la crónica anticipada de su improbable existencia, incluyendo el cálculo certero de su casi segura inexistencia. En lugar de ir dando forma a un argumento, se le obliga a abrirse paso a través de una cerrada formación de antagonistas. La labor del escritor se divide, al parecer con igual energía, entre la tarea de propiciar el avance de la narración y la no menos importante de impedirlo. Más que una técnica estilística, parecería tratarse de un procedimiento de depuración química. Cada partícula de materia literaria es sometida al efecto implacable de una batería de agentes corrosivos que habrán de poner a prueba su integridad semántica y su solidez expresiva. El elíxir resultante, en caso de que algo llegara a sobrevivir, sería hipotética prosa *pura,* inobjetablemente verdadera. Pero nada sobrevive, por supuesto.

El cuaderno de Aurelio es como la ruina de un laboratorio abandonado. Y esos restos maltrechos de matraces y alambiques son, en última instancia, la obra misma. Un escritor más cínico ya lo hubiera publicado. Pero Aurelio sólo ve lo que pudo haber sido. Lo que debió haber sido. Lo que ya es, de hecho, en cierto modo, en algún sitio, si tan sólo le hubieran sido dados los recursos para volverlo tangible. A la vista de sus fracasos, seguir dando tumbos no era más que prolongar una humillación sin sentido. Si el arte es un don que se concede por gracia a unos cuantos elegidos, empeñarse en merecerlo cancela de antemano la satisfacción que pudiera encontrarse en recibirlo, como el cariño de una madre. Bajo la óptica de Aurelio, escribir un libro valioso le habría dado derecho a dejar de vérselas con la vida. Lo hubiera puesto a cubierto, fuera del alcance siniestro del día con día.

En las páginas finales del cuaderno no hay más que frases sueltas, divagaciones, fórmulas, diagramas, rayones y tachaduras. Una nota breve, más bien alegórica, señala mi arribo a esta casa. A partir de entonces las entradas se van volviendo más difusas y más breves. Lo último escrito son varias páginas ocupadas de arriba a abajo con diferentes permutaciones de la siguiente línea, interrumpida de maneras distintas por puntos y paréntesis arbitrarios:

red.imirl.aest.irpe:cat.a(físi.co)lies.pírit.una(a.rt.e)

En cierto momento, la línea deja su lugar a una cerrada cuadrícula de puntos, puestos uno por uno a mano alzada con una exactitud enloquecedora. Páginas y páginas cubiertas de un extremo al otro por esa retícula implacable. Cuando se le terminó la tinta, siguió marcando las hojas con la punta seca del bolígrafo y luego degolló las protuberancias en el reverso del papel con una rasuradora.

¿Qué diablos quiere que haga? ¿Para qué me puso a leer esto? Yo soy su hermana, siempre lo he sido. Puedo seguir siendo su amante o hasta convertirme en su puta. Pero no estoy dispuesta a ser su nido, ni su santa, ni su sacramento, ni su musa.

A veces pienso que nunca debí haber venido. A veces pienso que llegué demasiado tarde.

Las dos hileras de píldoras están sobre la mesa y resulta casi imposible distinguir cuál es cuál. Vistas a contraluz, se les llega a descubrir una pequeña diferencia de textura en las orillas, pero fuera de eso son iguales. Catalina no las va a revisar nunca con tanto detenimiento. Como todas las mujeres, se las toma de prisa, en la mañana, antes que cualquier otra cosa, temerosa de que si lo deja para después se le pueda olvidar.

Fue menos difícil de lo que había imaginado, tal vez porque ya lo había hecho tantas veces con mi papá: combinar, teñir, depurar y comprimir en la prensa. Lo más complicado fue igualar el color, no tanto por el tono, que encontré en el laboratorio casi de inmediato, sino por la intensidad, que es un asunto delicado. Los colores de las medicinas son mucho más tenues que los de cualquier otra cosa. Por suerte, la industria farmacéutica no se caracteriza por su imaginación. Siguen usando los mismos que hace treinta años.

Lo que más trabajo costó fue conseguir que las píldoras no supieran a nada, porque hay diferentes maneras de que las cosas no sepan a nada. O mejor dicho, ninguna cosa sabe de verdad a nada. Todo sabe a algo, aunque ese algo sea "a nada". El común de las píldoras no saben a nada. Pero cuando nos ponemos sobre la lengua una píldora diferente su sabor a nada es distinto. Descubrir en una píldora el sabor a nada que no le corresponde es un motivo instantáneo de sospecha. Sería terrible que todo se viniera abajo por un descuido de esa clase.

Ya sólo queda meterlas en su estuche. Estas cajitas redondas, de plástico translúcido, con ranuras rotuladas, son el invento del siglo. No fue fácil abrirla sin destrozarla y estoy seguro de que cuando la vuelva a cerrar no va a quedar perfecta. Si alguien se llega a fijar con cuidado, es posible que descubra algún defecto. Pero Catalina no tiene por qué fijarse. Va a sacar su estuche de la bolsa, va a ponerse la píldora en la lengua, se la va a pasar con agua en un par de segundos y asunto resuelto. Con un mínimo de buena fortuna, esta situación no tiene por qué prolongarse más allá de unos cuantos meses.

UNA FIESTA EN LAS CAÑADAS

Las casas estaban ahí, pero nadie que no lo supiera habría sido capaz de imaginarlas. A los pies de Aurelio la ladera del monte se desgarraba en una sucesión de pliegues escalonados que iban descendiendo en forma de abanico hasta diluirse por completo en la lejana claridad del valle. A uno y otro lado de la abertura farallones de piedra caliza contenían el espacio. Manchones discontinuos de una vegetación austera se apretaban al pie de los riscos y ceñían el contorno de las peñas que brotaban del fondo de la tierra como los dientes carcomidos de un animal inmenso. En la parte central de aquella hondura una bruma pegajosa cobijaba la copa de los árboles y fundía en una misma nata blanquizca la neblina del amanecer con el humo subrepticio que surgía de los hogares.

—¿Pasa algo?

Al oír la voz de Clara, Aurelio cobró conciencia de su mano. La tenía metida en el morral, donde había estado doblando y comprimiendo el libro hasta convertirlo en una especie de plasta de goma, que ahora amasaba al interior de su puño al ritmo de una creciente ansiedad. Llevaban un largo rato parados a la orilla del vacío, mirando la cañada sin decir palabra. Aurelio negó con la cabeza y empezó a caminar vereda abajo.

La fascinación de Aurelio con el libro comenzó desde el momento mismo en que lo vio salir de la ranura en la caja rectangular de la computadora. Al principio, su atención se centró sobre aquellas cualidades portentosas que lo volvían un objeto inexplicable. Dedicó días enteros a tratar de esclarecer sus misterios, hasta que la curiosidad fue cediendo su sitio a un apego general, inasible, volátil. Se le convirtió en un fetiche, ahora le bastaba con sentirlo cerca. A primera vista, el libro tenía el aspecto ordinario de una carpeta de plástico. Bastaba con alzarlo, sin embargo, para que su peso denotara una solidez que no correspondía con su apariencia. Sus cubiertas, hechas de un material flexible parecido al silicón, cobraban la rigidez de la madera al asentarse sobre la mano y su consistencia translúcida se volvía opaca al mirarlas de frente. Las páginas interiores eran hojas más delgadas del mismo material, cuyo fondo iba cambiando de tono de acuerdo con la intensidad de la luz. Las letras no parecían estar impresas en su superficie, sino contenidas de alguna forma en su interior transparente, donde cada una se recortaba con líneas precisas y saturación perfecta. El libro tenía doce páginas, aunque en ellas estaba contenido un escrito de casi cuarenta. Al ir pasando las hojas aparecían nuevas páginas hasta concluir el texto. Cómo era que unas surgían y otras se difuminaban nadie hubiera podido decirlo. Si el libro se abría de golpe en un punto cualquiera, aparecía en el folio donde hubiera sido plausible que se abriera si su número físico de páginas fuera, efectivamente, casi cuarenta. Al repasarlas con el pulgar en el canto volaban de derecha a izquierda o de izquierda a derecha como si no fueran doce, sino casi cuarenta; pero al detenerse quedaban de nuevo, de manera invariable, las doce de siempre. Aurelio ensayó varios trucos para engañar al libro, pero ninguno consiguió derrotar aquella paginación prodigiosa. Cuando intentó usar la fuerza contra su lógica incomprensible, el libro comenzó a deshacérsele entre las manos. Aterrado, lo dejó caer al piso. El libro recuperó su forma de inmediato. El libro podía hacerse más grande o más chico, doblarse en tantas partes como se quisiera y modelarse de cualquier forma, mantener dicha forma por tiempo indefinido o recuperar sus perfiles de libro en un instante. Aurelio estaba seguro de que con la misma flexible eficiencia hubiera podido contener imágenes fijas o mapas o diagramas animados o películas o cualquiera de las muchas otras cosas a las que se podía acceder a través de la computadora. Se preguntó entonces por enésima vez si no hubiera sido preferible traerle a Laila alguna de esas otras cosas. No estaba seguro de que la congregación de voces dispersas que había logrado reunir a lo largo de las últimas semanas fuera capaz de decirle nada. Caminaba hacia su encuentro con Laila como si estuviera por tocar a la puerta del editor supremo, aquél de cuyo beneplácito habría de depender la fortuna de su destino literario.

—¿Pasa algo? —volvió a preguntar Clara, con tal de romper el silencio.

Aurelio no respondió. Frente a ellos, la vereda se perdía bajo la sombra de unos árboles inmensos. Siguieron caminando sin hablar y poco después comenzaron a encontrar los primeros signos de presencia humana. La vereda había dejado de ser un carril estrecho de gravilla para convertirse en un cauce más amplio de tierra compacta, que se bifurcaba en diferentes puntos y desembocaba de tanto en tanto en espacios abiertos, de donde salían nuevas veredas de distintas magnitudes en varias direcciones. Pronto llegó hasta sus narices el olor de la comunidad: una chamusquina dulzona en la que se mezclaban el humo de los fogones, la descomposición de desperdicios orgánicos, el sudor concentrado de la gente y el aroma oscuro de los animales domésticos en sus corrales. Tales inminencias entusiasmaron a Clara, que comenzó a recoger las florecitas que crecían a la orilla de la vereda y a meterlas en pequeños ramitos dentro del cinto de su sombrero de paja.

Aunque se trataba de uno de los principales asentamientos de la *urdimbre*, aquella congregación no llegaba a formar un verdadero poblado. Ni siquiera tenía nombre, como ninguna de las demás comunidades. La gente se refería al lugar únicamente como "la cañada" o en plural "las cañadas" o si acaso, en alusión a su calidad de sede en curso del liderazgo de la *urdimbre,* "donde las *hermanas"*. En mitad de la aldea, una especie de círculo irregular recubierto de piedras hacía las veces de plaza. En torno a la plaza se encontraban la cocina y los comedores comunales. Sobre una loma contigua, un recinto abierto funcionaba como hospital y junto a él se levantaban un par de albergues, dedicados a las madres que acababan de parir o que estaban por hacerlo. Dispersas por la ladera había una serie de chozas largas y estrechas que servían como dormitorios generales y otras pocas, más pequeñas, donde vivían de fijo algunos ancianos. Todas las construcciones replicaban los colores de la tierra y la vegetación que las contenía y sus formas prolongaban de manera sutil las líneas y los ritmos que las enmarcaban.

Años atrás solía ser un grupo grande de viejos el que caminaba desde San Ángel para asistir a la fiesta, que señalaba el fin de la temporada de lluvias, pero hacía ya tiempo que a nadie se le ocurría hacerlo. Cuando Clara y Aurelio empezaron a preguntar entre los vecinos si alguien tenía interés por emprender el viaje, sus avances fueron recibidos con pausas de silencio y miradas esquivas, que acaso buscaban disfrazar la sospecha de que ambos habían alcanzado por fin un grado de senilidad irremontable. Otros se limitaban a clavar los ojos en el piso y a murmurar algún insulto entre dientes, como si encontraran inconcebible que alguien se atreviera a violentar su aburrimiento para salirles con tales pendejadas. Lejos de generar compañeros de viaje, el fallido rondín de reclutamiento sólo consiguió llenar de dudas al propio Aurelio, quien decidió que lo más prudente sería encerrarse en su casa hasta el momento de la partida y dedicarse de tiempo completo a fumar mariguana. Clara, en cambio, abordaba la situación como si se tratara de unas verdaderas vacaciones: hablaba de las cosas que podían hacer cuando llegaran, de los sitios que valía la pena visitar por el camino, de viejos amigos a quienes no habían visto en años, ponderaba la conveniencia de definir un programa preciso y trataba de decidirse sobre el guardarropa adecuado. Nunca había percibido su situación en el mundo como algo que implicara la necesidad de aprobar o resistir el que las cosas fueran de tal o cual modo, o que su hacer o dejar de hacer al respecto pudiera tener mayor incidencia sobre su acomodo definitivo. Por lo tanto, el que la realidad tomara un cierto giro o cualquier otro no la perturbaba de particular manera. Conseguía procurarse lo que le resultaba fundamental y renunciaba sin amargura a lo que le era imposible conseguir, por más fundamental que le hubiera parecido hasta entonces.

Conforme se acercaban al centro del poblado, Clara y Aurelio iban descubriendo grupos cada vez más nutridos de gente, cuya existencia bajo las copas de los árboles hubiera sido imposible discernir desde la altura. Aurelio los miraba con asombro. Había olvidado la peculiar sensación que producían. Despreocupados y alertas, hechos a moverse poco, con suavidad y sin hacer ruido, eran hombres y mujeres restituidos en buena medida a su condición primigenia de animales. Aún de cerca, sus personas, sus ropas y sus utensilios se fundían a la perfección con el entorno; hubieran podido desvanecerse de pronto sin dejar rastro. En cambio, las figuras de Clara y Aurelio se disparaban con violencia del medio circundante. Cualquiera podía distinguirlos a kilómetros de distancia. Al verlos pasar, la gente los señalaba con el dedo, entre miradas entendidas y risas mal disimuladas. Muchos no habían visto nunca nada parecido y apenas si sabían por oídas de la existencia de esa clase de seres, vestidos con telas casi intangibles, teñidas de colores irreales, que habitaban por razones oscuras un lugar remoto y acaso maldito.

No tardaron en verse rodeados por una nube de niños, que se mofaban de su aspecto, les lanzaban todo tipo de proyectiles y se aventuraban de pronto en incursiones relampagueantes para jalarles la falda de las camisas. Lejos de molestarlo, aquellas puyas consiguieron inducir en Aurelio un humor festivo. De inmediato trabó con sus atacantes trato de amigos, comenzó a aventarlos al aire y a atraparlos de nuevo antes de que tocaran el piso. Las niñas también se acercaban a Clara y trataban de subirse en ella y las que conseguían trepar en sus brazos se probaban de inmediato su sombrero de paja y admiraban las peinetas de carey que le sujetaban el pelo y hacían sonar los collares de oro que le cubrían el pecho y metían la mano en el escote de su vestido para tocarle los senos, porque su cuerpo era grueso y blando y lechoso, y su piel era pálida y lisa, mientras que los cuerpos de las mujeres mayores que conocían eran delgados y recios, y sus pieles curtidas por la intemperie tenían la textura áspera de la madera.

Así llegaron hasta el círculo de piedra, donde se sentaron por fin a la sombra de una jacaranda. Junto a ellos, un montículo de enredaderas escondía bajo sus tallos retorcidos la *línea del horizonte*. Habían llegado a su destino. Al cabo de unos cuantos minutos los pequeños decidieron que su curiosidad había quedado satisfecha y salieron corriendo en todas direcciones a la búsqueda de nuevas aventuras.

Muy pronto toda la cañada estuvo al tanto de su arribo y quienes nunca habían visto a nadie así o ya no lo recordaban se acercaron al círculo de piedra para contemplar con sus propios ojos la figura estrafalaria de los recién llegados. La novedad se fue desvaneciendo con el correr de la tarde y la gente comenzó a tratarlos con cierta familiaridad, que acabó por convertirse en casi total indiferencia. Para entonces ya se habían congregado en torno suyo algunos conocidos, viejos también, de los que habían preferido integrarse plenamente a la *vida nueva* en lugar de establecerse como ellos en San Ángel. No tardaron en traer petates, pulque y comida; encendieron lumbre y pusieron en marcha un festín informal. Si algún día las circunstancias del momento los habían colocado en bandos antagónicos, ya nadie parecía recordarlo. Desde el primer momento, Clara echó a rodar una conversación indistinta, sobre temas sin importancia, como si en todos esos años nada hubiera sucedido, como si lo único que los distinguiera fuera que se habían mudado a calles diferentes de un mismo barrio. Pero Aurelio no estaba para tertulias. Aquellos encuentros lo incomodaban. Estaba ansioso por salir a buscar a Laila y pronto echó mano de cualquier pretexto para irse a caminar por su lado.

Para entonces, el sol se había ocultado detrás del valle y la cañada se había llenado de luces. A todo lo largo de las laderas, hombres, mujeres y niños iba y venía de un fuego a otro, hablando sin cesar, riendo, tomándose de las manos o abrazándose en pequeños grupos que se movían al ritmo de una cadencia acompasada, más un mero mecerse en común que un verdadero baile. En torno a las hogueras se contaban historias y se improvisaban canciones sin sentido, acompañadas por una música ondulante y deshilvanada que surgía de un conjunto rudimentario de tambores, caramillos de barro y flautas de carrizo. El alcohol estaba permitido mientras durara la fiesta, pero sólo se podía tomar en la oscuridad de la noche. Además de pulque, bebida reservada para los viejos, se fermentaban para la ocasión caldos espumosos a base de granos macerados y cáscaras de fruta, que tenían un gusto acre al paladar y picante sobre la lengua. La gente bebía poco, se emborrachaba rápido y al cabo de unas cuantas horas se quedaba dormida. En ese breve tiempo recorrían el trayecto habitual que lleva de la exaltación a la lujuria. Cuando se dejaban de escuchar las voces y la luz de las hogueras bajaba de intensidad porque ya nadie las atendía, la oscuridad se llenaba de cuerpos entreverados y de palabras a medias y de gemidos y sólo los niños caminaban entonces entre sombras que parecían reptar sobre sí mismas y miraban con ojos fascinados aquellos entrelazamientos incomprensibles.

Si Aurelio iba a encontrar a Laila, prefería hacerlo antes de que los festejos de la noche alcanzaran ese punto. El aire estaba cargado de un perfume intenso, surgido de unas flores con forma de campanilla que colgaban en pequeños racimos del laberinto de enredaderas que abrumaba la fronda de los árboles. Mientras caminaba de una hoguera a otra, Aurelio se iba contagiando de la pacífica euforia que las unía. Bebía una cazuela de fermento por aquí y daba unas fumadas a una pipa por allá; se detenía unos momentos a tocar un tamborcillo y luego se sumaba a las voces que cantaban una canción sin palabras. La noche lo fue envolviendo de ese modo, hasta que el objetivo de encontrar a Laila, tanto como el hecho de no haberlo conseguido, dejaron de tener la importancia suprema que él mismo les había asignado. La fiesta siguió su curso. Las horas caminaban con ella. En torno a las hogueras la actividad fue en descenso y acabó por extinguirse. Nadie tenía noticias de Laila.

Aurelio decidió finalmente emprender el regreso, por una vereda ahora silenciosa y oscura. Una multitud de cuerpos inmóviles yacían tirados sobre la tierra, o mal acomodados entre los arbustos, como bultos inermes. De pronto, alguien lo llamó por su nombre desde la espesura. Aurelio se volvió hacia el lugar de donde había salido la voz pero no consiguió distinguir nada.

—¿Quién es? —le preguntó al vacío.

Un par de ojos amarillos, iluminados por la brasa de un cigarro encendido, fueron surgiendo poco a poco de entre la maleza.

—Soy yo, Aristeo. ¿Qué haces aquí?

El primer impulso de Aurelio fue mascullar cualquier pretexto y seguir su camino, pero no alcanzó a pensar en nada pronto.

—Vinimos a la fiesta.

—¿Clara?

—También.

Aristeo era un hombre robusto y se diría que apuesto, aunque el tiempo y la tristeza habían acabado por desfigurar su rostro. Acaso por lealtad a ese viejo atractivo y a pesar de las condiciones imperantes, se empeñaba en rasurarse a la perfección todos los días, lo cual le daba un aspecto más bien excéntrico en aquel entorno. En su vida anterior había sido médico y aún ahora seguía practicando la medicina, dentro de lo posible, gracias a un especial talento para adaptar su oficio a los cambios continuos de las circunstancias. Durante la violencia aprendió a prescindir de los recursos clínicos más esenciales y en los años siguientes consiguió asimilar su terapéutica a las realidades de la *vida nueva*. Al principio se estableció en San Ángel, para beneplácito de los demás viejos, que sentían que contaban por fin con un médico de cabecera, pero al poco tiempo cometió la imprudencia de enamorarse de Clara. La realidad de que Clara no lo quería fue a lo único que nunca consiguió adaptarse. Tras una prolongada cadena de incidentes bochornosos y algún torpe intento por violentar una solución favorable, decidió que no podía vivir más tiempo de ese modo y prefirió marcharse. Así fue como se quedaron sin doctor en San Ángel, cosa que algunos le seguían reprochando a Clara y otros, acaso con igual razón, a Aurelio.

—Ven, siéntate a platicar un rato.

Aurelio lo siguió de manera mecánica. Caminaron unos pasos entre la vegetación hasta llegar a un claro, en uno de cuyos extremos se levantaba una choza. Ahí se sentaron sobre una banca construida con torpeza, frente a un fuego que apenas iluminaba.

—¿Quieres? —ofreció Aristeo, mientras le acercaba el cigarro que tenía en la mano.

—¿Qué es?

—Pruébalo, te va a gustar.

Aurelio tomó el pitillo y le dio varias fumadas. Además de mariguana, alcanzó a detectar en él trazas de tabaco silvestre, menta, gordolobo y algo que podían ser hojas de toloache. Habían también dos o tres cosas más que no lograba identificar del todo. Casi de inmediato, sintió un renovado vigor en el cuerpo y una extraña claridad en la mente, que convivía sin conflictos y como en planos separados con el poético ensueño de la mariguana.

—Está bueno —concedió, mientras devolvía el cigarro.

Aristeo recibió el cumplido con un gesto casi imperceptible de satisfacción profesional. Siguieron fumando junto al fuego, al tiempo que cruzaban las preguntas superficiales con las que suele llenarse el vacío en ese tipo de encuentros. Cumplida aquella parte del ritual, Aristeo esperó a que transcurriera el lapso de silencio requerido por las circunstancias y comenzó a internarse en una larga perorata, compuesta por amplios círculos de anécdotas distractorias e insignificancias evasivas, que iba convergiendo lenta pero inexorablemente sobre la médula cruda de su amor frustrado. Mientras lo escuchaba, Aurelio podía entrever con claridad la insoportable plancha de sus días, recluido en aquella choza miserable, dispensando ungüentos y laxantes entre gente a la que ya no comprendía, atenido al consuelo de algún desfogue providencial y a los hechizos de su herbolaria, incapaz de arrancar a Clara de sus pensamientos.

Aristeo hablaba sin cesar y en medio de una maraña de sinrazones, parecía querer sugerir que Aurelio hubiera podido renunciar al modesto contento que derivaba de vivir con Clara por una fracción mínima del desconsuelo que lo atormentaba a él a lo largo de cada día. En cierto momento, insinuó la posibilidad de un traspaso, como un acto de justicia o de simple misericordia. La paciencia de Aurelio alcanzó su límite.

—No creo ser la persona más indicada para pastorear tus desgracias —lo cortó en seco, a mitad de una frase, con un tono innecesario y brutal. Acto seguido, se puso de pie. Había algo en Aristeo que lo irritaba, tal vez la sensación, en el fondo, de que no eran a fin de cuentas tan distintos.

—Supongo que tienes razón —carraspeó Aristeo, con una mansedumbre desconcertante. A pesar del odio que le inundaba el pecho, un impulso superior a su maltrecha dignidad buscaba retrasar el momento de volver a quedarse solo. Aurelio comenzaba a volverse para salir del claro.

—También Quicho anduvo por aquí.

Las palabras habían aparecido en su boca de improviso, con intenciones apenas sugeridas, como la primera premonición de una emboscada.

—¿Qué dices?

—Que Quicho vino a las cañadas.

—¿Cuándo?

—No sé, hará dos o tres semanas.

—¿Qué quería?

—Que lo viera.

—¿Para qué?

—Se está muriendo, ¿no sabes?

Aurelio detuvo los ojos sobre las brasas del fuego. Eso explicaba la súbita ausencia de Quicho. Su interés por la foto. El hecho mismo de que lo hubiera conducido a la computadora.

—¿Qué tiene?

—Todo. La verdad es que no nos hicieron para vivir tanto.

Aurelio trataba de asimilar las palabras de Aristeo, pero por más esfuerzos que hacía, no lograba concebir el fin de Quicho en términos reales. Habían engañado a la muerte durante tanto tiempo que estaba habituado a considerarla como algo que no les concernía. Aristeo tenía razón, habían vivido demasiado. Ahora los cuerpos se acababan de prisa, machacados por las fauces de ese mundo agreste. Le dolió pensar que buena parte de los niños con los que había jugado aquella mañana no iban a alcanzar la vida adulta. Y que Laila tendría el aspecto de una anciana antes de llegar a los cuarenta. Si es que llegaba a los cuarenta. Acabó por entender que nunca iba a volver a ver a su amigo y que aun si hubieran vivido juntos una eternidad completa no habrían cerrado jamás ese espacio vacío que ahora le parecía tan palpable, esa certidumbre oscura de que algo quedaba pendiente.

—¿Cuánto le queda?

—Las adivinanzas nunca fueron mi fuerte —replicó con sorna Aristeo, quien parecía disfrutar al máximo su inesperada jerarquía—, pero yo diría que no mucho. Ya podría estar muerto. O vivir algunas semanas.

—¿Te dijo a dónde iba?

—No. Ya sabes que Quicho siempre fue amigo de los secretos. Y no creo que quisiera andar dando lástimas.

Aurelio dio media vuelta y empezó a caminar en dirección a la vereda, pero Aristeo no había terminado todavía:

—También él anduvo preguntando por Laila —agregó, en voz demasiado alta, como si se dirigiera a alguien que estaba mucho más lejos. Aurelio no se detuvo, pero alcanzó a titubear por un instante, lo bastante para que Aristeo supiera que sus palabras habían dado en el blanco.

—Salúdame mucho a Clara —remató entonces—. Mañana me paso por ahí a verla.

Transcurrió media semana. Clara y Aurelio se instalaron con mayor comodidad en una choza desocupada. Más y más gente llegaba cada día. Las fiestas continuaron con un patrón similar y una euforia creciente. Clara parecía una reina. Organizaba convivios y paseos deslumbrantes, con un gusto tan perfecto como nadie recordaba haber visto jamás en las cañadas. En ese ánimo expansivo recibió la visita de Aristeo y se dejó tomar de la mano mientras lo exhortaba con palabras llenas de dulzura a que se olvidara de ella. El efecto de su bondad resultó tan devastador que Aristeo prefirió tomar al monte hasta que terminaran las fiestas, incapaz de tolerar siquiera la proximidad de Clara. A todo esto, Laila seguía sin aparecer y nadie tenía la menor idea de dónde podía encontrarse.

Cierta tarde, nada distinta de cualquier otra, la señal comenzó a correr de boca en boca y llegó casi enseguida hasta el último rincón de las cañadas. Nadie hubiera podido precisar su origen, nadie cuestionó su legitimidad. Aquella noche ya no hubo fogatas, ni cantos, ni alcoholes, ni abrazos furtivos a la orilla de las veredas. A la mañana siguiente la aldea despertó con el ánimo recogido. Las primeras canastas con hongos llegaron del valle hacia el mediodía. Mientras tanto, en las cocinas, las mujeres mayores se pusieron a preparar las alegrías rituales, hechas con amaranto y semillas de ololiuqui. Poco antes del atardecer la gente comenzó a bajar de las laderas para congregarse en torno de los comedores comunales. Cada uno se llenaba las manos de hongos y se retiraba a comerlos por su cuenta en algún lugar apartado. Mientras tanto, sobre el círculo de piedra, casi un centenar de adolescentes de ambos sexos, con el torso descubierto y rayas horizontales pintadas con polvo de arcilla sobre la frente y el pecho, recibían las alegrías de ololiuqui de manos de sus mayores.

Durante las horas siguientes, la cañada quedó sumida en un extraño silencio. No eran sólo los cientos de personas calladas e inmóviles, recogidas con sus pensamientos, sino toda la naturaleza a su alrededor, que parecía intuir en aquella calma inusual de los humanos el anuncio de algún suceso extraordinario. Un cielo sin luna se fue llenando de estrellas y justo cuando la serenidad que se ceñía sobre todas las cosas parecía más profundamente inamovible, un alarido rasgó el aire paralizado de la noche. Casi enseguida, otro grito similar le respondió desde la ladera opuesta. Varias voces se dispararon entonces en diferentes puntos y como si se tratara de una sola entidad común, la multitud entera pareció despertar a un mismo tiempo. Una música primitiva comenzó a cundir por la cañada. Era apenas un rumor de pies descalzos, voces opacas y manos que chocaban entre sí y con la superficie del cuerpo, un palpitar que parecía surgir de las entrañas de la tierra y compartir su ritmo. Pronto florecieron una multitud de antorchas y se fueron derramando como delgados cordones de lava en dirección al círculo de piedra.

A pesar de su perfil disparejo, el círculo de piedra cumplía a la perfección sus funciones de anfiteatro natural. Cientos de personas podían ver claramente lo que sucedía en su centro desde las elevaciones que lo rodeaban. Cuando la gente terminó de asentarse en su entorno, los ritmos de la música cambiaron por completo. Ahora podía distinguirse en ella una fuerte carga de expectación, entreverada con cierto aire de melancolía; la música había asumido un tono emocional mucho más intenso del que mantuvo mientras las filas de antorchas bajaban por la ladera.

De la textura sonora creada por la multitud empezaron a distinguirse entonces voces individuales, que entraban y salían del ritmo común como hilos de colores en la superficie uniforme de una trama. Entre estas voces y el conjunto se trababa una especie de diálogo, que en ocasiones dividía a porciones de la multitud en diferentes bandos. Mientras tanto, sobre el círculo de piedra, iluminado por haces de antorchas, iba cobrando forma una extraña danza, compuesta a partir de improvisaciones individuales, a las que se respondía con evoluciones hechas en bloque por pequeños grupos, o con la reiteración de un mismo gesto realizado en secuencia por varios participantes. Nada parecía ordenar aquel conjunto caótico de desplazamientos y era sólo de manera gradual que se revelaban ciertas constantes. Todas las ejecuciones estaban gobernadas por un antagonismo irresoluble entre energías contrapuestas y su propósito no era otro que integrar en cadenas de elementos expresivos una diversidad de impulsos. El resultado era una negociación continua, cuyos reflujos no se resolvían necesariamente en soluciones armónicas.

La exaltación de la música siguió creciendo. En un momento dado, uno de los jóvenes con el torso descubierto se colocó sin mayores ceremonias en el centro del círculo de piedra y comenzó a hablar. Su monólogo no tenía los rasgos de una recitación establecida, sino que era apenas la enunciación en voz alta del flujo verbal que cruzaba entonces por su cabeza, lleno de enérgica afirmación y de una curiosa elocuencia, potenciada en buena medida por los efectos del ololiuqui. Al principio su presencia pasó casi desapercibida y la gente prosiguió con sus ruidos y sus evoluciones en el mismo tono delirante cultivado hasta entonces. Pero cuando la acumulación de energía parecía a punto de alcanzar una concentración intolerable, sólo capaz de resolverse mediante una explosión repentina, la música comenzó a dispersarse, divagó en la indefinición durante algunos minutos y luego se fue reagrupando lentamente en torno a aquel discurso solitario. Las danzas en el círculo de piedra se diluyeron sin dejar rastro mientras la atención de la multitud se concentraba en la figura erguida del adolescente.

La alocución fluía sin descanso y en ella la relevancia de la prosodia era mucho mayor que la del contenido, de modo que las palabras parecían agruparse en función de su sonoridad antes que por su sentido; aun así, lo que se alcanzaba a desprender de ellas resultaba sobrecogedor. Del torrente verbal que brotaba de su boca, los fragmentos a los que se les podía asignar significados concretos iban componiendo un verdadero río de inmundicias. Las voces de la multitud hacían eco de aquellos horrores y sin perder el pulso común que las ligaba los llevaban desde las inmediaciones del círculo de piedra hasta los extremos más alejados de la congregación y desde allá traían de regreso otras voces que acababan por integrarse de alguna manera a la homilía espeluznante que surgía sin descanso del alma translúcida del muchacho. El ánimo general se tornó mortecino. Las palabras iban y venían por los labios de la multitud entre exclamaciones de dolor y gestos de agonía. A cada momento se sumaban al compendio público nuevas revelaciones de actos inconcebibles: envidias, estupros, traiciones, violencias, despojos, cobardías. Actos que podían haber tenido lugar en los hechos o sólo en las intenciones, los recuerdos, los presagios o las pesadillas, pero que de una u otra manera cobraban en aquella voz una realidad desquiciante. La comunidad purgaba su maldad, el temor a su maldad y la angustia de su maldad por boca del adolescente, cuyo recitado se tornaba cada vez más febril. La sucesión atropellada de términos no había guardado en ningún momento mayor consistencia lógica, pero ahora las palabras mismas comenzaban a desarmarse, a romperse, a deshilvanarse en emisiones que mantenían una aparente unidad sonora, pero que ya no cifraban contenido alguno. Las palabras rebotaban entre el muchacho y la multitud y en ese viaje cíclico se iban desarticulando, perdiendo partículas, intercambiando secciones, hasta que el discurso se convirtió en un flujo perfectamente articulado de sílabas sin sentido. La pronunciación era clara y las modulaciones en la entonación sugerían intenciones difusas, pero los sonidos estaban desprovistos por completo de cualquier significado.

Llegado ese punto, la multitud dejó de responder. Durante algunos segundos, el muchacho siguió escuchando su voz enloquecida perderse en el espacio oscuro de la noche, luego emitió un breve gruñido y se derrumbó de bruces sobre el suelo.

La cañada quedó en silencio. Sólo las llamas de las antorchas se movían entre aquella muchedumbre de rostros abatidos y cuerpos cabizbajos. Un remolino de fuerzas encontradas se mezclaba en sus corazones con el efecto irrefrenable de los hongos, que se iba apoderando poco a poco del gobierno de su conciencia y de su voluntad. Tal vez por eso, nadie hubiera podido decir a ciencia cierta cómo fue que llegaron ahí, sólo que al volver la vista sobre el promontorio que dominaba el círculo de piedra, sus ojos se encontraron con ellas. Encorvadas, sublimes, indistintas, con la masa de cabello blanco formando un halo de irrealidad en torno a sus cabezas, la silueta de las *hermanas* se recortaba contra el fondo estrellado de la noche como iluminada por el brillo de una luz propia.

Entonces comenzó a escucharse un canto, lleno de un aire tal de frescura y de un espíritu tan sutil y jubiloso que resultaba casi imposible asociarlo con la figura decrépita de las ancianas. A diferencia de todo lo ejecutado anteriormente por el frenesí de voces, a ese canto lo distinguía la voluntad integradora de una melodía clara. Como un hilo luminoso, el himno consiguió devolverle a la congregación dispersa la unidad de propósito que la había animado en un principio.

La gente volvió a ponerse en movimiento. Esta vez formaba una sola columna, que empezó a remontar la ladera por el centro de la cañada. Encabezaban la procesión las cinco *hermanas*, sin antorchas, caminando con una agilidad que nadie hubiera podido suponer en la extrema fragilidad de sus figuras. Sus túnicas de algodón crudo parecían flotar como fantasmas sobre la superficie oscura del sendero, seguidas a respetuosa distancia por el contingente de jóvenes con el torso desnudo y unos pasos atrás por el resto de la comunidad, que marchaba ahora con una cohesión distinta, ligada en lo más íntimo por la fibra estructuradora del canto. Caminaron de ese modo por el lomo de una sucesión de cerros, entre una vegetación cambiante, que se volvía más apretada y más húmeda conforme seguían ascendiendo. Las *hermanas* avanzaban por la espesura del bosque como guiadas por las señales de un mapa interno. Frente a ellas se abrían caminos donde unos segundos antes sólo había maleza y los demás las seguían sin vacilaciones, movidos por una fe ciega. Así llegaron hasta un pequeño valle, largo y estrecho, enclavado entre dos pronunciadas laderas y cubierto casi por completo por las aguas de un lago.

El contorno del lago semejaba la hoja desnuda de un cuchillo inmenso. El lado curvo del filo era la larga playa de hierba a donde habían llegado. La otra orilla era recta y estaba ocupada en buena medida por un farallón de roca. Sobre la superficie inmóvil del agua se reflejaba como una joya desmedida el amasijo interminable de estrellas. El lago era alimentado en una de sus puntas por un río de caudal mediano y desaguaba por el extremo opuesto a través de un cañón angosto, el cual serpenteaba entre paredes de piedra hasta una cascada, a cuyo pie se había formado una profunda poza. La boca del cañón había sido represada unas semanas antes mediante rústicas compuertas de madera y por eso lo que corría en ese momento por su cauce era apenas un arroyo, que en su punto más hondo no hubiera rebasado la cintura de un adulto promedio. Después de la poza, el río continuaba su curso entre macizos de roca pulida, pero apenas un poco más adelante se precipitaba al interior de una gruta, que se abría como la boca de un monstruo en la ladera desgarrada del monte. Junto a la entrada de aquella caverna, en sereno contrapunto con su aspecto terrorífico, sobrevivían las ruinas de una extraña explanada, construida con baldosas de granito, sobre las cuales eran visibles aún los restos de una arquería de cantera. Aunque imbuido de un impreciso sentimiento religioso, aquel monumento incongruente no era sino el fruto delirante de los caprichos de algún excéntrico, quien lo mandó levantar en ese lugar perdido con fines puramente profanos.

Cuando la procesión terminó de llegar a la playa, el canto se fue diluyendo poco a poco en un rumor de voces inconexas, mientras la gente comenzaba a dispersarse por las orillas. Los adolescentes pintados con líneas de arcilla se internaron en el bosque y durante cierto tiempo se escuchó surgir de aquella dirección una serie de sonidos sordos. Cuando volvieron a salir, cada uno venía provisto de un madero seco, toscamente arrancado de algún tronco caído, a una de cuyas puntas habían amarrado unas correas de cuero. Entonces se quitaron la poca ropa que traían y se cubrieron el cuerpo con un ungüento amarillo, compuesto por la grasa de distintos animales, que los dejó con el aspecto viscoso de los recién nacidos. Años atrás, sus antecesores en esas mismas circunstancias hubieran dedicado semanas enteras a trabajar sus tablones, puliéndolos y labrándolos con dedicación y con orgullo; habrían recubierto su superficie con cera de abejas y trenzado las correas en patrones originales y vistosos. El que los jóvenes de ahora ya no se preocuparan por ninguno de esos detalles y que la significación simbólica de sus actos les resultara mayormente distante y ajena, era visto desde la perspectiva actual como un alentador signo de progreso. Acaso pronto llegaría el momento en que todo aquel ritual pudiera desecharse por completo.

Un resplandor difuso comenzó a hacerse visible tras el contorno arbolado de los montes. Las *hermanas* habían trepado sobre la punta de un risco, desde donde se alcanzaba a dominar tanto la superficie completa del lago como el curso entero del río hasta la entrada de la cueva. En las orillas del cañón y en las márgenes cubiertas de hierba la gente fue bajando la voz y terminó por guardar silencio. Sólo el zumbido de los insectos señoreaba el aire húmedo de la noche cuando el disco rosado de la luna surgió detrás del borde irregular de cumbres que rodeaba aquel espacio contenido. Sobre la superficie del lago, un sendero de luz amarilla desplazó de inmediato la apretada congregación de estrellas. La tropa de adolescentes se lanzó al agua sobre sus tablones, al tiempo que la multitud parecía volver a la vida. El espacio del valle se inundó de un clamor compacto. Los nadadores avanzaron a grandes brazadas hasta el borde de la cuenca, como barcos dispuestos al asalto de una formación enemiga y una vez ahí se dejaron flotar a la deriva mientras sujetaban con fuerza las cintas de cuero.

Todas las miradas se dirigieron entonces a la punta del risco, desde donde las *hermanas* indicaron con un gesto apenas perceptible que se abrieran las compuertas. Las trancas cayeron de un solo golpe y la mole líquida del lago se precipitó al interior del cañón como una manada de animales salvajes en estampida. Uno tras otro, los muchachos que flotaban junto al vertedero eran capturados por el vórtice de la corriente y casi al instante quedaban inmersos en una confusión de crestas de espuma que los arrastraba con ímpetu incontrolable entre las paredes de piedra. Nada podían hacer sino aferrarse a sus maderos, abandonarse a la buena voluntad del torrente y dejar que transcurrieran los escasos segundos de aquel interminable trayecto. Los recodos indistintos del cañón pasaban a toda prisa frente a sus ojos como si fueran siempre uno mismo hasta que se descubrían de pronto flotando en el vacío, suspendidos en un fugaz paréntesis de silencio, antes de estrellarse contra un borbotón de agua blanca y escuchar el rugido ensordecedor de la cascada que se desplomaba con furia sobre sus cabezas. El reflujo del agua volvía a botarlos a la superficie y la corriente los empujaba hacia el borde del remanso para continuar por el cauce del río. Los muchachos llegaban a ese punto colmados por una indescriptible sensación de euforia y durante un tiempo no podían pensar en otra cosa que en recuperar el aliento, asegurar sus tablones y volver a colocarse encima de ellos. Con la mente ocupada todavía por las imágenes de vértigo que acababan de vivir, el río los arrastraba sin mayores sacudidas entre una sucesión de rocas esporádicas y redondas hacia la ladera del monte. Cuando volvían a cobrar conciencia de su situación ya iban entrando por la boca aterradora de la gruta, donde la oscuridad más total que hubieran conocido jamás comenzaba a untárseles al cuerpo como una sustancia pegajosa y dúctil.

El último de los adolescentes se escurría con su tabla entre las paredes del cañón y casi todos los espectadores ya corrían colina abajo, más allá de la poza, sobre las riberas inundadas por la crecida, para alcanzar a presenciar de cerca el momento preciso en el que habría de tragárselos la tierra. En un abrir y cerrar de ojos, los nadadores se perdieron dentro de las entrañas del monte. Entonces comenzó la desbandada. Idos los adolescentes, la gente quedó a la deriva, sin un asidero común sobre el cual descargar sus emociones. La mayoría tomó por las veredas que conducían hacia la vertiente opuesta de aquellos montes, para recibir a los muchachos al final de su trayecto. Algunos otros, y con ellos casi todos los niños, recogieron sus pasos de regreso a las cañadas, por caminos ahora fácilmente discernibles bajo la luz de la luna. Otros más se internaron en el bosque sin rumbo fijo, o se tiraron a la orilla del lago a contemplar la luna, o decidieron remontar alguno de los senderos que subían hacia la cima de la montaña. Unos minutos después, la parte baja del río había quedado desierta.

Aurelio se acercó despacio a la orilla de la poza. Hasta ese punto, había venido siguiendo el desarrollo de los acontecimientos desde la línea del bosque. Decidió separarse de los demás desde un principio para poder rumiar con holgura su frustración por la ausencia de Laila. Al interior de su morral, el libro languidecía como un ramo de flores marchitas.

El borde de la poza se elevaba varios metros sobre el nivel del agua. La cascada seguía cayendo en su centro con regularidad impasible. Enormes lascas de granito salpicaban el contorno y complicaban la serenidad de la escena con un aire de cataclismo. El lugar había recuperado en un instante su indiferencia aterradora. Pero Aurelio no pensaba en esas cosas. O si acaso las llegó a pensar, al dejar de pensarlas dejó también de tener relevancia que lo hubiera hecho. Los hongos habían convertido su mente en un caudal de sensaciones inconexas, en donde cada intuición y cada entendimiento, por claro que pudiera ser mientras sucedía, era desplazado de inmediato por el siguiente, y ése por otro y cada uno ocupaba en su momento el espacio total de su experiencia. Deslumbrantes cadenas verbales, iluminadas por una elocuencia cristalina, aparecían en su cabeza recubiertas de una objetividad absoluta, pero su razón era incapaz de asirlas y su sentido parecía no radicar en su significado, sino en la intuición de verdades esenciales que se encontraban más allá de las palabras mismas. Cada pensamiento era rotundo y nítido y la mente de Aurelio se extasiaba en la perfección de su realidad, como si contemplara un milagro. Un cálido flujo luminoso le brotaba del vientre y se extendía en suaves oleadas por todo su cuerpo. Un pulso semejante emanaba del exterior, en completa sincronía, y penetraba hasta el centro de su ser a través de sus sentidos abiertos. El abismo, habitualmente insalvable, que lo separaba como entidad aparte del resto del mundo físico, había perdido toda magnitud concreta. Adentro y afuera eran ahora una misma dimensión continua.

Desde las márgenes de tanta claridad amagaba sin embargo una sombra. Cierta desazón oscura, agazapada en un lugar recóndito de su conciencia, como una enfermedad latente que se incuba, pugnaba por cobrar plena forma y salir a la superficie. Aurelio la había sentido crecer y sabía muy bien que los hongos acabarían por obligarlo a enfrentarla. Miró a su alrededor, levantó los ojos al cielo: el bosque y el río, el perfil de la montaña, la pálida majestad de la luna. Trató de capturar en una bocanada de aire fresco el perfume opaco de la noche, pero un sabor a humedad podrida saturaba la cavidad de su boca. Se acercó a la orilla del agua y bebió varias veces en las cuencas de sus manos vacías. El líquido que escurría entre sus dedos le pareció un elíxir irreal, rutilante y lúcido. Se quedó contemplando el destino de sus gotas durante largo tiempo. Una expansiva sensación de gozo comenzó a invadirlo: nada parecía capaz de socavar la armonía que lo ligaba en ese momento con la vida. Volvió a ponerse de pie. Caminó unos pasos en dirección al monte pero pronto se sintió invadido por una inquietud intensa. En cuanto se alejó del agua, sintió que su situación cambiaba de signo. A cada frente luminoso parecía corresponder ahora un reverso sombrío. Todo a su alrededor empezaba a proyectar una realidad ambigua.

Decidió seguir caminando por la orilla del río. Deseaba alcanzar un espacio abierto. Así llegó sin proponérselo hasta la explanada de piedra, cerca de la entrada de la gruta. Había olvidado por completo la existencia de aquel lugar, que ahora contemplaba con un ánimo incierto. A pesar de sus orígenes espurios el sitio había ido cobrando con el paso del tiempo el aire misterioso de lo antiguo. Sobre el piso yacían dispersos los restos de la arquería, en cuyo centro la cavidad ennegrecida y angosta de un espejo de agua, lleno hasta el borde por la crecida, reflejaba en una cenefa sin fondo los brillos del cielo nocturno. Más allá del espejo, al otro extremo de la explanada, los fragmentos cercenados de cuatro enormes columnas daban la impresión de ser otros tantos cabos de velas, consumidas a medias y apagadas de pronto. El agua seguía escurriendo sobre las baldosas de granito y el brillo de la luna al caer sobre el conjunto potenciaba a los ojos de Aurelio sus posibilidades de símbolo.

Para entonces, su espíritu rendía sus últimos fuertes al efecto de los hongos. Las orillas de su visión eran blandas y curvas y en sus córneas flotaban de manera arbitraria densidades y colores en planos diferentes al resto de las cosas del mundo. Cada objeto emanaba una luminosidad distinta y parecía existir en un estado de realización perfecta. Su mente había perdido la capacidad de filtrar o discernir los estímulos que saturaban sus sentidos y ahora simplemente los dejaba pasar por su cabeza, como viento por las ventanas abiertas de una casa vacía.

Así llegó hasta el espejo de agua, trepó sobre un trozo de cantera que había en su centro y se recostó de espaldas. El cielo era una bóveda lechosa dominada por el disco radiante de la luna. Aurelio se asomó al espejo: la misma luna flotaba sobre el agua oscura. Ambas lunas eran indistinguibles, pero una de ellas, ya no le quedaba claro cuál de las dos, le devolvía además la imagen de su rostro envejecido. Los ojos en ese rostro eran también como pequeñas lunas y en su centro palpitaban las orillas de unas pupilas inmensas, huecas, vacías, en cuyas cavidades interminables se ahogaba sin remedio todo vestigio de luz. Aurelio se sintió sucumbir a su influjo. Sólo con un esfuerzo enorme logró evitar que su conciencia cayera hasta el fondo de aquel abismo. El súbito roce con la nada lo dejó desconcertado, vacilante, indeciso.

Lo asaltó la necesidad imperiosa de ponerse de pie. En cuanto lo hizo, se volvió a sentar. Luego se acostó de nuevo. Repitió la misma operación varias veces mientras una ansiedad creciente iba cundiendo hasta los rincones más recónditos de su ánimo. Las sensaciones expansivas de unos momentos antes se le figuraban ahora como un mero espejismo, ensueños con los que fuerzas oscuras había logrado enredarlo en los hilos de aquella trampa. El agua, el bosque, las piedras, el espacio abierto de la noche y sus sonidos, la realidad material de su cuerpo y hasta la ropa que lo cubría, todo se había teñido de un espíritu maligno. Era una maldad inherente, consustancial, larvada dentro del ser mismo de cada cosa. El pulso de su corazón era un tiro de caballos enloquecidos que lo arrastraba sin remedio hacia la muerte. La noche se había poblado de presencias atroces. No era sólo la intuición aterradora de que su vida podía llegar a su fin en cualquier momento, sino la cer-

teza repentina, irrebatible, palpable, de que el mundo entero existía bajo los designios de una entidad siniestra.

Sobre su breve refugio de cantera, Aurelio manoteaba al aire, se enconchaba, se distendía, trataba de dispersar como fuera aquel acoso insufrible de demonios y fantasmas. Toda resistencia era inútil. Haces de gritos secos le llenaban de polvo la garganta. Su ser estaba a punto de desintegrarse y su voluntad no podía hacer nada por impedirlo. La única salida era dejarse llevar, soltar los amarres que lo ligaban al mundo y perderse sin reservas en el torrente incontenible de sensaciones.

Cuando recobró la noción de su cuerpo, se encontraba desnudo. Caminaba dentro del lecho del río, corriente abajo, con el agua hasta las rodillas, en dirección a la base del monte. El roce del agua fresca contra la piel de sus pantorrillas y la textura de la arena fría al comprimirse bajo sus plantas lo devolvían con cada paso al modesto placer de saberse vivo. Lo animaba una calma profunda, o más precisamente, un desapego generalizado. Por su mente deambulaban episodios diversos de su vida y todo lo encontraba entendible, natural, aceptable. Los hechos seguían siendo lo que fueron, pero el peso de cada uno sobre su espíritu, la noción de que sus sumas y restas podían determinar el signo final que habría de marcar su vida, se había disipado por completo. Plenitud y fracaso, desgracia o ventura eran apenas un puñado de palabras vacías. Quienes lo habían ofendido estaban perdonados y de sus pecados contra los demás se sabía absuelto. La muerte inminente de Quicho y aun la evocación terrible de Catalina, la nostalgia de esa vida que nunca pudo vivir con ella, se le presentaban ahora como meros desenlaces fortuitos en el acomodo impredecible de las circunstancias.

Aurelio se acercaba a la boca de la gruta. Llegado ese punto, el cauce del río se cerraba de golpe. La corriente se encrespaba. Remolinos invisibles y súbitas hondonadas acechaban en torno de las rocas que resguardaban su puerta. Aurelio siguió caminando. Había algo en aquella cavidad profunda que lo llamaba. El contorno

de la cueva se abría frente a sus ojos como un enorme regazo y su único deseo era dejarse cubrir por él, aceptar sin reservas la promesa de paz que le ofrecía. El agua comenzó a lamerle la cintura. El lecho del río se perdía bajo sus pies por momentos. Unos cuantos pasos más y quedaría atrapado sin remedio entre los rizos de la corriente.

—¿A dónde vas, Aurelio?

Las palabras resonaron dentro de su cabeza como si alguien se las hubiera susurrado al oído. A pesar del estruendo del agua, pudo escucharlas perfectamente. Parecía imposible que aquella voz lo hubiera alcanzado desde la orilla, pero cuando Aurelio volvió los ojos hacia ese lado ya sabía con lo que iba a encontrarse. No tardó en distinguir la silueta blanquecina de la *hermana,* recortada con nitidez contra el perfil quebrado de la arquería. Aurelio miró una vez más en dirección de la cueva y luego otra vez hacia el lugar en donde estaba la anciana. Su pierna hizo un tibio intento por dar otro paso hacia el centro del río, pero el resto de su cuerpo ya caminaba de regreso a la explanada. El mismo anhelo que lo había llamado con tanta fuerza hacia el interior de la gruta lo llamaba ahora con mayor urgencia a la proximidad de esa figura encorvada.

—No son horas de andar explorando honduras, Aurelio. Vayas a salir lastimado.

A metro y medio de distancia, la voz tenía la misma sonoridad y el mismo timbre que al interior del río. Era una voz capaz de serenar al instante cualquier tormenta. Aurelio comenzó a desear fervientemente poder estar de acuerdo en todo con lo que la voz llegara a decirle. El rostro de la anciana era una intrincada maraña de arrugas, que daban la impresión de estar sonriendo siempre. Un par de ojos translúcidos, de color indefinido, brillaban con recóndita intensidad tras la estrecha rendija de sus párpados caídos. Hacía muchos años que los nombres de cada una de las *hermanas* se habían perdido y aunque alguien aún pudiera recordarlos le habría sido imposible distinguir a una de otra hasta el punto de determinar a cuál correspondían. Todos sabían que hablar con cualquiera de ellas o con

todas juntas era en esencia una misma cosa. De hecho, si la conversación iniciada con una continuaba días después con alguna otra nadie hubiera podido decirlo.

—¿Qué haces aquí, madre? —atinó a balbucear Aurelio y sin poder contenerse tomó una de las manos amarillas de la anciana y se la llevó a los labios.

—Te andábamos buscando, qué más. Nos tienes muy preocupadas.

La *hermana* estaba sentada sobre un trozo de granito, a unos cuantos pasos de donde había quedado tirada la ropa de Aurelio. Tenía en sus manos el libro, que hojeaba con calma y del cual no había levantado los ojos en ningún momento. El tono de travesura que imprimió a sus palabras despejaba de antemano la preocupación a la que supuestamente aludían. Aurelio no podía saber cuánto tiempo llevaba ahí y qué tanto del libro había alcanzado a leer hasta entonces.

—Qué cosa, ¿no? —dijo sin más la *hermana,* mientras giraba el libro abierto para que Aurelio pudiera mirarlo: la caja tipográfica brillaba ligeramente, justo lo necesario para resultar legible—. Quién hubiera dicho —continuó la anciana, al tiempo que estiraba el libro hasta convertirlo en una cinta lánguida, como de chicle, que comenzó a enrollar en una rueda compacta— que esto iba a ser el futuro, Aurelio.

Saber que su libro estaba perdido para siempre no le produjo el efecto que hubiera previsto. De hecho, sintió cierto alivio cuando lo vio por primera vez en manos de la anciana y entendió que no llegaría jamás a su destino. Aquel desenlace, le parecía ahora, simplificaba las cosas. Su ánimo de aceptación no se desprendía únicamente de la presencia carismática de la *hermana,* sino del efecto persistente de los hongos, que aunque ya habían rebasado su clímax, todavía dominaban sus emociones. La *hermana* desenrolló la cinta del libro por uno de sus extremos y se la amarró alrededor del cuello a manera de corbata. Era como una niña explorando las posibilidades de su juguete nuevo.

—Vale más que te vistas. Todavía tenemos que caminar un buen tramo.

Aurelio había perdido de vista que estaba desnudo. Comenzó a ponerse la ropa, pero conforme lo hacía le iba pareciendo que no le acomodaba. La encontraba ajena, innecesaria, estorbosa. Un obstáculo inerte entre la sensibilidad de su piel y la realidad del mundo.

—Preferiría, si no te importa, seguir como estoy, *hermana*.

—Por favor, Aurelio. En lo más mínimo.

Aurelio se volvió a quitar lo que se había puesto y lo juntó todo en un bulto compacto que ciñó enseguida con su cinturón de cuero. Se calzó los huaraches, se cruzó el morral sobre un hombro y se colgó del otro el atado de ropa. Comenzaron a caminar vereda arriba, en dirección al lago.

—Un tanto lúgubre, ¿no te parece?

Aurelio levantó los ojos de la vereda. El entorno desierto destilaba, efectivamente, un aire triste.

—Ya no tarda en amanecer, *hermana*.

—Yo me refería a tu libro.

—Ah. El libro.

Pasaron unos segundos en silencio, que a Aurelio le parecieron demasiado largos.

—Es como un túnel que no termina. Caminas hacia la luz, pero la luz se sigue alejando.

—Ojalá pudiera ver las cosas de otra manera.

—Y sin embargo ahí está. Sucedió, finalmente. ¿No te parece que el libro, por el solo hecho de existir, es el argumento que rebate su propio pesimismo?

—Ese no es el libro que hubiera querido escribir, ni este el momento en que hubiera querido escribirlo.

—A mí me parece en cambio un momento inmejorable. Tienes el campo libre y un público devoto. ¿No hubiera sido ese el sueño de tantos escritores?

—Tal vez, *hermana,* sólo que ese campo libre y ese público devoto es el vacío.

—No se puede todo, Aurelio.

No todo, de acuerdo, pero ustedes no dejaron nada, hubiera querido decir entonces, pero se conformó con pensarlo. La *hermana* le respondió como si de verdad lo hubiera dicho:

—Exageras, Aurelio, y lo sabes. Cuando nosotras llegamos aquello ya estaba muerto. Lo único que hicimos fue disponer del cadáver.

Aurelio tardó unos momentos en reponerse de la sorpresa. La *hermana* continuó como si nada:

—Me gustó tu idea de las voces. No porque de verdad sea tuya, claro, sino porque tiene momentos atractivos; casi, me atrevería a decir, encantadores. Pero también me pareció un poco tramposa. Da la impresión de que quisieras hacernos creer que la mera acumulación de puntos de vista basta para volver objetivo tu relato. O que tu intención de desnudarte ante nosotros es realmente sincera.

La *hermana* se volvió entonces hacia Aurelio y sus ojos lo recorrieron lentamente de arriba a abajo. Tal vez haberse puesto cuando menos los pantalones hubiera sido, después de todo, mejor idea. La conversación empezaba a poner nervioso a Aurelio, aunque se trataba de un nerviosismo que no parecía implicarlo por completo. Lo vivía como un suceso ajeno, que se proyectaba en forma mecánica de las circunstancias, apenas una sombra de emociones verdaderas. Al mismo tiempo, trataba de determinar qué clase de ejercicios de auscultación íntima podría conducir a alguien a alcanzar la desnudez total, una desnudez perfectamente translúcida, que incluyera tanto la posibilidad de descubrirse a cabalidad desde todos los ángulos cuanto la voluntad para revelarse ante los demás sin restricciones de ninguna especie. Tal, se dijo, sería la libertad verdadera.

—El arte nunca sirvió para eso —le informó la *hermana*.

Hubiera querido responder algo, pero las palabras se le disolvieron en la lengua antes de alcanzar a desprenderse de su boca. Había mucho de desconcertante en ese diálogo con una anciana que podía rebatirle sus pensamientos antes de que él tuviera ocasión de enunciarlos. De cualquier manera, la *hermana* estaba en lo cierto. Decir más era ocultar más. Cada cosa que se abría tenía el efecto inevitable de esconder otra, o varias otras, acaso más relevantes y significativas. ¿Qué era dicho para decir y qué era dicho para callar? ¿Y cómo hubiera podido él, en todo caso, distinguir lo uno de lo otro? Sus palabras habían dejado de pertenecerle, o acaso nunca le pertenecieron del todo. Se preguntaba si sería capaz a estas alturas de desentrañar sus verdaderas intenciones.

—Las intenciones no cuentan, Aurelio. Sólo puede afectarnos lo que existe, en la medida en que nos impacta. Tu historia, por ejemplo (tu vida, si lo prefieres), gira en torno a la oposición de una serie de realidades, tangibles pero insuficientes, a una serie de posibilidades, óptimas, tal vez, pero inalcanzables. Es un asunto de percepciones, sostenido, sin duda, por un tejido preexistente de consideraciones ideales. Todo bastante inmaterial, es cierto, pero que acabó por derivar en sucesos plenamente concretos, que tú y yo conocemos, aunque hayas preferido omitirlos de tu relato. La naturaleza de tales sucesos no puede incidir en la visión de quien los ignora; conocerlos, a su vez, cancela la posibilidad de percibir la historia desde el punto de vista de quien no los sabe. No se puede saber y no saber una misma cosa a un mismo tiempo. Así, saber y no saber convierten una misma cosa en dos cosas distintas, para dos personas diferentes, o para una misma persona en dos momentos distintos. Y de ese modo al infinito. Pero la realidad es una sola, Aurelio, no conviene olvidarlo.

Habían dejado atrás la orilla del lago y ahora caminaban por una vereda en mitad del bosque. Los últimos rayos de la luna penetraban de manera oblicua a través del follaje. Aurelio comenzaba a sentir sobre su cuerpo el peso de la noche en vela. Las palabras de la *hermana* habían conseguido alarmarlo, no sólo porque hubieran aludido a las omisiones en su relato (pronto fue claro que no pensaba detenerse en ese punto) sino porque no alcanzaba a discernir qué propósito la movía a hablarle de ese modo. Nunca había escuchado a las *hermanas* discutir en aquellos términos, sobre tales temas, con ese lenguaje. Extrañaba el tono maternal, el recurso directo al recinto blando de las emociones. Aun así, se atrevió a replicar:

—Si la falta de objetividad de las palabras es tan obvia, seguramente también es inofensiva, *hermana*.

—El problema con las palabras no es que sean subjetivas. El problema con las palabras es que sirven para reducir al mundo. Cápsulas expurgadas y redondas, siempre primorosamente *resueltas*; a las que resulta muy fácil, por lo demás, aficionarse hasta volverse adicto.

Por la mente de Aurelio empezaban a desfilar entonces las muchas cosas a las que se había aficionado, en diferentes momentos, hasta volverse adicto: los libros, la música, Dios, el placer, la belleza, Clara, la melancolía, ciertas fórmulas de pensamiento, ciertas drogas, la conversación, la amistad, Catalina. Todas ellas, sin duda, limitadas; y todas, sin embargo, preferibles a la experiencia cruda del mundo. Muchas veces tuvo que prescindir o renunciar a una o varias de ellas y no podía decirse que hubiera derivado provecho alguno de la abstinencia: el mundo, a secas, se obstinaba en parecerle vulgar, violento, vacío, absurdo.

—No por suprimir las medicinas va a dejar de haber enfermedades —aventuró con cierto tono de burla, sin atreverse a mirar a la *hermana*. Todo aquello había servido para recordarle que fumar un poco de mariguana era justo lo que necesitaba para suavizar el aterrizaje de los hongos. Sacó de su morral una bolsita de cuero y comenzó a limpiar la hierba sobre su palma, pero las manos le temblaban con violencia. Por más esfuerzos que hacía no lograba controlar sus dedos y cuando intentó voltear el contenido del cigarro sobre una hoja de maíz, todo vino a dar al suelo.

—¡Carajo!

La *hermana* soltó una carcajada.

—Cómo estarán las cosas, Aurelio, que ya no puedes ni hacerte un toque. A ver, déjame a mí.

La anciana sacó más hierba de la bolsa, le quitó rápidamente las semillas, enrolló un cigarro compacto con un par de movimientos precisos y se lo colocó en la comisura de los labios. Aurelio le acercó el mechero. La *hermana* inhaló a plenitud, reteniendo el humo en los pulmones mientras echaban a caminar de nuevo. Después de fumar otro poco, le pasó el cigarro encendido a Aurelio.

—¿Ves lo que te digo? Todas esas cosas, Aurelio, la poesía, ¿seguirían haciéndonos falta si lográramos cerrar la brecha que nos separa del mundo?

—No lo sé, *hermana* —concedió Aurelio—, pero nada nos dice tampoco que sea posible hacerlo.

La *hermana* no respondió. Se limitó a mirarlo a los ojos, con una sonrisa equívoca en los labios, vagamente divertida por su actitud rebelde, como una maestra dispuesta a tolerar las impertinencias de un alumno consentido. Se acercaban a la orilla del bosque, frente a ellos empezaba a distinguirse la luz verdosa de la madrugada. Aurelio se sentía cansado, pero una excitación continua, como los relámpagos silenciosos de una tormenta distante, lo mantenía alerta. Al interior de su sangre, la mariguana comenzaba a limar aristas, a tender puentes. Los alcaloides trabajaban su lenta reconciliación sobre los átomos de un sinnúmero de moléculas. Aurelio comenzó a sentir lo que siempre supo que iba a terminar sintiendo. Quería ver cumplida la voluntad de las *hermanas*, cualquiera que ésta fuera, no porque pensara que sería lo mejor para todos, sino porque un impulso incontenible lo obligaba. Caminaron sin decir palabra hasta el lindero del bosque y cuando estaban por dejar el cobijo de su fronda, fue la *hermana* la que rompió el silencio:

—Nadie sabe lo que va a pasar; ni tampoco, por desgracia, el efecto que acabará de tener lo que hacemos sobre lo que va a pasar. Aunque nos guste pensar lo contrario, nuestros sueños no gobiernan las consecuencias últimas de nuestros actos. Por eso es tan importante ponderar unos y otros con detenimiento. Todos somos responsables, Aurelio, no lo pierdas de vista.

En ese momento, los rayos de un sol intenso dieron de golpe sobre el rostro de Aurelio y lo obligaron a bajar los ojos. Ya no era el sol anaranjado y húmedo del amanecer, sino un sol amarillo y agudo, que se había estado escondiendo tras la silueta del monte. Cuando levantó la vista nuevamente, la anciana había desaparecido. Nada se movía en las inmediaciones. Hubiera sido inútil buscarla. Las *hermanas* daban en aparecer y desaparecer de aquellos modos

inexplicables. Aurelio trató de reconocer el lugar. La vereda continuaba en línea recta hasta el pie de una vertiente rocosa. Un poco
más adelante, se alcanzaba a distinguir la silueta de un jacal de adobe.
Todo a su alrededor eran verdes, grises y ocres, oprimidos bajo el
peso de una luz implacable. No creía haber estado ahí nunca, pero
sentía que las cañadas no podían quedar muy lejos. Antes de seguir,
metió la mano en su morral para sacar sus lentes oscuros. Las puntas
de sus dedos se toparon entonces con los contornos del libro. Aurelio
lo palpó con incredulidad, mientras una sonrisa de alivio iba cobrando forma sobre su rostro: las *hermanas* habían decidido continuar
con el juego, después de todo. Entonces reparó en el hecho de que
seguía desnudo. Deshizo el atado de ropa y se vistió de prisa.

El jacal no tenía puerta. Acaso nunca la tuvo. En contraste con la
intensidad de la luz exterior, la oscuridad de su vano ofrecía el
aspecto de una superficie sólida. Aurelio entró con cautela. El interior olía a grasa vieja, a tierra fatigada y cruda. Por las tejas se filtraban tenues franjas de sol, que parecían dibujar en el aire una jaula de
luces. Los ojos no podían ver nada todavía, pero el cuerpo había
intuido ya una presencia:

—¿Laila? —preguntó al vacío.

—Aurelio.

LA PLAYA

Guadalajara comenzó mal. Después de una noche infame en un camión de segunda, que se vino parando todo el tiempo en una sucesión interminable de pueblos sombríos, Quicho y Aurelio llegaron a una terminal penumbrosa, maloliente, rojiza, sitiada por niños desarrapados, prostitutas añejas, loncherías color pistache y tiendas de recuerdos procaces, ridículos, con virotes inmensos en las vitrinas. La policía trató de extorsionarlos desde el momento mismo en que pusieron pie sobre suelo tapatío. Un cuico de uniforme azul y una madrina de civil, sin más credencial que una escuadra nueve milímetros al cinto, ya desmenuzaban morosamente el contenido de sus mochilas cuando aparecieron de manera providencial la tía Raquel y Catalina. Un par de minutos más y los tiras hubieran dado sin duda con el clavo de Quicho, lo que hubiera convertido aquella bienvenida a la Perla de Occidente en un evento mucho menos auspicioso todavía. Pero la tía Raquel (díganme Queta, muchachos) se plantó frente a la situación con hermético aplomo y pronunció en un cantadito tan amenazador como displicente los nombres que requería el momento, nombres en apariencia ordinarios pero imbuidos de un halo totémico en el ámbito de aquella geografía, que cambiaron de inmediato el talante de las cosas. Más que retirarse del lugar los agentes parecieron difuminarse, como absorbidos por las losetas mugrosas del piso. Fue hasta entonces cuando los recién llegados pudieron ver realmente a Catalina, después de casi cuatro años de ausencia, convertida ya en una mujer completa, de una corporalidad inequívoca, que Aurelio no había previsto y encontró desconcertante.

Pasado aquel trago amargo y envueltos en todo momento por la cháchara inextinguible de la tía Queta, pasaron a transitar a bordo de un voluminoso Galaxy color vino por una sucesión de calles indistintas, semivacías, en una ciudad extrañamente luminosa, ordinaria y limpia. Antes de llegar a su destino, pararon en un modesto establecimiento de mesas de formica, donde les sirvieron unas tortas de carnitas al tiempo, hechas con un pan masudo, sumergidas en una salsa de tomate tibia y adicionadas con el extracto de chile más picante que hubieran probado jamás en su vida. El aspecto poco prometedor de aquel platillo disfrazaba la rústica complejidad de su gastronomía y el potencial milagroso de sus efectos vigorizantes. Quicho y Aurelio engulleron dos tortas cada uno con un apetito que les iba creciendo al tiempo que comían y con ello consiguieron superar en definitiva las fatigas de la noche. El ánimo se les había tornado ya francamente optimista cuando llegaron por fin a la casa de la tía Queta, cerca de una avenida que se llamaba *Munguía* o *Tolsá* de manera al parecer indistinta y que tanto Catalina como su tía Queta pronunciaban *Tolsa,* con acento grave, sin la más remota idea de quién pudiera ser el personaje aludido. Era una casa de dos pisos, con ventanas altas de marco y herrería a cada lado de un robusto portón de madera. Se entraba por un zaguán angosto, que daba a un patio cuadrangular con arcos y macetas cuyo vano había sido recubierto por una estructura de fibra de vidrio. El piso del patio era de un mosaico opaco de cuadritos, cuyo patrón original se veía interrumpido en algunos segmentos por remiendos posteriores. La casa entera emanaba una luz verdosa, de tono acuamarino, salpicada por acentos de color azul turquesa, que acabaría por condensar en el recuerdo de Aurelio la esencia emocional de aquella visita.

Aunque el propósito explícito de su traslado a Guadalajara unos años atrás había sido el de reunirse con su padre, Catalina no pasó en su casa sino unos cuantos días. Pronto quedó claro que ahí no había lugar para ella ni la menor voluntad de abrirlo. La nueva esposa de su padre formaba parte de una próspera familia de inmigrantes sirios, dedicada con enorme fortuna al comercio de ropa. Su padre había trocado con ella la cubierta de su nombre castizo y las conexiones todavía resonantes de su familia extensa por una vida regalada. Al amparo de tal arreglo sus días transcurrían entre funciones sociales y entretenimientos de rico, como habían transcurrido en otro tiempo los de sus antepasados varones. En aquel intercambio de apariencias no encajaba la hija adolescente recién salida de la nada, así que Catalina fue transferida sin mayor dilación a la casa de su tía Queta.

Raquel Orduño era una mujer recia y todavía joven, de espaldas redondas, brazos rechonchos, caderas angostas y enormes ojos oscuros, profusamente decorados por cosméticos de colores chillantes, que le daban a su rostro cierta semblanza de tigre. Había sido una muchacha de gran hermosura y carácter arrebatado, que antes de cumplir la mayoría de edad protagonizó uno de esos escándalos que dejan su marca en las ciudades pequeñas. Aquel enredo y algunos otros le crearon una reputación que redujo a lo inaceptable sus posibilidades de matrimonio y le trajo una mezcla de ostracismo y celebridad que ella consiguió traducir en una posición de plena independencia. Vivía sin pedirle nada a nadie de las utilidades de una pequeña fábrica de dulces y sostenía desde hacía muchos años una relación estable, libre, enamorada y relativamente abierta con un hombre casado. La modesta liberalidad de sus costumbres no cancelaba el fervor de su catolicismo alteño, menos atento a los detalles de la doctrina que al integrismo de una fe providencialista y a los rituales de su correspondiente práctica idólatra, sobre la cual se asentaba y extendía un regionalismo furibundo, rayano en la xenofobia. Se preciaba de no haber pisado nunca la ciudad de México y su explicación favorita para el origen de cualquier desgracia, desde una racha de trombas destructivas hasta el primer matrimonio de su hermano, era, de manera invariable, *la mierdez chilanga*. Tan acendrado odio a la metrópolis y sus habitantes, en abstracto, se diluía por completo en presencia de sus ejemplares concretos, en quienes parecía descubrir casi siempre felices excepciones. Si se trataba además de ese par de muchachos apuestos, avalados plenamente por *Catita,* que por su sola calidad de hombres elevaban de manera instantánea el perfil de la casa, no había por qué escatimar calidez a la bienvenida.

El reencuentro con Catalina se dio sin accidentes, sin fricciones y sin titubeos, como si los tres se hubieran dejado de ver apenas unos cuantos días. A su manera y a la distancia, en aquel contexto tan distinto, Catalina parecía haber seguido una evolución paralela a la de Quicho y Aurelio en la ciudad de México. Sus amigos formaban también una constelación extraña, marginal en cierta medida, pero a la vez representativa de los términos emblemáticos de dicha marginalidad. Los distinguía esa mezcla de rusticidad y modernización acelerada que parecía definir a la ciudad entera. La presencia de rasgos que ligaban de manera todavía tangible con un mundo rural y acaso más importante aún, la mitificación y ritualización desde la vida urbana de dicho origen campestre, convivían con una americanización sin restricciones, que marcaba casi todos los rasgos externos de la vida cotidiana de la clase media y encarnaba sus aspiraciones. Bajo esa aparente uniformidad de catolicismo primario, edad de oro charra y culto servil a la marca, bullía sin embargo una realidad más compleja, proclive a la trasgresión, soterrada, irredenta, cuya expresión más precisa era un sarcasmo repentino y brutal. La cordialidad directa y confianzuda que tanto impresionaba al recién llegado era casi siempre una pantalla. Las verdaderas relaciones se iban construyendo poco a poco, mediante contactos personales en los que pesaba mucho la adscripción y la pertenencia, en un sistema escalonado de avales, que se nutría de una suspicacia ancestral hacia lo ajeno. En el caso de Catalina, su condición poco propicia de chilanga se veía compensada por el hecho de formar parte (aunque fuera en los márgenes) de una familia vieja y socialmente significativa, lo que la colocaba en una posición especial y le concedía cuando menos el beneficio de la duda. Aún con tales reservas, su nueva red de afectos, el cariño irrestricto de su tía Queta, la certeza de saberse parte de un grupo más amplio, la sensación de tener raíces que la ligaban con una realidad concreta, era mucho más que lo que había conocido jamás en su vida y se veía radiante. Sus dos amigos no podían quitarle los ojos de encima mientras trataban de asimilar los sentimientos fraternales que habían definido hasta entonces su relación con ella a la intensidad de esos nuevos impulsos, de una naturaleza enteramente distinta, que la ineludible dimensión corpórea de su presencia física les despertaba ahora.

Los recuerdos se agolpaban en la mente de Aurelio, quien no atinaba a dar con la punta de la hebra que le hubiera permitido empezar a compartirlos con Laila. Frente a sus ojos se extendía un llano interminable de hierba seca, vacío, en cuya superficie se mecía un mar de espigas rosadas. Lo único que interrumpía esa uniformidad era una hendidura larga y recta, una zanja inexplicable que se perdía en la distancia. ¿Cómo empezar a decirle que aquel espacio sin contornos había sido Guadalajara? Aurelio levantó el brazo y trató de señalar con el dedo un lugar impreciso:

—Aquí… allá… cerca; había una glorieta muy grande. Y unos arcos cuadrados, amarillos.

Laila cumplió con aguzar la vista y volver los ojos en la dirección general que le indicaba Aurelio, pero no había nada que ver ahí y ella no hubiera sabido, de cualquier modo, qué diablos podían ser una glorieta muy grande y unos arcos amarillos. Hasta donde estaba enterada, los arcos sólo servían para disparar flechas. Nada de lo que habían visto hasta entonces podía haberlos preparado para lo que iban a encontrar ahí. O mejor dicho, para el hecho de que no iban a encontrar nada. Todavía al ir bajando por las colinas que conducían al valle pudieron distinguir desde la carretera las ruinas de Tonalá. Pero un par de kilómetros más adelante la cinta de asfalto desaparecía de pronto y lo mismo sucedía con los restos de las construcciones que habían comenzado a surgir a ambos lados de la carretera desde las inmediaciones de Tlaquepaque. Todo se interrumpía de golpe, sin aviso, a lo largo de una línea curva que se prolongaba hasta donde era posible extender la vista. Una suave pendiente hacia abajo marcaba el inicio del mar de hierba y éste continuaba sin alteración alguna hasta el extremo opuesto del valle.

En cuanto llegaron al lindero de aquel bordo, la mula que había venido jalando su carreta desde San Ángel se negó a avanzar. Laila tuvo que persuadirla con una mezcla de dulces razones y enérgicos jalones de orejas. El animal accedió por fin a seguir adelante pero a partir de ese momento se mostró receloso, agitado, con los músculos tensos y las crines en punta. Comenzaron a caminar sobre un terreno granuloso, que crujía bajo las suelas de sus huaraches. Su textura no era muy diferente a la de esa arena gruesa y porosa a la que llaman jal y que caracteriza el subsuelo de la zona, pero de un color más oscuro, más opaco, indefinido y seco. Una hierba gruesa y las espigas rosadas era lo único que crecía sobre aquel manto de grava: no había árboles, ni arbustos, ni arroyos, ni insectos, ni piedras, ni ríos, ni nada. La uniformidad de la superficie sólo era alterada en ocasiones por una especie de boquetes irregulares, parecidos a pequeños cenotes, donde la acumulación del agua en el subsuelo había provocado el colapso de la superficie. El líquido que anidaba al fondo de aquellas oquedades era de una transparencia descomunal y mantenían una quietud espeluznante. Nada crecía cerca de sus orillas ni parecía capaz de habitar en su interior estéril. Cuando trataron de acercar la mula a una de ellas, su agitación se volvió incontrolable. Ellos mismos se sintieron invadidos al punto por una ansiedad extrema y prefirieron en lo sucesivo mantenerse a distancia. A partir de entonces caminaron en silencio y un par de horas más tarde se detuvieron a la orilla de la zanja recta, donde Aurelio había tratado de revivir para Laila aunque fuera un rasgo mínimo de la ciudad desvanecida. Ambos volvían la vista en todas direcciones. Hubieran querido convencerse de que todo aquello era un acto de ilusionismo, un malentendido o una broma. Finalmente, Laila lo tomó del brazo:

—Mejor le seguimos, Aurelio, no quisiera pasar aquí la noche.

Cuando alcanzaron las primeras colinas del bosque de La Primavera, el sol ya estaba a punto de ocultarse tras ellas, como si buscara también un lugar tranquilo donde recogerse después de esa jornada desastrosa. Laila y Aurelio eligieron un claro y se prepararon para pasar la noche. Desengancharon la mula, la dejaron suelta para que comiera, tomaron agua, prendieron lumbre, calentaron en ella cualquier cosa y la mordisquearon sin apetito. Arreglaron sus camas y se metieron en ellas casi enseguida, sin decirse nada. Abajo, a la distancia, en mitad de la noche, la superficie muerta del valle brillaba con un resplandor verdoso.

Hasta ese punto, el viaje progresaba sin trastornos. Aurelio se preguntaba ahora si no había sido una imprudencia haberlo emprendido. Cuando se volvió a encontrar con Laila en el jacal de adobe, ella le dijo enseguida que quería conocer el mar. Aurelio le entregó su libro y ella lo miró con cuidado y luego le dijo nuevamente que quería conocer el mar. No quedaba claro de dónde había sacado la idea de conocer el mar, porque el mar se había convertido en algo remoto, casi imaginario, sin presencia tangible en la conciencia cotidiana de las personas. Todas las comunidades de la *urdimbre* se concentraban dentro de un radio reducido en las inmediaciones del altiplano. Nunca hubo el interés ni la necesidad ni la gente para emprender la colonización de otras regiones. El *pensamiento nuevo* predicaba la aceptación de lo inmediato, no la búsqueda de lo desconocido. Hasta donde se sabía, además, el mundo que podía encontrarse más allá de aquellas limitadas fronteras estaba muerto. Nadie había llegado nunca de un lugar más al norte que San Luis ni más al sur que Guatemala y de eso habían pasado ya muchos años. Quienes habían visto la costa del Golfo desde las cumbres de la Sierra Madre describían un páramo arrasado y pestilente, un litoral de chapopote en llamas. De la costa del Pacífico se sabía menos aún. Lo único seguro era que todos los puertos estaban destruidos. La generación de Laila había crecido sin un entendimiento preciso de que el mar existiera. Los viejos llegaban a mencionarlo, pero los jóvenes no tenían referente alguno que les permitiera formarse una imagen siquiera aproximada de lo que podía ser ese lugar sin límites.

Con todo, la idea del viaje entusiasmó a Aurelio desde un principio. La perspectiva de estar a solas con Laila durante varios días, por la razón que fuera, le parecía un milagro. Así que decidió poner en marcha los preparativos de inmediato, antes de que la realidad de aquel despropósito resultara evidente para todos. Había formas más sencillas de llegar a la costa, pero Aurelio fue aduciendo una cadena de razones descabelladas para sostener que el plan óptimo consistía en pasar por Guadalajara y seguir después a través de la sierra hasta Puerto Vallarta. La idea mucho más simple de alcanzar alguna playa de Guerrero quedó descartada rápidamente, con argumentos que no tenían en realidad ningún sentido. Él mismo tardó en reconocer que la motivación detrás de aquel impulso fuera revivir el viaje emprendido con Quicho y Catalina hacía tantos años, por obvio que luego le pareciera.

Aurelio durmió mal. El fantasma de la ciudad destruida no lo dejaba tranquilo. Sólo acabó por conciliar el sueño cuando ya estaba cerca la madrugada y por eso siguió durmiendo hasta que los rayos del sol le dieron de lleno en la cara y lo obligaron a levantarse. Para entonces, Laila ya tenía todo listo para partir, así que comenzaron a caminar de inmediato. La carreta los obligaba a transitar sobre los restos de la cinta de asfalto, que se encontraba por lo general en pésimas condiciones. Hubieran avanzado más rápido sin ella, pero Aurelio había insistido en traerla y en llenarla de objetos que a la postre resultaron inútiles. La carreta era un lujo, un lujo estorboso, pero Aurelio sentía que le daba al viaje un aire de marcha triunfal y seguía insistiendo en que todo habría de resultarles útil cuando llegaran a su destino.

El ánimo distante y ominoso con que habían concluido el día anterior se les fue disolviendo poco a poco conforme se alejaban del valle. La carretera seguía el contorno del bosque de La Primavera, de suelo pedregoso y árido, poblado por una mezcla de robles, pinos, encinos y madroños. Por la margen opuesta del camino lo que habían sido tierras de labor eran ahora una llanura dorada, que descendía suavemente hacia el horizonte, cubierta de huisaches, magueyes, espigas de diversos cereales, plantas de maíz y de caña, matas de frijol y de haba, tomates, pepinos, chayoteras y calabazas. Por encima de aquella línea de vegetación chaparra surgían las figuras esporádicas de algunos árboles: guamúchiles, membrillos, nogales, sauces, pirules, ciruelos, nísperos y guayabos. Apretadas congregaciones de juncos marcaban los lugares donde se abrían charcos o estanques y más lejos aún, a lo largo de una hendidura entre las lomas, una prolongada hilera de sabinos señalaba la trayectoria ondulante de un arroyo. El paisaje evocaba una armonía primigenia, casi estática y aun las ruinas de los magros caseríos y pequeños poblados que bordeaban los restos de la carretera parecían haber muerto de muerte natural y formar parte de ese entorno desde siempre.

Después de haberse internado en la llanura durante un rato, Laila regresó a la carreta con el morral lleno de frutas. Ninguno de los dos aludió a los hechos del día anterior mientras se disponían a desayunar y dejaban que la mula los siguiera acercando lentamente a la línea de colinas que ondulaba en la distancia. Era en esos momentos cuando Laila creía entender por fin cuál era el propósito de viajar en carreta, y por extensión, de muchos de esos otros utensilios y máquinas que aparecían todo el tiempo en los relatos de Aurelio. En el mundo anterior, por lo visto, uno de los principales objetivos del empeño común era reducir en todo lo posible la necesidad de usar el cuerpo para cualquier cosa. Y al mismo tiempo, acelerar hasta el vértigo el movimiento de todo. Aurelio trataba de contarle cómo había viajado con Quicho y Catalina por ese mismo camino, en un coche desvencijado que les había conseguido la tía Queta. Laila tenía una idea más bien vaga de cómo funcionaba un coche, suficiente para comprender en términos elementales su función principal. Pero no lograba asimilar por completo el por qué contar con uno de ellos en esa ocasión había sido motivo de tanto contento. El coche parecía estar asociado a una serie de fantasías cuya naturaleza fundamental se le escapaba. Eran necesarias muchas horas de explicaciones para ponerla al tanto de los referentes indispensables y mientras tanto ambos acababan por olvidar qué fue lo que los había movido a hablar de aquello en un principio. Así solían transcurrir sus conversaciones. Laila escuchaba con cuidado, opinaba poco y casi nunca discutía. Lo mismo pasaba con el libro. Lo leía con frecuencia, siempre muy concentrada, pero hasta entonces no le había hecho comentario alguno. Tal vez le resultara impenetrable, o tal vez no consideraba que leer fuera cosa de opinar sobre lo que se leía. De pronto le hacía preguntas: ¿qué es un sótano?, ¿qué quiere decir coreografía?, ¿para qué sirve un obraje?, ¿qué significa discurso? Aurelio trataba de responder de la manera más concreta posible, Laila lo miraba con los ojos muy abiertos, se quedaba pensando unos segundos y luego continuaba su lectura sin decir palabra.

También Aurelio había leído de un modo similar, a una edad no muy distinta, cuando estaba convencido de que era en los libros donde encontraría las claves para desprenderse de la vulgaridad de su mundo y acceder de lleno a una vida de verdad intensa. Entonces veía la lectura como una fórmula de iniciación y trataba de asimilar sin desviaciones las verdades eternas que ésta le ofrecía. Cuando llegó a Guadalajara acababa de descubrir a Julio Cortázar y a la menor provocación esgrimía su ejemplar de *Rayuela* como si se tratara de una especie de Biblia. Dado que la distancia entre su realidad cotidiana y las intrincadas densidades de la novela era a todas luces infinita, Aurelio tenía que conformarse con afectar el tono de cinismo brutal y el aire de fastidio permanente que caracterizaban a su protagonista. La vida, mientras tanto, no parecía dispuesta a dejarse contener dentro de los dictados de un libro. Guadalajara se les revelaba como el perfecto contrario de ese París avejentado y quejumbroso, donde una serie de personajes estridentes remojaban su incapacidad para tolerar al mundo. Cada nuevo día era un camino abierto, que los llevaba a lugares imprevistos. Todo se les daba en el abandono y rebosaba el atractivo de lo espontáneo. Las mañanas eran somnolientas y tibias, las tardes eran nubes y lluvias torrenciales. No faltaba a dónde ir, ni cómo llegar, ni sucesos grandes o pequeños que distinguieran cada salida como un acontecimiento memorable. Aurelio se iba llenando de la sensación de que las cosas podían converger, remontarse, afectar su propio destino, cruzar los linderos de sus esferas individuales, transformarse en algo entrañable, significativo y pleno. Todos esos anhelos parecían cobrar forma en la figura de Catalina, pero Aurelio no acababa de resolver el signo contradictorio de sus diferentes impulsos. La imagen imprecisa de lo que podía ser luchaba en su interior con el miedo a perder para siempre lo que había sido.

Así las cosas, cierta tarde en la que se quedaron solos en el asiento trasero de un coche mientras Quicho y otro amigo local atendían al interior de una casa los detalles de un pequeño intercambio de mercancías, Aurelio trataba de hacerle ver a Catalina por qué un evento reciente, que el consenso general había encontrado original y excitante, era en realidad una farsa despreciable y estúpida. Afuera, el ambiente comenzaba a saturarse con inminencias de lluvia. Los argumentos de Aurelio no parecían convencer a Catalina, que lo miraba con un aire de impaciencia no exento de cierta coquetería.

—¿Por qué te gusta discutir tanto? —le preguntó de pronto.

—No es que me guste discutir tanto. Me gusta llegar al fondo de las cosas.

—Las palabras no llegan al fondo de *todas* las cosas —replicó Catalina, mientras cambiaba ligeramente de posición sobre el asiento del coche y se volvía para mirar por la ventana, como si la relevancia del mundo exterior hubiera crecido de golpe. Llevaba puesta una falda plisada, medias de punto al tobillo, tenis blancos de tela y una camisa de algodón sin mangas. El movimiento fue mínimo, pero obligó a Aurelio a reparar en la piel dorada de sus muslos y le dio la oportunidad de hacerlo mientras ella no lo miraba.

—¿Qué quieres decir?

—Que hay cosas sobre las cuales no sirve de nada hablar. Cosas que tienes que palpar, vivir, llevarte a la boca.

—No se puede palpar, vivir y masticarlo todo. El mundo se nos volvería minúsculo, asfixiante.

—Claro, mejor dejar de ver lo que tienes enfrente para andar pensando en lo que a la mejor ni existe.

—Si lo puedo pensar, existe. Lo estoy viviendo.

—¿Así que es lo mismo imaginarte que besas a alguien que besar a alguien de a deveras?

Catalina había ido girando la cabeza mientras hablaba, de modo que al pronunciar las últimas palabras miraba fijamente a los ojos de su amigo.

—No… no es eso —tartamudeó Aurelio.

Catalina cruzó los brazos detrás de su cabeza y se reclinó sobre la cara interior de la puerta del coche. La curva de sus senos se recortó entonces contra la tela translúcida de su camisa. Aurelio no pudo dejar de mirarlos. Cuando volvió a levantar la vista, se encontró de nuevo con sus ojos y con una sonrisa desafiante, llena de desparpajo y de malicia.

—Tú y tus profundidades —prosiguió Catalina, como si pasara por alto aquella mirada—. No sé qué tienes en contra de las superficies. Eso es a fin de cuentas lo que a mí me atrae. Su sabor, su color, su brillo. Cuando algo me gusta, me gusta con todo el cuerpo. ¿No te pasa a ti lo mismo? ¿No te llenan las cosas de *ganas*?

Catalina encogió los hombros e inclinó la cabeza, sin dejar de mirarlo. Todo su cuerpo adquirió una languidez expectante, inquisitiva. Aurelio no respondió. Comenzaba a vivir la escena como si se tratara de un sueño. Algo sobre lo cual su intervención directa no podía tener efecto alguno. El interior del coche se le había convertido en una mancha difusa, en medio de la cual irradiaba como un halo luminoso la silueta de Catalina. Cuando volvió a hablar, su voz parecía llegarle desde un mundo distinto:

—Yo sé lo que te está comiendo, Aurelio. Yo sé lo que te está comiendo por dentro desde hace días.

Las palabras quedaron suspendidas en el aire. Todo a su alrededor se detuvo. Aurelio hubiera querido decir algo, responder con un gesto inequívoco, pero su voluntad flotaba lejos, en un lugar remoto, inaccesible. Catalina le tomó la mano y se la llevó al pecho:

—Yo también lo siento, mira…

La mano de Aurelio se cerró sobre una nube blanda, ávida y tibia. El corazón de Catalina se agitaba debajo de su seno como un animal cautivo. Se sintió insignificante, eufórico, desnudo. Un violento golpe de sangre le nubló la vista. La proximidad de Catalina lo atraía hacia su centro con la fuerza de un mundo y él no podía hacer otra cosa que abandonarse a su influjo, hundir el rostro en su regazo, cubrirle las manos de besos, tratar de llenarse el alma con el olor de su cuerpo. Ella le acercó los labios al oído y le dijo muy quedo:

—Ya no somos niños, Aurelio. Ahora tenemos que jugar a otras cosas.

A partir de aquel momento, la realidad comenzó a transformarse de prisa. El cuerpo se les reveló como una extensión natural del apego que los unía, un espacio donde los sentimientos abstractos se podían transmutar en sensaciones tangibles. El placer los fue estrechando dentro de su implacable lógica. Cada nuevo umbral que se trasponía cancelaba una ruta de escape, los acercaba al borde de un diferente abismo, socavaba las certidumbres de sus mundos internos. Aurelio no tardó en descubrir que el nuevo arreglo abarcaba también a Quicho. Le pareció razonable. Le quitó un peso de encima. Impidió que la relación se convirtiera desde el principio en un rehén del futuro. Dos son de inmediato un proyecto de vida, tres no pueden dejar nunca de ser un juego. Cuando partieron hacia Puerto Vallarta en el coche destartalado que les consiguió la tía Queta, a la casa de otro de los muchos tíos, Aurelio rebosaba la certeza de que todo era posible. Nada de lo sucedido en el mundo hasta entonces se aplicaba a ellos: la redonda perfección de su juventud proclamaba el arribo de una nueva era.

Laila se había reclinado sobre los bultos de la carreta para comer su fruta. Tenía el pelo recogido en dos trenzas, que descansaban sobre el arco de su espalda como un par de reptiles oscuros. Llevaba puesta, como siempre, la menor cantidad de ropa posible. La piel de su torso desnudo cobraba bajo los rayos del sol el color terroso del tamarindo. Sus senos eran cortos y recios y remataban la compacta sensación de fortaleza que descendía en largas curvas desde sus hombros. Todos los músculos de su cuerpo mantenían una suave tensión, a un tiempo relajada y dispuesta, que la marcaba con el aire de un animal en reposo. Su mirada era serena y vacía y se perdía sin dificultad en la contemplación del paisaje. Aurelio la admiraba en silencio. Veía en ella la culminación vuelta a lo silvestre de algo que en otro tiempo se había cultivado con esmero, como los duraznos rugosos y ácidos que ambos mordían en ese momento. La intensidad de sus recuerdos se desvanecía frente a la contundente realidad de ese cuerpo y de ese paisaje, que parecían unidos íntimamente por un mismo espíritu de pertenencia. Hecho a contemplar la vida como un problema, se encontraba de pronto en una situación a la que no hubiera podido pedirle nada. La presencia de Laila llenaba con creces la inmensidad del vacío que se extendía sin límites en torno a ellos. Por un momento, no pudo creer su buena fortuna.

—¿Laila?

—Mhm.

—¿Cómo fue que vinimos a dar aquí?

—Vamos a la playa.

—Sí, ya lo sé, pero, ¿por qué la playa?

Laila no entendió la pregunta.

—Fue Quicho, ¿no es cierto? —insistió Aurelio—. Él te metió la idea del mar en la cabeza.

—No… no exactamente. La idea fue mía, él lo que hizo fue enseñarme las cosas.

—¿A qué te refieres?

—Vino a buscarme. Antes de la fiesta. Me dijo que había algo que quería que viera. Bajamos a la ciudad. Llegamos a un edificio blanco, roto. Adentro había una máquina, en la que se veían cosas.

—¿Cosas? ¿Qué cosas?

—Cosas, Aurelio. Se veía el mundo.

Laila decía *el mundo* como si no acabara de estar segura de que se trataba del mismo lugar por el que transitaba ahora. La revelación produjo en Aurelio una sensación de pérdida, como cuando un gesto cualquiera nos confirma que un niño ha dejado de serlo. Él no se hubiera atrevido nunca a llevar a Laila a la computadora y aunque era algo que ni siquiera se le había ocurrido, ahora le parecía típico de Quicho haberlo hecho.

—¿Estuvieron ahí mucho tiempo?

—No, nada más un rato.

Aurelio calculó que ese rato pudieron haber sido días.

—El mundo que viste ahí… ya no existe. Lo sabes, ¿no es cierto?

Laila no estaba tan convencida:

—La verdad, Aurelio, lo único que sabemos es que vivimos en un lugar chiquito. Qué pueda haber más allá, nadie tiene la menor idea. Tampoco podemos estar seguros de que no haya nada. El mundo es enorme. Una bola gigante. Todo da vueltas en el espacio. El espacio no termina nunca. Es infinato.

—Infinito.

—Eso. Por eso quiero ir al mar, para verle la orilla al mundo.

Aurelio la miró con horror. Su libro y su alfabeto le parecieron un juego de niños frente a la visión de la realidad que Quicho había tenido a bien incrustar en su mente. Desde la otra orilla de la muerte, el viejo ladrón seguía haciéndole sentir su presencia: le picaba las corvas, le sacaba la lengua, hacía burla de sus aprensiones, se reía de sus sueños.

Aurelio devolvió su atención al paisaje. Habían pasado el pueblo de La Venta y la colina donde se encontraban los restos del caserío de La Primavera. Frente a ellos el camino descendía hacia la derecha en una serie de suaves ondulaciones hacia un valle cubierto de agaves azules. Los agaves habían desbordado la traza original de sus parcelas y ahora crecían apiñados en grupos: violentos, ariscos, intrincados, blandiendo al aire la afilada punta de sus hojas, como inflexibles cardos de acero. Al otro lado de la carretera, el terreno iba cayendo en escalones abruptos hacia la zona cañera. A corta distancia se distinguía la cortina de una presa, con un boquete en el centro y tras ella un prado cubierto de hierba esmeralda, que contrastaba con el tono terroso del paisaje. Aquel era el dominio de una manada de vacas, sobre la que señoreaba la figura imponente de un toro negro.

—¿Te dije alguna vez que Quicho y yo dinamitábamos presas?

—¿Dinamitábamos? —repitió Laila con dificultad.

—Las hacíamos estallar. Con explosiones. Mucho ruido y fuego. ¿Sabes a lo que me refiero?

—Sí. Cuando era niña las cosas explotaban. Amarillo y rojo. La tierra se movía.

El camino los iba acercando a los restos de la presa. La cortina era antigua, de argamasa y piedra. Estaba cubierta por una pátina parda, que la integraba con suavidad al resto del entorno. El boquete en su centro había sido un mero trabajo utilitario, justo lo requerido para drenar el agua por completo. Desde su orilla, el toro no dejaba de mirarlos. Tal vez ellos fueran los primeros humanos que veía, pero el recelo y el temor parecían estar inscritos en la memoria genética de su especie. Por un momento, Aurelio lo imaginó embistiendo la carreta, desgarrando con los cuernos el vientre de la mula.

—Quicho, cuando lo viste… ¿cómo estaba?

—Mal. Casi no podía comer nada.

—¿Se veía que sufriera?

—Sí. Pero no se quejaba. Masticaba una hierba.

—¿Te quedaste con él hasta el final?

—No. Me dijo que quería estar solo. Una mañana desperté y ya se había ido. Entonces me volví a las cañadas.

Habían llegado a una bifurcación en el camino. La carretera principal seguía por la derecha hacia Tequila, Ixtlán y Tepic. El ramal de la izquierda era más angosto y bajaba hacia la zona azucarera: Tala, Ameca, y detrás de los valles, la sierra. Aurelio había estado pensando sobre lo que convendría hacer al llegar a ese entronque, pero quiso dejar la decisión final para el momento, según hubieran marchado las cosas hasta ese punto. El camino por Tepic era más sólido y seguro, pero también más largo y no los iba a salvar en última instancia de cruzar la sierra. Con Quicho y Catalina había seguido esa ruta, que era prácticamente la única por la que se podía llegar entonces en automóvil. En las circunstancias actuales, sin embargo, lo más directo podía ser también lo más rápido. Aurelio conocía, o creía conocer, la sierra; y se sentía respaldado, además, por los mapas que arrancó de un viejo atlas de carreteras que había en el convento. Parado por fin frente a la disyuntiva, su corazćn lo movía a seguir por la izquierda. Deseaba emprender algo nuevo, algo propio, algo que pudiera ser a partir de ese momento sólo suyo y de Laila.

Enfiló la carreta en esa dirección y un poco más adelante comenzaron a descender por un terreno accidentado, lleno de barrancas y de arroyos, de curvas y de pendientes. Aquella carretera lucía mucho más destruida de lo que habían estado las otras. Multitud de derrumbes y de deslaves interrumpían el paso a cada momento y los obligaban a bajar de la carreta para guiar a la mula. Casi todos los puentes estaban destruidos y sólo gracias a que los ríos llevaban poca agua les era posible vadearlos. Salir de aquel primer tramo les llevó todo el resto del día y cuando por fin llegaron a un promontorio plano, que parecía encontrarse a la orilla de un largo valle o de una sucesión de valles que se prolongaba hasta el horizonte, el sol ya estaba por meterse.

Acamparon cerca de un campo silvestre de caña de azúcar y durante los próximos días siguieron caminando en medio de ellos. El aire se tornó tibio. A su derecha los acompañaba la silueta abollada del cerro de Tequila, de donde se desprendía una larga línea de cumbres que llegaba hasta la sierra. Era como si hubieran penetrado en un ámbito distinto, que existiera en un espacio aparte, a espaldas y como olvidado de los lugares donde se habían decidido los destinos del mundo. El cambio de aires levantó visiblemente el ánimo de Laila, que se sentía volver a su elemento. Aurelio también pareció liberarse del cerco de sus recuerdos y empezó a tratar con Laila en términos de Laila misma, más que como el reflejo a distancia de una ilusión perdida. A partir de ese punto el diálogo en torno al libro cobró vida nueva. Laila había logrado descifrar la totalidad del texto, entendía el lenguaje y hasta la naturaleza aproximada de lugares y objetos que no había visto nunca. Pero seguía sin poder definir lo que estaba en juego. No conseguía palpar la naturaleza de las emociones a las que se aludía. Le faltaba una noción más precisa del contexto que le daba continuidad y sentido a aquella serie de estampas. Había crecido en un mundo sin aspiraciones, donde las ideas de intimidad, de transgresión, de competencia y de prestigio no tenían casi significado alguno. Su imagen del mundo anterior era ciertamente grandiosa, pero también casi por completo inerte, apagada y vacía. Existían en su mente los espacios y los perfiles de su arquitectura, ahora tenía que poblarlos con seres de carne y hueso.

Cuando Aurelio acabó de entender lo que hacía falta, se propuso colmar su mente con multitudes. Trabados en esa larga conversación pasaron por Tala y por Ameca; cruzaron las vías del tren y vieron los vagones habitados por plantas que salpicaban sus orillas; treparon a las montañas de fierros que fueron las fábricas; capturaron ranas y conejos; conocieron el interior de las chimeneas abatidas; comieron limas, melones, jícamas, arrayanes, mangos y tejocotes; recorrieron las norias y los canales de riego; arrancaron de la tierra cañas y camotes; montaron sobre el esqueleto inmenso de una grúa; pescaron mojarras llenas de espinas y las asaron sobre varas de guayabo, bajo la sombra de un eucalipto, mientras hablaban de lo que era un periódico, de quiénes trabajaban en él y para qué existía; de cuándo se heredaba una casa; de la celebridad; del porvenir; del miedo; de los viajes en barco, de los juguetes y de las medicinas; de cuál era la función del arte o de la basura; de por qué el dinero, el amor, la música, lo prohibido; de la ira de Dios y de los parques y de las películas. Y mientras hablaban de todo aquello, Aurelio trataba de hacerle ver a Laila que en el corazón de cada uno de los fantasmas que habitaron ese mundo se agitaba un mar furioso de deseos, de rencores, de ilusiones, de culpas y de mentiras.

Para entonces, ya habían llegado al pie de la sierra y comenzaban a subir por el camino que llevaba a Mascota. La inminencia de las montañas iba despertando en ambos sentimientos profundos, aunque de naturaleza distinta, que ninguno de los dos había considerado, cuando menos de manera consciente, hasta ese momento. Aurelio había llegado ahí huyendo de la justicia; las montañas fueron su refugio y su olvido. Laila, en cambio, había nacido en ellas, aunque no lo sabía, y si tuvo que dejarlas fue empujada por la violencia. Ahí habían quedado los remotos recuerdos de una familia, y asociada con ella, la nostalgia de una paz primigenia que no había vuelto a conocer nunca. Aurelio sabía lo que se acercaba; Laila no hubiera podido imaginarlo siquiera. El espacio de su primera infancia era apenas una realidad interior, que nunca había tenido un correspondiente concreto en la realidad del mundo. Sabía que existía, en algún lugar, pero ese lugar podía encontrarse en cualquier parte. Nunca imaginó que volvería a verlo. A pesar de las diferencias abismales y sin que ninguno de los dos lo tuviera presente, aquellas montañas eran el único ámbito concreto donde podían llegar a tocarse los arcos de sus respectivas vidas.

El camino seguía subiendo y la vegetación que los rodeaba se iba transformando poco a poco. Laila comenzó a sentirse acosada por recuerdos oscuros. El olor del bosque, la densidad del aire, el ángulo de la luz a través del follaje, el sonido de los insectos, despertaban en su memoria emociones fugaces. Se trataba apenas de relámpagos, que no llegaban a aclararse en imágenes concretas; sin embargo, el signo de tales vestigios era un temor intenso. Aquel había sido el espacio de la huida, no el lugar en calma que conoció antes de eso. Al terror profundo que evocaba su memoria se sumaba el desconcierto de estarlo recordando todo de un modo tan abrupto. Laila acercó el cuerpo a Aurelio y se cogió de su brazo.

—Yo pasé por aquí… o por aquí cerca —dijo con voz muy baja.

—¿Estás segura?

—Sí.

—Es posible. Yo también, aunque lo más probable es que fuera en la dirección contraria.

Aurelio había llegado primero a Autlán, donde Quicho tenía gente, y a partir de ahí se había internado en la sierra. Al principio se trataba sólo de salir de circulación por un tiempo, en lo que se calmaban las cosas. Poco después descubrió que no tenía motivo alguno para volver. La soledad de la sierra le sentaba. La amplitud del espacio era como una esponja que absorbía su angustia. Pasó de las rancherías que se encontraban en las orillas de la montaña a los puestos en el interior del monte, donde vivía la gente armada que cuidaba los cultivos, y de ahí a un lugar aún más remoto dentro del macizo de cumbres y de cañadas. Se hizo cargo de un laboratorio clandestino. Así volvieron a su mente las sesiones con su padre en el viejo sótano de la casa de Chihuahua. Renació en su corazón el gusto por la química. Le atraía la precisión, la limpieza, la certidumbre de un procedimiento que conduce de manera infalible al resultado previsto. Era como sus demás adicciones: modos predecibles de alcanzar un estado específico, formas de despejar la incertidumbre.

—Había un polvo, que la gente se inyectaba en las venas.

—¿Inyecciones eran esas medicinas con punta?

—Sí. Sólo que ésta no era en realidad medicina, sino droga.

—Ah, droga. ¿Y qué te hacía?

—Te ponía a soñar, sin estar dormido.

—Había muchas, ¿no?, drogas. ¿Por qué tantas?

—Porque casi a nadie le gustaba el mundo. Así nada más, como era.

Para Aurelio, curiosamente, aquellos años de su vida fueron casi los únicos sin drogas. Comenzar a inyectarse heroína no podía tener otro destino que la muerte. Y la muerte, en ese momento, le parecía una solución inaceptablemente sencilla. Casi un premio. Para alejar la tentación de su cuerpo dejó también de fumar y de beber y de cualquier otra cosa. Se propuso mantener inalterada su conciencia, para que nada ablandara o diluyera el estigma de su aflicción. A cambio de todo aquello se construyó una rutina invariable, que volvía indistintos todos sus días. Cada hora dedicada a una tarea concreta, reiterativa, cerrada. Así pasaron los años. Los personeros de Quicho que venían de vez en cuando al laboratorio lo iban enterando de lo mal que marchaban las cosas en el mundo. Por todas partes, los acuerdos mínimos que habían hecho posible la convivencia hasta entonces se desmoronaban sin remedio. Aún en la montaña, entre seres de suyo irredentos, se respiraba un aire inédito de rebeldía, un inusual apetito de destrucción. Cuando los conflictos empezaron a explotar de manera abierta en las ciudades, la mayor parte de aquella gente abandonó la sierra: los atractivos de una vida meramente criminal palidecían frente a las intensidades de una verdadera guerra. La dinámica de población pareció invertirse. La canalla salió de los montes y lo que llegaba en su lugar era gente de todo tipo en busca de paz. No era fácil sobrevivir en aquel medio, así que sólo los más jóvenes y los más decididos conseguían asentarse. Cuando las cosas se ponían difíciles, Aurelio se refugiaba con la poca gente que seguía a su lado en el interior de una mina abandonada, que había servido de escondite durante más de un siglo a diferentes grupos irregulares.

Tras el cataclismo inicial, la violencia se fue regularizando. Asumió ciertos patrones, cierta mecánica, ciertos principios: se convirtió en un modo de vida. Unos conseguían adaptarse y otros no. Por aquella época, Aurelio perdió todo contacto con Quicho. Lo último que recibió de su parte fue a Cora. La camioneta que la trajo era la primera que Aurelio había visto circulando en años y la última que vio moverse en su vida. Se detuvo como a medio kilómetro de la cabaña, bajó a la niña y dio media vuelta antes de que Aurelio pudiera acercarse. Cuando lo tuvo enfrente, Cora le dio la foto sin decir palabra. Su parecido con Catalina lo desconcertó al instante, pero las respuestas que ofreció a sus primeras preguntas cancelaron de inmediato cualquier exploración ulterior sobre su origen:

—¿Cómo te llamas?

—Cora.

—¿Quién te dio la foto?

—Nadie. Es mía.

—¿Sabes quiénes son estos niños?

—No.

—¿Quién es tu mamá?

—No sé.

—¿Tu papá?

—Tampoco.

—¿Con quién vivías?

—Con mi abuelita. Pero no era de verdad mi abuelita.

—¿Qué le pasó?

—La mataron.

—¿Conoces a Quicho?

—Sí.

—¿Desde cuándo?

—Desde siempre. Él me mandó con los señores de la camioneta.

—¿Cuántos años tienes?

—Como nueve.

Aurelio concluyó que Cora debía ser hija de algún pariente de Catalina, acaso de su propia hermana. Quicho ya no se sentía capaz de protegerla y esperaba que Aurelio la cuidara. El mundo se había llenado de huérfanos, todas sus historias eran, a fin de cuentas, indistintas.

Cora resultó ser una niña tranquila y casi por completo silenciosa. Ni ella ni Aurelio hablaban nunca de su pasado o mostraban interés alguno por conocer el del otro. Se insertó sin problemas en su nuevo mundo porque estaba acostumbrada a no pedir ni esperar nada. Aurelio procuró verla desde un principio como una tarea más que era necesario sacar adelante. Le construyó un altillo en su cabaña, donde colocó una cama y una pequeña cajonera para sus cosas. No había por ahí más niños que ella, excepto los que pasaban de pronto, así que Cora vivía una vida solitaria. Hubo familias que se ofrecieron a llevársela, para que viviera en un entorno menos desolado, pero ella nunca mostró interés por irse con nadie. Ayudaba en la casa y en el laboratorio, hacía la comida, cuidaba los animales, la hortaliza y dedicaba muchas horas a caminar por el bosque. Cuando no tenía nada que hacer o estaba lloviendo, lo cual llegaba a suceder sin interrupción durante días, se sentaba a leer. La gente le traía libros a Aurelio porque sabían que le gustaba juntarlos, aunque no los leyera. Su determinación de abstinencia en todo lo relativo a enervantes se extendía con lógica inflexible hasta las letras. Fue así como Cora se formó su peculiar imagen del mundo, compuesta enteramente por las visiones que derivaba de aquellas novelas, casi todas escritas en lugares remotos, en siglos ya perdidos y olvidados.

Entre ella y Aurelio fue creciendo un lazo estrecho pero contenido, cuyo centro era el respeto que cada uno estaba dispuesto a mostrar por la soledad del otro. Hablaban poco y nunca sobre temas que pudieran concernirles íntimamente. Se ponían de acuerdo sin discusiones sobre lo que tenían que hacer y en todo lo demás dejaban que cada uno dispusiera de su vida como mejor le pareciera. Hubieran deseado quererse de un modo más estrecho, pero ambos evitaban de forma instintiva cualquier sentimiento profundo que los dejara expuestos. Una o dos veces al año, si encontraban el campo descubierto, bajaban por las barrancas hasta la costa y se pasaban algunos días en una de las pequeñas playas escondidas entre los montes. Frente al mar, sus sentimientos parecían ablandarse y salían a la superficie en pequeñas dosis. Entonces llegaban a tomarse de la mano o a darse un beso en la mejilla y se permitían sentir algo semejante a lo que hubiera sido que él fuera de verdad un padre y ella de verdad su hija. Terminadas las vacaciones, regresaban a la montaña y el aire delgado de la sierra volvía a colocarlo todo en su lugar de siempre.

Aurelio gozaba de una situación de privilegio, porque lo que producía era tan deseable y necesario para todos que existía el acuerdo tácito de dejarlo tranquilo. La dimensión de sus operaciones tenía un impacto apenas regional y no justificaba que fuerzas superiores se tomaran la molestia de someterlo. La dinámica del negocio cambió radicalmente. El dinero se volvió inservible. Sólo tenía valor aquello capaz de derivar una utilidad concreta y su atractivo en el trueque fluctuaba en función directa a su escasez relativa. Aurelio diversificó su línea. Del segmento puramente recreativo se extendió hacia un área más propiamente médica: anestésicos, calmantes, expectorantes, antiespasmódicos y otros productos de aplicación práctica, para los que existía una demanda creciente. La falta de sustancias químicas lo obligaba a improvisar, a perfeccionar sustitutos, a desarrollar nuevos vehículos, a imaginar formas de inoculación diversas. No era sólo que faltaran los precursores que antes empleaba, sino que aquellos que de pronto llegaban a sus manos no eran siempre los mismos, ni tenían una pureza estable, de modo que tenían que modificar sus fórmulas de manera continua. El proceso producía tantos fracasos rotundos como descubrimientos felices y Aurelio entró en contacto con gente a la que nunca hubiera creído tener que tratar, mujeres que conocían recetas de herbolaria aprendidas en sus infancias rurales o recalcitrantes pobladores de las urbes, que ofrecían soluciones puramente sintéticas, a partir de compuestos de uso común en las ciudades que nunca fueron concebidos para aquellos fines. No podía decirse que fuera feliz, pero durante ese tiempo llegó a conocer al menos una especie de calma. Habitaba un mundo circunscrito, dominado por el propósito único de sobrevivir. El imperativo primordial de construirse había perdido por completo su terrible importancia.

El tiempo seguía su marcha, aunque no pareciera conducir a nada concreto. Los horrores y sobresaltos recurrentes acababan por irse mezclando con la textura indistinguible de lo cotidiano. Cada nuevo día era un espejo del anterior y una profecía precisa del venidero. Nada parecía evolucionar o transformarse, dar pie de modo alguno a una realidad distinta. Tal vez por eso, Aurelio no se dio cuenta de que Cora había dejado de ser una niña hasta el día en que llegó a la cabaña acompañada por un hombre joven. Mientras la escuchaba exponer con tímidas razones sus planes comunes le pareció que reparaba por primera vez en la elástica plenitud de sus miembros, en la mirada entendida de sus ojos, en su belleza nerviosa, acallada y rústica. No porque fuera la primera vez que las veía, sino porque no se había detenido a considerar lo que significaban. Perplejo, constató de aquella forma súbita que eso que había llegado para él tantos años atrás llegaba también ahora para ella e iba a seguir llegando para los demás, hasta el final de los tiempos.

Hablaron muy poco mientras ayudaba a Cora a reunir sus cosas. Insistió en que se llevara todos los libros que quisiera y él mismo se encargó de empacar sus preferidos: *El idiota, ¡Absalón, Absalón!, La isla de los pingüinos, El caballero inexistente, La piel de zapa, Corazón de tinieblas, La metamorfosis*. Acomodaron los bultos sobre el lomo de un burro y al momento de despedirse al pie de la vereda se estrecharon con fuerza en el único abrazo de verdad que habrían de llegar a darse en toda su vida.

De regreso en la cabaña, Aurelio se detuvo frente al espejo a considerar su rostro. Vio el cabello entrecano, la madeja de arrugas, la mirada torva, desgastada y vacía. Recorrió con los ojos el interior de la casa. Estaba convertido en un viejo y no tenía otra cosa en el mundo que esa choza sombría. Se lo dijo sin emoción, como quien resuelve una cifra cualquiera en el cálculo de sus utilidades mercantiles. Si la juventud era una moneda de cambio, él había malbaratado la suya. Pudo ver su futuro como una repetición interminable de cuartos vacíos. Un balbuceo recurrente, amorfo e ininteligible. Hubiera querido que le preocupara, pero lo cierto era que le daba lo mismo. Se supo impermeable por completo a cualquier suceso. Ni siquiera darse cuenta de ello le produjo sentimiento alguno. Salió a la luz de la montaña, caminó hasta el laboratorio y siguió trabajando en sus cosas como cualquier otro día.

Pasaron dos o tres años. Alguien le dijo un día que Cora estaba viviendo cerca de Talpa.

—¿Tú la viste?

—Sí, hasta hablé con ella. Le nació una niña. Viven en una casa bonita, con huerta.

—¿Está bien?

—Mejor no se puede ahorita.

—Qué bueno.

—También dicen, Aurelio, que se está viniendo algo nuevo. Algo mucho más peor que todo lo que se ha venido.

En los meses siguientes la sierra comenzó a llenarse de gente que venía huyendo. Gente impulsiva y rapaz, que no había conocido otra cosa que la violencia. Se hablaba de un tipo distinto de guerra. Una fuerza mayor, abrumadora, incontenible, que venía arrasando desde el norte con todos los bandos. Aurelio se quedó solo. El par de ayudantes que seguían con él prefirieron ir a juntarse con lo que pudiera quedarles de familia. Tras una rápida evaluación de su posibilidades, decidió seguir donde estaba. Ya sólo producía goma de opio, que cosechaba él mismo en los campos de amapola silvestre y con eso lograba cubrir sus necesidades, que ahora eran mínimas. Por las noches, se sentaba a mirar el cielo nocturno, iluminado a la distancia por el resplandor rojizo de las explosiones. Calculaba el tiempo que tardaba en llegar el sonido, consideraba la dirección de las luces y deducía si venían de Tepic o de Magdalena, de Ixtlán, de Ayutla, de Autlán, de Cocula o de Guadalajara. Fue por entonces cuando escuchó mencionar por primera vez el nombre de la *urdimbre*. Le pareció uno más de los cientos de rumores y fantasías que circulaban de boca en boca por todos los rincones de la sierra.

Cierta mañana tocaron a su puerta unos niños. Ninguno podía tener más de doce años. Dado el aspecto desastroso de sus dos caballos, era claro que no sabían vivir por aquellos rumbos. Querían cambiarle opio por armas. Su carreta estaba llena de rifles, pistolas, escopetas y cartuchos. Todos en pésimo estado. Aurelio les dijo que no necesitaba nada de eso, pero que les daría lo justo por un buen machete. Su contraoferta fue tundirlo a palos. Le robaron sus drogas, destruyeron el laboratorio y lo dejaron por muerto a la orilla del camino. Aurelio volvió en sí varios días más tarde, sacudido por los mordiscos de un perro que comenzaba a comerle la mano. Se arrastró como pudo hasta la choza y atrancó la puerta.

En cuanto tuvo fuerzas para hacerlo, tomó su escopeta, su machete viejo, varias cajas de cartuchos, los libros más gruesos que había en su librero, la sal que pudo encontrar en la casa, una cuerda larga, algo de ropa, un par de cobijas y lo metió todo en un saco. Al salir de la choza, se encontró con que el perro lo estaba esperando. El mismo animal que unos días antes se disponía a masticar sus miembros, ahora trataba de congraciarse con él mediante melosas profesiones de pleitesía. Tan repentina transformación de proyecto de cena en prospecto de amo no dejó de sorprenderlo. Había sido un despojo y por lo tanto, comida. Ahora volvía a ser un hombre. El perro era capaz de apreciar la diferencia. Aurelio se detuvo a examinarlo por un instante: tenía el pecho fuerte y el hocico chato de un mastín, pero todo el resto de su cuerpo era un híbrido indefinido. Se veía entero, lo que permitía suponer que era capaz de procurarse su propia comida. Pensó que podría servirle de protección. También, aunque le costara reconocerlo, de compañía. Si llegaba a convertirse en un problema, todo era cosa de darle un tiro. Aurelio comenzó a caminar hacia el norte, el perro echó a andar a su lado y él no hizo nada para evitar que lo siguiera.

Por las inmediaciones de Talpa se encontraron con un grupo de gente que venía huyendo.

—Ni caso tiene que le siga, don. Por allá ya no queda nada.

Aurelio les preguntó por una pareja joven, con una niña pequeña.

—Sólo que sean unos que vivían por el viejo molino —conjeturó un muchacho, mientras señalaba vagamente hacia el noroeste—. Pero yo no le recomiendo que vaya, ese lado quedó muy feo.

—Seguí sus indicaciones y caminé durante casi un día hasta llegar a una explanada de hierba, al pie de una pequeña loma… —Aurelio titubeó un instante, alcanzaba a percibir la ansiedad de Laila, sentada a su lado sobre la carreta. El camino había dejado de ascender. Ahora avanzaban en medio de un pequeño valle alargado y angosto. Comenzaba a arrepentirse de haber emprendido el relato de aquella historia.

—Llegaste a la explanada de hierba y qué pasó —lo empujó Laila con impaciencia.

—A la entrada del camino había un tanque de piedra, donde se juntaba el agua que escurría de la loma. Ahí encontré el cuerpo tieso de un gato, hundido hasta el fondo. Alguien le había cortado las cuatro patas con un machete. De la casa sólo quedaban los carbones de unas cuantas tablas. Los corrales y el gallinero estaban vacíos. Junto a los restos quemados había tres guayabos y de la rama más fuerte de uno de ellos colgaba un columpio. Doblado de panza sobre el columpio estaba el cadáver descompuesto del marido de Cora. Tenía puesta la misma ropa que el día que se fueron. No podía llevar muerto más de una semana.

Laila trataba de visualizar aquella escena, pero no conseguía dar con las imágenes requeridas. Había visto muchos muertos en su vida, pero ninguno víctima de esa clase de violencia. O si había llegado a verlos, ya no lo recordaba.

—¿Qué pasó con Cora y con la niña?

—No lo sé. Busqué sus cuerpos por todas partes. No los encontré. Tampoco vi signos de que las hubieran matado. Tal vez lograron huir. O se las llevó la gente que atacó la casa.

—¿Estás seguro?

—Eso fue lo que vi.

—¿Tú qué hiciste?

—Enterré los cuerpos y me seguí a la mina.

La vieja mina de cobre había dejado de operar hacía más de un siglo y la entrada de su tiro principal fue cegada desde entonces con una descarga de dinamita. El tiempo terminó por cubrirla de maleza hasta volverla indistinguible de la ladera del monte. Había un acceso lateral, más estrecho, cuya abertura estaba casi cubierta por una roca. Unos arbustos de moras terminaban de ocultar esa segunda entrada. Se trataba de un túnel angosto, labrado a pico, más antiguo que el cuerpo central de la mina y emprendido quizás para tomar muestras. El túnel desembocaba en el techo a una bóveda natural de unos quince metros de altura. La única manera de subir o bajar por ahí era usando una cuerda o una escala, de modo que podía ser defendida fácilmente desde adentro. Los túneles de la mina se perdían en el interior de la montaña y llegaban a conectarse con un sistema de cuevas, por donde pasaba un arroyo subterráneo.

—Estuve años metido en la mina. Acabé por perder la cuenta del tiempo.

Unas semanas después de haber entrado en la mina Aurelio comenzó a escuchar un sonido diferente de cualquier otra cosa que hubiera escuchado nunca. Se venía acercando desde el norte. Era como una lluvia pareja, algo parecido a una máquina que tritura, con ritmo constante, una variedad de objetos. Se asentó encima de su cabeza durante varios días y luego se alejó hacia el sur, del mismo modo gradual como había llegado.

—Después de eso, no volví a oír nada. Nada en lo absoluto, durante meses. Tal vez hubiera podido salir, pero me aterraba pensar en lo que me iba a encontrar afuera.

Podría haberle dicho también que había algo en esa vida ciega al interior de la mina que le asentaba. La regularidad, el vacío, el afecto sin complicaciones que le profesaba el perro. De algún modo, la mina era la prolongación natural del curso que había ido tomando su relación con la vida. Si no hubiera llegado la violencia, habría encontrado otra forma de recluirse al interior de un agujero parecido.

—¿A qué te dedicabas? ¿Cómo pasabas los días?

—A buscar qué comer, casi todo el tiempo. Había pececillos en el arroyo, ajolotes, ranas, insectos. Crecían además unos hongos en los lugares por donde se filtraba un poco de luz a través de las grietas. Aprendí a cultivarlos. El perro traía de pronto algún animal muerto. Curaba las cosas con sal. Fue la sal lo que me salvó la vida. La sal y el perro. El perro evitó que me hundiera sin remedio dentro de mí mismo. Caminaba mucho, iba y venía a tientas por los túneles durante semanas. En las horas en que entraba luz por las grietas, me sentaba a leer alguno de mis libros. Una mañana me di cuenta de que iba leyendo una página adelante de la página en la que tenía abierto el libro. Conocía de memoria cada palabra. Podía repetirla en la mente sin mirar las letras. Mi vida se había convertido en una serie de gestos vacíos. Un reloj que sigue dando la hora en una casa desierta. Entendí que había llegado el momento de salir, a lo que fuera.

Al exterior de la mina, Aurelio se encontró con un mundo recién nacido. Todo a su alrededor resplandecía impoluto, purificado, como si acabara de surgir en ese momento de las entrañas de la tierra. Un verde translúcido y blando saturaba sus pupilas. Millones de aromas sobrepuestos se atropellaban al interior de su olfato. El viento sacudía la copa de los árboles y llenaba sus oídos con una aglomeración de voces olvidadas: el trino metálico de unas golondrinas, la nube furtiva de un enjambre de abejas, el crujido de las termitas dentro de un tronco seco, el rumor del agua que se escurre entre las piedras de un arroyo. Sus ojos entrecerrados parecían diluirse bajo la intensidad de la luz y los rayos del sol abrasaban sus mejillas como un líquido incandescente. Respiraba con dificultad un aire sutil, enrarecido, enervante. No podía caminar más que unos pasos sin sentir taquicardias y mareos. Era como si hubiera saltado al interior de un estanque, lleno de imágenes refulgentes, donde la avidez por absorberlo todo tuviera que ceder al imperativo de mantenerse a flote.

Cuando volvió a sentirse en plenitud de forma, comenzó a caminar hacia el sur, hasta que llegó a la orilla de un río caudaloso. No recordaba que hubiera por ahí un cauce de tales dimensiones, pero todo era distinto ahora. Tardó un largo rato en encontrar el lugar propicio para vadearlo y cuando comenzaba a hacerlo descubrió que el perro no parecía estar dispuesto a seguirlo. Se había sentado sobre la arena y lo miraba fijamente, sin mover un dedo. Por lo visto, había algo en esa parte de la sierra que lo llamaba. El apego por su compañero no era tan grande como el apego que lo unía con aquel pedazo del mundo. Aurelio reparó entonces en el hecho de que nunca le puso un nombre. Acaso siempre supo en su interior que lo suyo era un arreglo pasajero. Pertenecían a realidades distintas y había llegado el momento de separarse. Se agachó para acariciarle la cabeza. El perro le lamió las manos. Aurelio dio media vuelta, metió los pies en el agua y se siguió de frente sin volver la vista.

Unos días después comenzó a toparse con los restos de algunas rancherías. Al principio prefirió mantener su distancia, hasta tener una mejor idea de lo que podía esperar en caso de un encuentro repentino. Evitaba las veredas grandes y los caminos de tierra. Miraba desde lejos las ruinas de los caseríos hasta estar seguro de que nada ni remotamente humano se movía en ellos. Al llegar a las inmediaciones de Autlán prefirió rodearlo, aunque tampoco le pareció distinguir signo alguno de vida en sus calles desoladas. Su confianza fue creciendo conforme pasaban los días sin encontrar a nadie. Así llegó hasta las orillas de Zapotlán y decidió que tarde o temprano tenía que correr algún riesgo. No podía vivir en el monte para siempre. Entró a la ciudad, caminó por sus calles y se sintió un tanto ridículo al confirmar que también estaba despoblada. Era poco lo que quedaba en pie de sus construcciones: apenas unos restos de bardas y los trozos irregulares de algunas azoteas. El viento sacudía el polvo sobre las calles de Zapotlán como si nunca hubiera sido otra cosa que la precaria tramoya de una mala película de rancheros. Nada más había vacío y ese rumor seco que se cuela al interior de los oídos en todos los pueblos fantasma. La soledad comenzaba a desesperarlo. Dejó de temer encontrarse con alguien y comenzó a temer que no quedara de verdad nadie más en el mundo.

Tenía que dirigirse hacia el centro del país. Ahí debían haberse concentrado los sobrevivientes. Al menos *sus* sobrevivientes, si es que los había. Comenzó a caminar por mitad de la carretera. Pasó de Zapotlán a Mazamitla, de Mazamitla a Jiquilpan y de Jiquilpan a Zamora. En cuanto salió de la sierra, vio que la destrucción volvía a concentrarse en torno de las zonas urbanas y variaba considerablemente de un lugar a otro. De algunos poblados sólo quedaba una mancha oscura. Otros lucían casi intactos. Todos estaban desiertos. Cuando bajaba hacia Maravatío, vio desde lejos una patrulla de la *urdimbre*, que andaba destruyendo iglesias. Como no podía saber lo que eran, ni a favor o en contra de quién estaban, los siguió desde lejos durante algunos días, con la escopeta en la mano. Eran poco más de una docena de hombres y mujeres, que debían tener una edad semejante a la suya. Se movían sin prisa y trabajaban con calma. O no trabajaban. Un día entero lo pasaron nadando desnudos en el río. Nadie parecía estar a cargo, porque cada vez que se disponían a destruir algo, se sentaban durante largo tiempo a decidir cómo hacerlo. Cuando Aurelio confirmó que sus actividades de demolición se limitaban estrictamente a los lugares de culto, a las cortinas de las presas y a cualquier otra estructura destinada a detener el curso del agua, se atrevió por fin a acercarse. Su aparición no provocó en el grupo mayor sorpresa:

—Vaya, pensábamos que no te ibas a arrimar nunca —le dijo una de las mujeres, mientras lo miraba con curiosidad de arriba a abajo. Lo único que le pidieron fue su escopeta.

—Ya no la vas a necesitar, te lo aseguro.

Aurelio la entregó sin discutir. A esas alturas, no quería que nada pusiera en entredicho su feliz reencuentro con el género humano. En dos o tres minutos, uno de aquellos hombres dejó el arma reducida a sus componentes primarios. Con la misma rapidez, otro transmutó los cartuchos en un montón de cartoncitos encerados, láminas de cobre, perdigones y pólvora. Para terminar, torcieron el tubo del cañón, quemaron la culata, guardaron la pólvora con sus demás explosivos y arrojaron los fierros restantes al fondo lodoso de un estanque contiguo. Entonces le trajeron un plato con comida, le ofrecieron un curado de nanche y se dedicaron a ponerlo al día sobre el nuevo estado de cosas.

Aurelio los escuchó con atención, pero no creyó una sola palabra de lo que le decían. Pensó que se trataba de un grupo de lunáticos que había perdido el juicio durante la violencia. Lo cual, bien mirado, superaba por mucho sus expectativas más favorables. Desde que se decidió a salir de la mina, no pensó en ningún momento que se fuera a encontrar con una situación en la que el uso de la fuerza hubiera dejado de ser el factor decisivo. Por locos que estuvieran sus nuevos amigos, era claro que su seguridad no les preocupaba y si la realidad no avalara su desenfado, haría tiempo que hubieran pasado a mejor vida. Su atención se concentraba en las mujeres del grupo, que no parecían mantener una filiación exclusiva con nadie y respondieron sin vacilar a las intenciones de su mirada desde un principio. En circunstancias habituales, hubiera matizado su entusiasmo por los modestos encantos de aquellos cuerpos maduros; ahora los contemplaba como si fueran una grácil parvada de ninfas. Creía haber superado esa clase de apetitos, pero la vuelta al mundo comenzaba a tener un efecto tonificante sobre su cuerpo.

Durante las semanas siguientes, la realidad de la *urdimbre* se le fue confirmando. De vez en cuando se encontraban con otros grupos similares al suyo, dedicados también a preparar el terreno para la salida de las comunidades de la selva. La idea de llegar a la ciudad quedó postergada, aunque eventualmente acabaría por cumplirse. Aurelio disfrutaba la vida profusa y cadenciosa, los placeres elementales, la claridad objetiva de su labor demoledora. Nunca había participado en un arreglo menos conflictivo. En un extraño reverso, creía descubrir en esa existencia despreocupada lo que soñó en algún momento que sería su juventud: una sucesión de situaciones atípicas, acaso levemente extravagantes, que se resolvían de manera invariable en algún tipo de fiesta. Nadie hablaba nunca de su vida anterior, ni de su soledad, ni de sus muertos. Nadie quería saber quién había sido víctima o verdugo, quién cuántas veces ambos, con tal de seguir en el mundo. Haber sobrevivido era un estigma que los hermanaba a todos, por diversas que fueran sus vidas antes de eso. Aurelio comenzaba a creer que el destino le ofrecía una página en blanco, libre de compromisos, surgida sin ataduras de la nada. Una cuenta en ceros, donde las deudas de su vida anterior quedaban saldadas. Lo único irónico, en todo caso, era que ya no tenía mayor cosa que hacer con ella.

No sabía entonces que el pasado lo esperaba muy cerca. Unas semanas después, en un lugar próximo a San Juan del Río, donde se iban a reunir con otro grupo para volar una cortina grande, Aurelio distinguió a Quicho desde lejos, parado bajo la sombra jaspeada de un mezquite. Lo reconoció enseguida, aunque ya casi no quedara en aquella figura nada del hombre al que dejó de ver tantos años antes. Encontrarlo con vida lo sorprendió mucho menos de lo que pudo haberse imaginado. Si alguien iba a prevalecer bajo cualquier circunstancia, ese alguien era Quicho. Al mismo tiempo, sin embargo, le pareció que su presencia desencajaba de un modo profundo con la esencia de esa realidad distinta. Verlo fue sentir que se tocaban, de manera imposible, mundos irreconciliables.

—Lo encontré reducido, como concentrado, con el cabello escaso y cenizo. Tenía la mirada llena de sombras, llena de los vestigios de tantas muertes.

La carreta se aproximaba a la punta del valle. A uno y otro lado del camino las cumbres de la sierra se alzaban inmensas, silenciosas, ensimismadas. Según los cálculos de Aurelio, ya tenían que haber llegado a Mascota, o a lo que quedara de ella. Habían pasado la desviación a Talpa cuando menos dos horas antes. Pero la carretera era una línea solitaria, incongruente, en mitad de aquel mar de vegetación arrolladora. Las ruinas del pueblo no aparecían por ninguna parte. En realidad, ahora que lo pensaba, llevaban un par de días sin encontrar el más mínimo vestigio de presencia humana. Desde que comenzaron a subir por la sierra dejó de haber otra cosa que la carretera, la cual mostraba, en contraste, un estado de perfección asombrosa. Era la mejor que habían recorrido en todo el viaje. La negrura de su asfalto rebosaba aún con la lozanía de lo nuevo y dentro de sus rayas blancas y amarillas las partículas reflejantes saltaban a la vista con cada paso. No crecía una sola brizna de hierba sobre la compacta unidad de su superficie y hasta las ramas de los árboles parecían evitar extenderse por encima de ella. Aurelio levantó la vista al cielo por entre las paredes de ese cañón vegetal. Hacía tiempo que el sol se había perdido detrás del contorno de la montaña. La noche iba a caer en cualquier momento, de manera repentina, como solía hacerlo por ahí en aquella época del año. Frente a ellos, el espacio del valle comenzaba a cerrarse. La carretera hacía una larga curva hacia la derecha para rodear la siguiente lengua de la montaña. Aurelio consideró que el pueblo tenía que estar adelante de aquellas curvas y hasta creyó recordar con claridad que así era, aunque tuvo que reconocer que esa misma certeza lo había invadido cuando estaban por entrar al valle del que ahora estaban saliendo. Lo cierto era que sólo había recorrido ese camino un par de veces en su vida, varias décadas antes.

Llegaron al final de la curva. Tras ella, el camino daba un giro abrupto en la dirección contraria y comenzaba a ascender por una pendiente rocosa. Habían avanzado por esa subida unos trescientos metros cuando descubrieron que la carretera se interrumpía de golpe. No se trataba de uno más de los muchos vados, deslaves y derrumbes que habían tenido que remontar hasta entonces. El camino simplemente terminaba, como si alguien hubiera cortado la cinta asfáltica con un cuchillo. Había un borde regular y recto y enseguida comenzaba el monte, al mismo nivel y con la misma densidad que toda la vegetación incontenible que los rodeaba.

Aurelio se quedó mirando aquel límite repentino como si quisiera interpretar su significado. No había previsto una eventualidad así y no sabía cómo reaccionar ante ella. Laila, en cambio, saltó enseguida de la carreta y comenzó a inspeccionar las inmediaciones. Nada de lo que pasaba en ese viaje era normal para ella, así que nada podía ser tampoco demasiado extraño. La tierra frente al borde del camino no mostraba rastro alguno de construcciones previas. Se veía tan natural e intocada como cualquier otro punto de la superficie del monte. Laila se internó unos cien metros en la espesura sin encontrar indicios de la carretera y decidió que ya no había suficiente luz para seguir explorando. Al regresar encontró a Aurelio con los mapas en la mano. Parecía estudiarlos cuidadosamente. De vez en cuando alzaba la vista hacia la cumbre de los montes o se volvía para considerar la parte del camino que acababan de recorrer, como si esperara encontrar alguna correspondencia entre la proporción desorbitada de esa realidad y las rayitas rojas y azules que surcaban los impresos con claridad absurda. Laila le hizo ver que aquello no tenía sentido y sugirió que regresaran al centro del valle para pasar la noche.

La oscuridad se les vino encima. Apenas alcanzaron a colocar la carreta en mitad del camino, a desenganchar la mula y a encender una serie de fogatas a su alrededor para desalentar las incursiones de alguna fiera. Por primera vez desde que empezó el viaje sentían la presencia de la naturaleza como una fuerza inescrutable y potencialmente hostil. Aún Laila, habituada a considerarse parte integral de ese mundo silvestre, se mostraba nerviosa. Casi no dijeron palabra mientras se preparaban para dormir, pues lo único que hubieran podido decirse era que las cosas no pintaban como deberían. A menos que lograran encontrar el camino a la mañana siguiente, iban a tener que imaginar un plan radicalmente distinto.

Dos o tres horas después, arrellanados entre los bultos de la carreta, ni Laila ni Aurelio podían dormir. En cuanto cayó la noche, el monte había estallado en una cacofonía de voces desaforadas, estridentes, como la obertura de una sinfonía salvaje. La vida proclamaba a gritos su ansiedad frente a lo incierto y ambos creían ver en ello una imagen elocuente de sus propias circunstancias. Poco a poco, aquel barullo informe se fue destilando en una serie de sonidos regulares, cíclicos, que acabaron por dejar de figurar en el espacio de sus conciencias. Miraban las estrellas en la franja rectilínea de firmamento que se abría entre el follaje y sus pensamientos volvían una y otra vez a las dificultades de su nueva situación. Laila comenzó a hablar de cualquier cosa, con tal de no seguir pensando en lo mismo:

—¿Aurelio?

—¿Qué?

—No estás dormido, ¿verdad?

—No. Y aunque lo hubiera estado, ya no lo estaría.

—Es cierto.

—No importa.

—¿Te puedo preguntar algo?

—Claro.

—Es que nunca me has dicho… Es decir, tampoco en tu libro sale…

—¿Qué?

—Qué le pasó a Catalina.

—¿Cómo?

Aurelio siempre supo que esa pregunta iba llegar cuando menos lo esperara y no por ello dejó de sentir el sobresalto de que llegara justamente entonces: cuando menos lo esperaba.

—Catalina. ¿Qué fue de ella? Hablas de Catalina todo el tiempo, pero nunca me has dicho qué le pasó. Tampoco está en tu libro. ¿Se murió en la violencia?

—No. Se murió en un temblor. Mucho antes de que comenzara todo eso.

—¿Temblor como cuando se mueve la tierra?

—Sí. Las casas se caían, la gente se moría aplastada.

—¿Cómo fue?

—Estaba en mi casa. El edificio de junto se le vino encima.

Laila no pudo evitar cierta decepción frente a aquel cataclismo tan ordinario. Se esperaba algo más intrincado. Un final épico, a la altura de la figura mítica en que Catalina se le había venido convirtiendo.

—¿Y tú?

—Yo había salido. Estaba fuera.

—Era joven, entonces.

—No tan joven como tú. Pero joven, sí. Muy joven.

—Por eso te la pasas pensando en lo que pudo haber sido. Tu vida con ella, ¿no es cierto?

—Supongo que sí, a veces.

Aurelio despertó tarde. Había dormido poco, pero se sentía repuesto. No recordaba haber tenido ningún sueño. Laila ya estaba de pie, junto al fuego, ocupada en desollar un tlacuache que había salido a cazar en la madrugada. Apenas si alzó los ojos cuando lo vio levantar la cabeza.

—Me muero de hambre —se limitó a decir, mientras daba un tirón a la piel del animal, que se iba desprendiendo de la carne con el sonido de una tela gruesa que se rasga. La cabeza del tlacuache descansaba sobre un charco de sangre casi púrpura, junto a la masa gelatinosa de sus tripas. Laila usaba el cuchillo con economía y precisión. Cuando terminó de quitarle la piel, levantó el cadáver desnudo en dirección a Aurelio y se pasó la lengua por los labios. La sangre del tlacuache le escurría hasta los codos. Aurelio trató de sonreír, pero no lograba superar cierto horror visceral frente a tales carnicerías. Las asociaba, irremediablemente, con la ejecución de un acto arbitrario. Era claro que Laila las asociaba más bien con la satisfacción inminente de una necesidad primaria. Se trataba de la misma muerte y de la misma sangre, que producía en cada uno efectos distintos. Aurelio pensaba en la víctima, privada para siempre de su estar en el mundo; Laila no pensaba en nada. A pesar de sus reparos, o justamente a causa de ellos, Aurelio contemplaba con nostalgia la posibilidad de esa existencia impulsiva. Hubiera querido, simplemente, sentir el hambre, matar y comer: habitar un mundo de apetitos concretos, movido únicamente por la urgencia de apagarlos.

La comida transcurrió en silencio. Cuando ya daban cuenta de los últimos trozos de carne asada, Laila dijo de pronto, como si hasta entonces recordara algo que podía no tener demasiada importancia:

—No hay nada, ¿sabes?

—¿Nada de qué?

—Caminé hasta la punta de aquel cerro, siguiendo la dirección de la carretera. Miré también del otro lado. Luego fui hasta aquel farallón, en la ladera opuesta. De regreso, me vine cruzando de un lado al otro. No encontré ningún rastro de ningún camino. Si hubiera una carretera, tendría que pasar por algún lugar entre esos dos montes. No hay nada.

—¿Estás segura?

—Segura.

Los dos guardaron silencio.

—¿Qué vamos a hacer? —preguntó por fin Laila.

—No sé. Ya se nos ocurrirá algo.

Aurelio se puso de pie, caminó a la carreta, sacó sus mapas y los extendió sobre el piso. Cuando se agachó para concentrarse en ellos, su atención quedó fija en la mezcla de grava y chapopote que componía el asfalto. Cada trozo de piedra parecía formar un cubito perfecto, todos del mismo tamaño.

—¿Te das cuenta de que nunca hay nada sobre la carretera?

—Ni siquiera una hormiga.

—Hasta las hojas que se caen de los árboles... parecería que se le resbalan.

—¿Por qué no mejor vemos el mapa? —sugirió Laila, que por más esfuerzos que hacía no lograba sacar nada en claro de aquella mezcla de manchas. La zona en la que se encontraban ocupaba en el papel apenas unos cuantos centímetros cuadrados. Su capacidad para descifrar abstracciones no llegaba a tanto. Aurelio trató de ubicarla:

—Venimos de Guadalajara, que está aquí, ¿ves?

—¿Cuál Guadalajara, si no encontramos nada?

—Pero ahí estaba y de ahí venimos, como si hubiera estado.

—¿Vamos y venimos a lo que estaba o a lo que está? —respondió Laila con irritación—. ¿Queremos saber lo que hubiera habido o lo que hay ahora?

—No te desesperes. Nada más quiero que te ubiques. Salimos por esta línea, ¿de acuerdo? Esta línea es la carretera. Aquí se dividía, ¿ves?, tomamos por la izquierda. Pasamos por Tlalpa y luego por Ameca...

Laila sólo veía una maraña de líneas. Que unas fueran más gruesas que otras y de colores distintos no le decía nada. Esa línea casi recta que señalaba Aurelio no podía ser el recorrido lleno de curvas y de pendientes por donde habían transitado.

—El mar. ¿Cuál es el mar? —exigió entonces, exasperada.

—Aquí —se apresuró a señalar Aurelio—. Esto azul es el mar y nosotros estamos aquí cerca, mira, apenas detrás de las montañas. Teníamos que llegar a Mascota, que es este punto rojo, y luego seguir por este camino de tierra, que va junto al río, aquí justamente...

Pero Laila había dejado de oír lo que le decía Aurelio. Miraba la mancha azul que cubría el margen izquierdo de la hoja y comenzaba a entender de una manera difusa que ese era el azul del agua y todo lo demás era lo que no era el agua. Pero le habían dicho que el mar no tenía fin y el mar en el mapa ocupaba un espacio mucho más pequeño que la tierra.

—¿Por qué está tan chiquito?

—Porque es nada más un pedazo. Un pedazo pequeño. Lo que cupo en la página.

De los muchos inventos estúpidos de los que hablaba Aurelio, los mapas le parecieron a Laila uno de los peores. ¿Qué caso podía tener partir al mundo en pedacitos? Su irritación, sin embargo, obedecía también al hecho de haberse topado con algo que no comprendía. Aquellos mapas se le presentaban ahora como un nuevo desafío, un grosero recordatorio de lo mucho que le quedaba aún por aprender.

—De aquí —preguntó entonces, levantando la vista hacia las montañas–, de aquí donde estamos, ¿para qué lado queda?

Aurelio señaló con su brazo en dirección al oeste.

—Pero para llegar tenemos que hacer un rodeo por allá —agregó, mientras señalaba hacia el norte.

—¿Por qué?

—Porque en esa parte de la sierra no hay caminos.

—Tampoco en esta otra, ya lo estamos viendo.

—Es cierto, pero eso yo no lo sabía.

—¿Porque no venía en tu mapa?

—Exactamente.

—A lo mejor si le pintas una rayita a tu mapa, vemos cómo se abre una brecha en mitad del monte —dijo Laila con ironía.

Aurelio esbozó una sonrisa. No se iba a ofender por pequeñeces.

—Lo mejor va a ser regresar hasta la desviación y tomar por el camino a Talpa, a ver qué podemos encontrar por ese lado. Lo importante ahora es pasar la sierra de cualquier forma.

Aquella noche durmieron sobre el camino a Talpa, o lo que tenía que haber sido el camino a Talpa, que lucía en el mismo estado de perfección inalterable que el ramal que creyeron que los conduciría a Mascota. Pero al día siguiente, después de andar durante seis o siete horas sin descubrir nada que no fuera vegetación agreste, aquella carretera se interrumpió de la misma manera abrupta que la otra. Esta vez, Aurelio acompañó a Laila en la exploración de las inmediaciones. No encontraron nada. Más allá del camino, el monte aparecía tan libre de cualquier rasgo de intervención humana como podía haberlo estado al día siguiente de la creación del mundo.

Aurelio contemplaba la inmensidad de aquellos montes como una afrenta personal. Había considerado la posibilidad de un trayecto difícil, pero nunca ese muro imperturbable, que se extendía sin fisuras en todas direcciones hasta donde alcanzaba la vista. Aun así, no estaba dispuesto a reconocer el carácter crítico de la situación. Tenía que haber alguna salida. Algo debían haber pasado por alto. Se sentó debajo de la carreta sin decir palabra, sacó su pipa y se puso a fumar mientras examinaba una vez más los mapas extendidos sobre el suelo. Iluminado por sus inhalaciones, llegó a la conclusión de que aquellos caminos, aunque seguían en sus rasgos generales la misma dirección que los de Talpa y Mascota no *eran* en realidad los de Talpa y Mascota. Debían haber sido construidos después, durante la violencia, para introducir las máquinas de guerra que llevaron a cabo la limpieza de la zona. Si no encontraban los caminos secundarios que conducían a la costa era porque no los estaban buscando en el lugar correcto.

A partir de entonces, se dedicaron a recorrer los dos ramales de cinta asfáltica una y otra vez, de un extremo al otro, llevando la carreta muy cerca de la orilla y bajándose a investigar en los lugares donde Aurelio imaginaba que hubiera sido factible que cruzaran las brechas que llevaban al mar. Laila le seguía la corriente por no precipitar una disputa, pero no tenía ninguna fe en las posibilidades de aquellas exploraciones. Ocupaba su tiempo en mirar los mapas, con la misma intensidad silenciosa que había dedicado antes a leer el libro.

Así pasaron varios días, hasta llegar al punto en que ya simplemente caminaban un par de kilómetros en cualquier dirección, daban la vuelta y seguían otro rato en la dirección contraria, sin buscar realmente ni esperar descubrir nada. Aurelio había venido cobrando un ánimo febril. Aunque Laila no lo rebatiera, insistía en acumular argumentaciones, se ponía en un estado de agitación extrema y luego se sumía en prolongadas lagunas de silencio total, en las que no hacía otra cosa que fumar su pipa y comer unas bolitas de semillas de girasol con miel silvestre que formaba con movimientos obsesivos sobre la palma de sus manos. Solo había dos opciones y ambos lo sabían: o se volvían hasta la desviación de antes de Talpa y tomaban por el camino a Tepic, o dejaban allí la carreta y se internaban en el monte con la mula. Entre más pronto se decidieran por alguna, mejor. Pero decidir era justamente lo que Aurelio trataba de evitar a toda costa. Hasta entonces, a pesar de sus pequeños sobresaltos y contratiempos, el viaje había fluido sin obstáculos mayores, con una naturalidad que parecía confirmar la conveniencia de haberlo emprendido. Dejar la carreta tirada en el monte, o tener que dedicar varias semanas a desandar y andar un camino que acaso permitiera conservarla, no sólo implicaba un esfuerzo enorme, sino la renuncia explícita a esa gracia favorable que los había acompañado hasta ese punto. Aurelio creía adivinar en ello un signo ominoso. Así llegaron hasta la base de una pendiente, que remontaba el costado de otra colina idéntica, donde Aurelio detuvo la carreta para bajarse a orinar.

—Ahora vuelvo —dijo, mientras descendía de un salto. Quería caminar un poco, estirar las piernas, despejar su cabeza. La inutilidad de aquel ir y venir interminable resultaba cada vez más evidente. Si no resolvían algo pronto, la tensión que crecía entre ellos con cada día que pasaba acabaría por estallar en violencia. Se internó tras el lindero de los árboles, llegó hasta unos arbustos y comenzó a descargar su vejiga mientras la mirada se le perdía en la densidad de la vegetación. Del otro lado de las montañas, la espesura del bosque tropical se iba a volver cada vez más intrincada. Al irse acercando a la costa, tendrían que abrirse paso a través de una maraña inflexible. No se sentía capaz de resistir aquel trayecto. Tampoco, para el caso, la vuelta enorme que hubiera implicado la ruta por Tepic. Le resultaba claro que se había convertido en un estorbo.

Fue entonces cuando sintió que unas gotas de orina le salpicaban los pies, a través de las cintas de sus huaraches. Había esperado que la tierra absorbiera su chorro, pero al bajar la vista se dio cuenta de que rebotaba sobre la superficie de una piedra plana. Terminó de orinar, se fijó con más cuidado y descubrió que se trataba en realidad de varias piedras juntas, ensambladas. Tardó unos momentos más en reconocer en ellas la orilla de un camino empedrado, que daba la vuelta a la colina por el lado contrario a la carretera y seguía su curso entre los árboles en dirección al oeste.

—¡Laila! —gritó, sin apartar la vista de las piedras, temeroso de que pudieran desaparecer en cuanto les quitara los ojos de encima.

Una hora después, ya habían recorrido casi tres kilómetros por el interior del bosque. La carreta se sacudía con las irregularidades del nuevo camino, que si bien se conservaba en un estado sorprendente, no podía compararse con la lisura inmaculada del asfalto. La fronda de los árboles formaba una especie de túnel por encima de sus cabezas, a través del cual se filtraba una luz verdosa, rasgada de vez en cuando por filamentos amarillos. El sendero serpenteaba ente los árboles y estaba cubierto por una vegetación menuda, flexible, que se elevaba a una altura de alrededor de un metro. Al avanzar por ella, la mula y la carreta parecían navegar sobre un flujo esmeralda, que se iba abriendo a su paso y volvía a cerrarse tras ellos sin dejar huella. Aurelio estaba feliz. Tanto, que a Laila le faltó valor para señalar lo obvio: no tenían la menor idea de a dónde podía llevarlos ese camino. Lo importante, de cualquier manera, era que la decisión estaba tomada: iban a cruzar la sierra.

Pasaron tres o cuatro días. El cielo se les transformó en una sucesión esporádica de manchas azules, visibles a intervalos irregulares por los huecos que se abrían de pronto entre las copas de los árboles. La percepción de su avance se modificó de manera radical.

La falta de referentes espaciales creaba una sensación de uniformidad opresiva. Al final de cada jornada el entorno que los rodeaba no se distinguía en nada del que los había visto comenzar a moverse con la primera luz del día. Después de diez o doce horas de marcha continua, tenían la sensación de volver a un mismo punto de ese mundo indistinguible. La realidad circular de la sierra no sólo daba la impresión de ser siempre idéntica a sí misma, sino de anular con la sola intensidad de su existencia la posibilidad de cualquier otra realidad distinta.

Tal vez por eso, cuando vieron el árbol atravesado en mitad del camino casi les pareció que se trataba de un buen signo, una prueba inequívoca de que avanzaban. Era un cedro enorme, que se había desgajado desde las raíces. Ninguno de los dos consideró siquiera la posibilidad de moverlo. El tronco tenía casi tres metros de diámetro y debía pesar toneladas. Tampoco parecía fácil rodearlo. A la izquierda, el terreno estaba cortado a pico, a la derecha, había una breve franja con árboles y luego unas rocas redondas, cubiertas de líquenes. Detuvieron la carreta y se quedaron mirando el árbol sin decir palabra. Laila alcanzó a ver de reojo la expresión abatida de Aurelio.

—Vamos a comer algo —sugirió entonces.

Sacaron unas tortas de pasta de camote con frijoles tiernos que habían cocido la noche anterior. Complementaron ese plato principal con media docena de pitayas, recogidas ese mismo día. Junto al tenue malva de la carne de camote, el interior intensamente morado de las pitayas le recordó a Aurelio los dulces de colores sintéticos que solía comer en su infancia.

—Podemos quemarlo.

—¿Qué?

—El árbol. Podemos prenderle fuego.

—¿Y luego cómo lo apagamos?

Aurelio se encogió de hombros.

—¿Quieres quemar el bosque para pasar un árbol?

—Era una idea.

Laila no respondió. Se quedó mirando la carreta, la mula y, detrás de ambas, el árbol indiferente, atravesado.

—Ya sé —exclamó de pronto. Se levantó de la piedra donde estaba comiendo, caminó hasta la carreta, inspeccionó con cuidado la caja, luego se acercó al árbol y se puso a revisar su superficie.

—¿Qué tal… —especuló— si tomamos las dos tablas largas del marco de la caja y hacemos con ellas una rampa…?

—¿Pasar la carreta por encima del tronco?

—Exacto, con los machetes podemos cortar las ramas que estorben, hacer un claro…

Se pusieron a trabajar enseguida. Laila tomó el machete y comenzó a limpiar el tronco hasta dejar un espacio abierto de unos tres metros de largo. Mientras tanto, Aurelio desmontó las tablas, que sólo estaban amarradas con mecates de ixtle a unos polines crudos. La rampa quedó instalada. La carreta subió lentamente, jalada con una cuerda por la mula, y luego descendió con suavidad del otro lado. Apenas unas horas después de haberse topado con aquel contratiempo, el grupo seguía su marcha sobre el camino de hierba. No era aún ni mediodía. Aurelio estaba exultante. Habían resuelto un problema que parecía insalvable mediante un mecanismo que ahora se le figuraba un portento de ingenio y de sabiduría. Sintió que nada podría detenerlos, que el obstáculo que acababan de librar demostraba con creces que eran capaces de superar cualquier problema: la luz de la razón triunfaba una vez más sobre la ciega magnitud de la naturaleza. Incapaz de contener su entusiasmo, echó la mula al trote y acompañó la dinámica de ese desplante con unos aullidos ululantes y agudos, que coparon enseguida el espacio quieto del bosque:

—Uuuuuu, uuuuuu, uuuuuu.

Ninguno de los dos vio la piedra. Era apenas una especie de lunar bajo la superficie verde del camino. De pronto sintieron el golpe y escucharon un crujido. La carreta se levantó sobre su lado izquierdo y se estrelló contra el piso. La rueda derecha estalló en pedazos. Laila cayó al suelo por ese costado mientras Aurelio se aferraba a las riendas y trataba de contener a la mula, que seguía corriendo, incapaz de comprender la conmoción que se desataba a sus espaldas. La carga se desparramó por el camino. La rueda izquierda comenzó a girar en un patrón errático, se desprendió del eje y se perdió a toda velocidad en el interior del bosque. La caja se azotó de lleno contra el suelo. Los postes que la unían a la mula se partieron. Aurelio dio de bruces sobre el camino, tirado por las riendas, y todavía se dejó arrastrar unos metros antes de atinar a soltarlas. La mula prosiguió su carrera, acicateada por los restos de los postes rotos, hasta llegar al principio de la siguiente curva, donde se detuvo por fin, sin aquietarse del todo, transversal al camino, desconcertada y como ofendida, con el aire distante de quien se sospecha víctima de una broma pesada.

Aurelio trató de ponerse de pie pero las piernas no le respondieron. Podía sentir la sangre que le manaba de una cortada en la ceja. La piel de sus antebrazos estaba al rojo vivo y su rodilla derecha se sentía muy frágil. Cuando logró levantarse, caminó con dificultad hasta el lugar donde cayó Laila. Si algo le había pasado, no se lo iba a perdonar nunca. La encontró tirada de espaldas, con los ojos abiertos. Al menos no tenía sangre en ningún lugar visible. Antes de que Aurelio pudiera abrir la boca, Laila le dijo:

—Mira cómo quedaste.

—Nada más son raspones. ¿Tú?

Laila indicó con un gesto su pie derecho.

—No creo que esté roto —dijo simplemente.

El pie estaba torcido hacia adentro, hasta casi formar un ángulo recto con la rodilla. Sobre la articulación se había comenzado a formar una bola, que ya casi ocultaba el tobillo.

—Lo siento —dijo Aurelio—. Fue…

Laila no lo dejó seguir:

—Vamos a tener que acomodarlo.

Aurelio asintió con la cabeza.

—Entre más pronto mejor —sentenció Laila.

Reparar la carreta les llevó casi una semana. Por fortuna, Aurelio logró recuperar una de las ruedas casi intacta. La otra tuvo que reconstruirla con la serie de pedazos que habían quedado regados por todo el camino. Laila no podía moverse. Apenas si lograba tenerse en pie para lo indispensable. Aurelio le construyó una muleta y procuraba mimarla en todo, pero el accidente había contribuido a acentuar la distancia que crecía entre ambos. Hablaban poco y evitaban hacerlo sobre cualquier asunto relacionado con el futuro del viaje.

La rueda reconstruida quedó un poco más grande y un poco menos redonda de lo que había sido, de modo que la carreta ya no volvió a rodar nunca con la gracia de antes. Ahora se iba de lado con cada vuelta, como un hombre cojo. Los nuevos postes eran mucho más cortos, así que la cola de la mula les quedaba más cerca, con los continuos inconvenientes que eso significaba. Laila hubiera preferido caminar, pero apenas si podía hacerlo, así que optó por instalarse en la caja, donde se pasaba las horas estudiando los mapas y viendo pasar la copa de los árboles por encima de sus cabezas.

El camino comenzó a descender y siguió descendiendo durante dos días, hasta llegar a un arroyo más caudaloso que ninguno de los que habían encontrado hasta ese momento. Ahí pudieron ver frente a ellos, a través del claro en la vegetación que se abría sobre el cauce, las cumbres de la sierra. Si Aurelio había pensado en algún momento que el descenso del camino iba seguir hasta la costa, ahora se daba cuenta de que estaban muy lejos de llegar a ese punto.

Un puente de piedra atravesaba el arroyo. En cuanto lo cruzaron, el camino cambió de pendiente. Comenzaron a subir y su sensación del entorno se transformó enseguida. Ahora la tierra era más negra, más saturada, más dura; parecía también más vieja y estar cargada de un aura sombría. Un viento metálico descendía en ráfagas por las cañadas y cortaba a su paso una atmósfera enrarecida. Los sonidos del bosque bajaron de intensidad y acabaron por desaparecer del todo, como si los seres que poblaban esas regiones prefirieran pasar desapercibidos.

El camino perdió su vestido verde. El gris de sus piedras engamaba con el nuevo tono del bosque, que había transitado por completo a una paleta oscura. Al constatar la minuciosa solidez del empedrado, Aurelio confirmó su impresión inicial de que se trataba de un camino muy viejo. Correspondía con una visión del mundo convencida aún de las posibilidades de lo permanente. Habían pasado siglos desde la última vez que esa clase de mentalidad pudo haber prevalecido por aquellas tierras. Le pareció entonces que se cerraba una especie de círculo cuando el vehículo primitivo en que se desplazaban volvía a encontrarse con el medio concebido específicamente para su uso y que acaso podía descubrirse un giro interesante en la forma como el colapso súbito de lo nuevo servía para devolver su actualidad práctica a lo viejo, pero sus reflexiones no pudieron avanzar más allá de ese punto porque justo enfrente de ellos una sección del camino, con toda su primorosa artesanía, había quedado sepultada bajo un enorme deslave.

Frente a ellos se extendían ciento cincuenta metros de un lodo pegajoso y purpúreo. Aurelio se tapó la cara con las manos y dejó escapar un prolongado suspiro. El aire comenzó a llenarse de un olor a muerte. Nada crecía sobre esa masa putrefacta, que una fuente invisible de humedad parecía mantener en estado fluido. Cruzarla les llevó más de cuatro horas. Aurelio tuvo que cargar cada bulto sobre el lomo de la mula, luego pasar a Laila de la misma manera y luego arrastrar la carreta poco a poco a través del miasma burbujeante y tibio.

Aquello sólo fue el principio. En la medida en que el camino seguía ascendiendo hacia regiones cada vez más escarpadas, los contratiempos a su avance se multiplicaban y el ánimo con el que los resolvían se distanciaba del espíritu de cooperación que había marcado su triunfo sobre el tronco caído. La continua sensación de impotencia había acabado por amargar a Laila, que ridiculizaba las soluciones que proponía Aurelio, aunque se sabía incapaz de llevar a la práctica las propias. En el fondo de aquellas tensiones se escondía el temor, creciente en ambos, de que jamás iban a llegar a la playa. Detrás de cada cima que remontaban aparecía otra y detrás de cada curva del camino encontraban un nuevo trecho idéntico de bosque. En los tres días transcurridos desde que cruzaron el arroyo, Aurelio calculaba que sólo habían avanzado unos diez kilómetros, que traducidos en términos de la distancia que los separaba de la costa en línea recta no podían representar más que unos cientos de metros. Y eso suponiendo, claro, que caminaran en la dirección correcta.

Así llegaron a un lugar en donde las rocas de un muro de contención se habían derrumbado sobre la superficie del camino. Era la cuarta ocasión en ese día que un obstáculo grande o pequeño detenía su marcha. La mula podía ir librando las piedras, pero iban a tener que bajarse de la carreta para llevarla por la brida. Laila ya podía tenerse en pie sin ayuda de la muleta, pero su tobillo seguía muy débil. Aún así, no aceptó la mano que le tendía Aurelio para bajar de la caja. Caminó hasta la orilla del empedrado y se quedó mirando la operación con un gesto de hastío, como si sólo esperara confirmar que se llevaría a cabo con torpeza. Unos momentos después la rueda izquierda quedó atorada entre dos piedras. Laila se acercó y comenzó a empujarla desde atrás, a pesar de que Aurelio le gritó que no lo hiciera. La rueda se destrabó, la carreta se movió de golpe, Laila perdió el equilibrio y tuvo que apoyar todo su peso sobre el pie herido. El dolor la dobló por la cintura y la obligó a recostarse sobre su costado, mientras se apretaba con ambas manos el tobillo.

Cuando Aurelio se acercó a ayudarla, Laila masculló entre dientes:

—A ver hasta cuándo seguimos arrastrando tu pendejada de carreta.

—Si no fuera por mi pendejada de carreta todavía estarías tirada junto al tronco, no lo olvides.

—Si no fuera por tu pendejada de carreta nunca me hubiera torcido el pie, tonto.

No se volvieron a dirigir la palabra. Laila tuvo que aguantar la humillación de que Aurelio la subiera cargando a la carreta, pero a partir de ese punto ambos decidieron ignorarse minuciosamente. Cuando llevaban casi una semana de viajar en silencio, sucios y malhumorados, sin haber comido en todo ese tiempo nada más que moras y hongos, el camino dio un giro que los puso de improviso por encima de la línea de sombra de las montañas. El cielo seguía estando oculto, pero la luz que alcanzaba a distinguirse tras las copas de los árboles era muy distinta. El aire pareció limpiarse. La pendiente se niveló de pronto. El empedrado recuperó su condición intachable y la carreta comenzó a avanzar a paso ligero sobre el lomo de la cordillera. Un par de kilómetros más adelante alcanzaron la orilla del bosque. El camino desembocaba en un promontorio rocoso, cuya luminosidad los deslumbró de momento. Su estado de ánimo cambió enseguida. Ya no les importaba dónde pudieran estar, se conformaban con saber que se trataba de un espacio abierto. Era la primera vez en mucho tiempo que no sentían sobre sus cabezas la presencia ominosa de las montañas. Su encono de los últimos días les pareció entonces trivial y ambos sintieron el impulso de reconciliarse. La carreta continuó su avance hasta llegar a un recodo, desde donde pudieron ver que el camino ascendía en suaves curvas hasta disolverse en una meseta angosta.

Al fondo de la meseta se levantaba una capilla de piedra, con techo de bóveda, que parecía intacta.

—Qué es eso —preguntó Laila.

—Una iglesia —respondió Aurelio.

La única iglesia en pie que Laila había visto en su vida era la Catedral, a medio sumergir dentro del agua de la laguna. La conexión entre esa mole pretenciosa y la discreta claridad de líneas de la capilla le pareció improbable. Aunque no acababa de entender por completo qué era lo que la gente hacía en esos lugares y por qué había sido tan urgente acabar con ellos, se sintió tocada de inmediato por la sencilla espiritualidad que proyectaban las modestas proporciones del edificio.

Unos minutos después, la carreta se detuvo frente a la entrada del templo. El suelo estaba salpicado por una hierba gruesa, que crecía entre los resquicios de las rocas. Laila y Aurelio bajaron del pescante y remontaron un acceso de tres escalones, construidos con enormes losetas de granito. Las hojas del portón de madera cedieron a la presión de la mano de Aurelio con un sonido sordo.

El interior de la iglesia estaba vacío. Haces de luz amarilla descendían en líneas diagonales desde la serie de vanos abiertos en la parte superior de los muros. Caminaron por el centro de la nave hasta llegar a la cruz. Todo aparecía extrañamente limpio y libre de daño, como si hubiera sido abandonado en orden apenas unos días antes. Después de recorrer la nave de un extremo al otro, subieron por una escalera estrecha hasta el pequeño coro, de ahí pasaron al campanario y del campanario al techo. Caminaron hacia la cúpula, para tener una visión completa del lugar en el que se encontraban. Parados sobre el ápice de la bóveda contemplaron un paisaje sobrecogedor. A unos metros del muro posterior de la iglesia, la orilla del monte se cortaba a cuchillo. Había un desfiladero de roca y luego una enorme barranca: kilómetros de espacio abierto en donde confluían las laderas de varios montes. Todo era una cadena de cumbres indistinguibles, cubiertas de vegetación esmeralda, que se perdían en líneas ondulantes hasta el horizonte. Era imposible saber si las montañas continuaban hasta el infinito o si el mar se encontraba a un solo paso detrás de ellas.

Ninguno de los dos dijo nada. Bajaron del techo en silencio, evitando en todo momento cruzar la mirada. Habían topado contra otro muro. Mecánicamente, recorrieron el contorno del promontorio y confirmaron lo que ya sabían: el camino no llevaba a la costa, acababa en aquella ermita. Por qué un acceso de tal categoría para ese pequeño santuario era una pregunta inútil que no iban a tratar de responderse. El sentimiento predominante en ambos era una enorme fatiga. No tenían fuerzas ni para recriminarse.

Al costado sur de la capilla encontraron unos escalones de piedra que descendían hasta otra meseta alargada y estrecha cubierta por varias hileras de árboles frutales, con las ramas deshojadas y secas por la época del año. Junto a esta huerta se extendía un solar, en cuyo centro se levantaba el brocal de un pozo. Pegados a la ladera se veían los restos de lo que debieron ser unas caballerizas o un establo y frente a ellos, a la orilla de la barranca, una casita de adobe, con la mitad del techo de tejas todavía en su sitio.

La puerta estaba cerrada con picaporte, pero se abrió enseguida. Entraron a la parte de la casa que no tenía techo. El suelo estaba cubierto por fragmentos de tejas caídas; en las orillas de las paredes crecían manchones de hierba. Al centro del cuarto había una mesa rectangular y dos sillas de palo crudo, casi destruidas por la intemperie. Un fogón de ladrillo ocupaba la equina izquierda y a partir de él se extendía un mostrador alargado, hecho del mismo material, que cruzaba la extensión de la pared hasta la esquina opuesta. Junto al acceso principal, una puerta cerrada conducía al otro cuarto, en la sección de la casa que aún conservaba el techo.

La habitación estaba en penumbra. Una densa cortina de trapo tapaba el vano de la ventana. Debajo de ella se perfilaban una pequeña mesa de trabajo y una silla. El ambiente estaba lleno de un olor antiguo, reconcentrado y como marchito. Junto a la puerta había una cómoda y detrás de la cómoda una cama. Sobre el colchón de estopa de la cama se alcanzaba a ver algo que parecía ser una colcha amontonada. Aurelio se acercó para tratar de distinguir lo que era, pero al dar el segundo paso sintió que pisaba algo frágil que se quebró enseguida. Laila caminó hasta la ventana y descorrió la cortina. La luz anaranjada de la tarde inundó el cuarto. Aurelio había pisado los huesos de un perro: medio círculo de fragmentos blanquecinos enroscados al pie de la cama. Lo que yacía encima de ella era un esqueleto humano, vestido con el hábito de un monje. Entre las falanges descarnadas de las manos, plácidamente cruzadas a la altura del vientre, sostenía un rosario de ébano, rematado por una cruz de plata. Aurelio contempló los restos del monje con una punzada de envidia. Trataba de imaginarse la clase de vida que podía desembocar en una muerte así: pulcra, sosegada, a tiempo, con las cuentas en orden y un perro a los pies.

Aquella noche dejaron todo como estaba, pero a la mañana siguiente Aurelio se puso a cavar una fosa en mitad de la huerta. No se hubiera atrevido a perturbar el reposo del monje de no estar seguro de que éste se hubiera enterrado a sí mismo de haber podido hacerlo. Lamentó, con todo, que los huesos perdieran su arreglo al desprenderlos de la cama; que el hábito se transformara en un saco y aquellos dos amigos, el lazo de lealtad que los unía, en un simple bulto. Pero cuando terminó de cubrir la fosa con tierra negra e incrustó sobre el pequeño túmulo la cruz de madera, sintió que un cierto orden se restablecía. Y casi al mismo tiempo, que aquel orden lo reclamaba. Su vida entera se le presentó como una larga fuga, que en su última estación venía a estrellarse, de aquella forma imprevista, contra los fundamentos de su propio origen.

Aurelio se instaló en la iglesia y ahí se pasó la mayor parte de los siguientes días, cautivado por la calidad de la luz y por las proporciones del espacio. En todo momento, la figura del monje lo rondaba de manera obsesiva. Se preguntaba cómo había podido resistir ahí, al descubierto, y sobre todo, cómo había logrado mantener la fe en medio de tanta destrucción absurda. Le cruzó por la cabeza la posibilidad de que la ermita hubiera sido preservada del caos por mandato divino, bajo una especie de cúpula metafísica. La iglesia y el monje lo volvían a poner en contacto con aquellas certidumbres primarias, que ahora le parecían su única herencia. Las sentía de nuevo al alcance de la mano, casi restablecidas en el ámbito de su credulidad, requeridas apenas de un pequeño esfuerzo.

Laila, por su parte, prefirió instalarse en el exterior. Improvisó un refugio al pie de unas rocas y allí se pasó durmiendo sin interrupción los primeros días. Luego comenzó a salir cada mañana a recorrer las inmediaciones. Su tobillo estaba casi repuesto, ahora necesitaba ejercicio. Lo primero que descubrió fue que era imposible caminar en cualquier dirección sin bajar y subir enormes pendientes. Todo a su alrededor eran pliegues interminables entre las montañas. Tomaba nota de lo que encontraba y volvía poco antes del anochecer con comida para la cena. Después de las privaciones de las últimas semanas, aquellos modestos banquetes tenían el aire de verdaderos festines. Eran, por lo demás, la única actividad que realizaban juntos. Su trato había recuperado cierta cordialidad distante, pero el ánimo de intimidad original se había perdido.

Aurelio seguía ocupando su tiempo en deambular por la meseta. Trataba de reconstruir en su mente la existencia postrera del monje. No encontró signos de ningún intento por fortificar la ermita para resistir la violencia ni de que se hubiera buscado restablecer el contacto con la humanidad una vez que ésta había concluido. Encontraba sorprendente y admirable que una persona pudiera pertrecharse al interior de una rutina y crear con ella una esfera capaz de detener por completo los embates del mundo. Creer en Dios no era cosa de revelaciones, se dijo, sino de disciplina. Un ejercicio extenuante, destinado a fortalecer su propósito cada día.

Encontró un pequeño cementerio, con casi una docena de lápidas, y una segunda huerta, de almendros, con las ramas cuajadas de nueces. También descubrió una letrina y un baño y un temascal de piedra; y en la superficie rocosa de la meseta, un montículo oscuro, cubierto ya por la hierba, en donde alguien había encendido una enorme hoguera. Supuso que el monje, a la orilla de la muerte, había llevado hasta ahí el mobiliario y los ornamentos de la iglesia, las imágenes, las pinturas, los retablos, para prenderles fuego y evitar que llegaran a ser profanados. Entonces se le ocurrió que en algún otro lugar tenían que estar escondidos o enterrados la custodia, el cáliz, el copón y la patena. Acaso también los hábitos litúrgicos. Se preguntó si la Iglesia tendría previsto algún procedimiento específico para este tipo de circunstancias. Un sistema de salvaguarda ritual para casos de emergencia. Senderos de claves que sólo pudieran ser esclarecidas por un iniciado. En ausencia del código secreto que le permitiera descifrar aquel misterio, Aurelio se puso a hurgar por todas partes, como un raterillo cualquiera. La idea de dar con aquel tesoro hipotético se convirtió en su obsesión del momento, y por lo tanto en su ocupación única. No tenía del todo claro lo que iba a hacer con él cuando lo encontrara, pero imaginaba una especie de restauración mística, que podría llegar a incluir el bautizo de Laila.

En el interior de la casa encontró muy poco. Era tan pequeña y de un trazo tan sencillo que no dejaba mucho margen para el ocultamiento. Parecía claro que el monje se había propuesto dejar el menor rastro posible de su paso por el mundo. En los estantes de la alacena había unos cuantos platos, dos tazas, un sartén de hierro fundido y una cafetera de peltre, casi destruida por el óxido. La cajonera de la habitación estaba vacía. Junto a la mesa de trabajo había un pequeño librero, igualmente desierto. Los libros que pudiera haber tenido habrían sido quemados en la hoguera o puestos también a resguardo en algún lugar seguro.

Aurelio dio por terminada la inspección de la casita y decidió repasar los restos de la caballeriza. Aquella estructura parecía haber dejado de albergar animales hacía mucho tiempo, para convertirse en una especie de bodega. Detrás de unos arbustos, Aurelio descubrió una cavidad rectangular, cavada en la pared del monte. Su mitad inferior estaba cerrada por un murete de piedra; la parte superior, ahora descubierta, debió haber tenido una puerta. Era un refrigerador rudimentario, que concentraba el frío de la tierra. Hasta donde podía verse, estaba vacío. Aurelio tomó una vara del piso y la pasó por detrás del murete, donde la oscuridad era total. No esperaba encontrar nada, pero quería ser metódico. La vara dio enseguida contra algo duro, que sonaba a vidrio. Aurelio extendió la mano y sacó una garrafa redonda, llena de un líquido amarillo. Destapó la tapa de rosca y se la acercó a la nariz. Era raicilla, un mezcal muy fuerte, con gusto a resina, común en la zona. En un primer momento pensó en tirarlo, mientras se preguntaba qué uso pudo haber tenido el monje para un brebaje así, justamente célebre por su calidad incendiaria. Luego decidió conservarlo. El alcohol siempre podía resultar útil.

Con aquel descubrimiento puso fin a la exploración de las estructuras periféricas y desplazó toda su atención a la iglesia, que ofrecía a sus ojos posibilidades mucho más atractivas. Lo primero era explorar los muros, para lo cual se había procurado ya un bastón de encino. Laila estaba acostumbrada a sus locuras, así que no le llamó demasiado la atención verlo recorrer la iglesia de un lado al otro, por dentro y por fuera, golpeando el techo y las paredes con su vara, en busca de alguna piedra suelta o del sonido que pudiera delatar algún espacio vacío. Decidió que lo mejor sería dejarlo hacer, mientras ella se ocupaba en preparar lo necesario para la partida. Cada cual seguía su propio curso, ajeno en apariencia al del otro, conscientes ambos, sin embargo, de que los dos acabarían por cruzarse y resolverse juntos, llegado el momento, como en una danza. Laila reunía almendras y nueces; amasaba alegrías con miel de abeja y amaranto; secaba habas y mazorcas; hacía pasta de castañas y de camotes; acumulaba hongos secos, hormigas tatemadas, hueva de insectos y cualquier otro alimento concentrado, duradero y fácilmente transportable que encontrara. Aurelio hacía como si no la viera trabajar o como si no supiera lo que significaban aquellas labores. Su aparente indiferencia logró sobrevivir hasta el día en que Laila llegó arrastrando el cadáver de un venado joven, lo destazó en tiras y lo puso a ahumar en una covacha que construyó para tal efecto. Para entonces, Aurelio ya se había cansado de andar dándole de palos a los muros de la iglesia. Si algo estaba escondido en ella debía encontrarse en su interior, debajo de las tablas del piso o en algún rincón del coro.

Frente a los evidentes progresos de Laila, la búsqueda cobró para Aurelio una mayor urgencia, que le produjo, a su vez, una pronunciada ansiedad. Para tranquilizarse, dio por encender su pipa a toda hora: antes de iniciar la jornada, cuando topaba con algún momento difícil, al llegar a un punto en que sentía la necesidad de inspirarse o simplemente cuando el aburrimiento amenazaba con desbordarlo. Así que comenzaba a trabajar y se descubría de pronto mirando una tabla sin poder recordar el propósito que lo había llevado hasta ella. Seguía entonces a otro punto, ahí recordaba lo que había sido, regresaba al sitio original y en ese momento volvía a olvidarlo. De ese modo, ciertos lugares eran revisados repetidas veces y otros pasaban inadvertidos, ocultos entre lo que Aurelio hacía de verdad y lo que creía haber hecho.

Había también secciones que examinaba con una dedicación desmedida, sobre todo en los minutos inmediatamente subsecuentes a sus inhalaciones. Su mente divagaba entonces hacia la contemplación admirativa de ciertos detalles de la construcción que nada tenían que ver con su búsqueda. Fue así como inició la auscultación de una esquina del coro, en donde encontró un pequeño armario de madera empotrado en el muro. Estaba hecho de huanacaxtle y su propósito original pudo haber sido el de guardar misales u hojas de música. Lo primero que atrajo la atención de Aurelio fue la forma en la que habían sido ensambladas sus puertas, a base de cuñas. El efecto de conjunto era de una gran precisión, pero una mirada atenta descubría multitud de irregularidades, que fueron a su vez corregidas y compensadas minuciosamente. La intuición y el ojo habían suplido la falta de herramientas finas y de mediciones exactas. Al abrirse, el armario parecía dispersarse y al cerrarse recuperar de nuevo su unidad compacta. Su cohesión no rebatía la pluralidad de sus componentes y tensaba la estabilidad de su equilibrio con una intimación de desarreglo. El interior, de tres entrepaños, se encontraba vacío y tan limpio como el resto del templo. No era la limpieza contenida de lo hermético, sino la árida pulcritud de lo estéril. La iglesia parecía encontrarse detrás de un umbral en donde los impulsos orgánicos del mundo se agotaban. Un espacio que sólo admitía su propia permanencia.

Aurelio se dio cuenta enseguida de que la pared del segundo entrepaño tenía doble fondo. En cuanto le puso la mano encima se corrió a la izquierda, a lo largo de una guía dentro de la cual se jugaba visiblemente. No encontró nada en el escondite y se sintió decepcionado por la obviedad del ocultamiento. A golpe de vista podía apreciarse que aquella tabla no estaba adherida a la superficie del muro con tanta firmeza como el resto del recubrimiento interior del armario. El descuido no parecía corresponder con la cuidadosa factura del resto del mueble. Pensó que podía ser una adición posterior, pero no encontró ninguna diferencia notable en el tipo o calidad de la madera. Había algo incongruente en la facilidad con que aquella trampa revelaba su secreto. Aurelio no lograba asir de qué se trataba o incluso estar totalmente seguro de que así fuera, porque tales intuiciones iban y venían en su mente de una manera intermitente y vaga. Siguió corriendo y descorriendo la tabla hasta que perdió de vista el por qué lo estaba haciendo. Entonces recordó que su propósito era encontrar objetos litúrgicos, no calificar carpinterías. Dejó el armario por la paz y continuó inspeccionando el resto del coro.

A media noche, sin embargo, Aurelio se despertó de golpe pensando en la tabla. Había estado en el fondo de su mente durante todo ese tiempo y ahora salía a la superficie con urgencia inaplazable. Tal vez la tabla era parte de un mecanismo más complejo y el doble fondo era sólo una táctica distractoria. Un descubrimiento fácil para evitar que los curiosos siguieran buscando. Aurelio se vistió de prisa y subió al coro. La noche era fría y la oscuridad en el interior de la iglesia casi total. El resplandor de la luna entraba por el rosetón abierto de la fachada y formaba un círculo blanquecino sobre el piso de madera. Aurelio se acercó al armario. No alcanzaba a ver siquiera la sombra de sus propias manos, así que procuró concentrar su atención en lo que tocaba y oía. La oscuridad impenetrable parecía fortalecer la hipótesis de que la tabla cumpliera una función oculta. Su movimiento a lo largo de la guía no era del todo uniforme. Aurelio alcanzaba a escuchar algo que se jugaba a su paso, una pieza suelta que subía y bajaba dentro de un espacio constreñido. Comenzó entonces a palpar otros elementos del armario, en busca de alguna conexión secreta. Corría la tabla de un lado al otro, lentamente, mientras probaba con la mano libre cada uno de los entrepaños. Al llegar al último de ellos, alcanzó a sentir en la punta de los dedos la fricción que producía la tabla al correr dentro de su guía. Sujetó ese entrepaño con fuerza y trató de moverlo, pero se sentía tan sólido como los demás. Aurelio lo siguió jalando mientras acababa de mover la tabla hasta el final de su recorrido. Pasado cierto punto imperceptible, el entrepaño se aflojó de pronto y en ese mismo instante un objeto oscuro cayó sobre el piso, como si lo hubiera escupido la pared de piedra.

A pesar de la falta de luz, Aurelio supo de inmediato que se trataba de una Biblia. Tras un instante de desconcierto, un raudal de sentimientos encontrados le colmó el pecho. Con la punta del pie, empujó el volumen negro hasta el círculo de luz de luna y ahí se quedó mirándolo, sin atreverse a tocarlo. Nunca imaginó que podía llegar a toparse con algo así. Para él, la búsqueda de los libros había terminado y la educación literaria de Laila se daba por cumplida. Unos meses antes, en la ciudad, tal vez hubiera visto aquel objeto como una oportunidad invaluable. Todo lo que era esencial para el mundo que quería mostrarle a Laila estaba contenido de algún modo entre las pastas negras de ese libro. Pero tales preocupaciones parecían pertenecer ahora a un pasado remoto. Aurelio contemplaba el volumen con profundo recelo, como a la carta que contiene la noticia de un amigo muerto. El reencuentro con la iglesia había despertado en su interior emociones intensas, pero éstas estaban ligadas a presencias tangibles, asociadas con figuras entrañables. La Biblia era un objeto frío, lleno de pensamientos inflamantes. Por su mente cruzaron siglos de desolación y de violencia.

Trató de serenarse. Parte de esos sentimientos tenían que provenir de la sorpresa. Había que considerar el asunto con calma. Se acordó del raicilla. Un trago de raicilla lo ayudaría a aclarar sus pensamientos y a moderar sus emociones. Mientras bajaba a la nave, se dijo que todo era una cuestión de contexto. Sin los antecedentes que lo predisponían, aquellas historias podían aparecer bajo una luz muy distinta. Una mirada fresca, como la de Laila, acaso llegara a verlas como un simple divertimento. Una serie de cuadros costumbristas. Una fantasmagoría de irrealidades. Sus reparos eran, sin duda, desmedidos. Lo mejor sería dejar que las cosas se asentaran un poco. A nadie convenía una decisión precipitada.

Cuando volvió a sentarse junto al libro, sin embargo, con el botellón de vidrio a su lado, ya no estaba tan seguro. Conocía la fuerza seductora de aquellas páginas. Había vivido los embrujos de su lenguaje en carne propia. No se le podía tomar a la ligera. Abrió la garrafa y llenó su tapa de lámina hasta el borde. Se la llevó a los labios y la vació con un movimiento decidido. El mezcal le bajó por la garganta como un soplo de aire tibio. Su boca se saturó al instante de un sabor acre, con resabios de madera, que se resolvió al fondo de su paladar en una sombra de humo. Se sirvió otras dos tapitas de inmediato. El cuerpo se le comenzó a llenar de un calor entrañable, como un brote de afecto repentino. Laila, muy bien, pensó, ¿y después de Laila? El libro seguiría ahí. Otros aprenderían a leerlo. El mecanismo se pondría en marcha por sí solo. Todo comenzaría de nuevo y acabaría en lo mismo. Recordó su conversación con las *hermanas*. Pensó también, por alguna razón, en Catalina, y el deseo de que su vida hubiera sido ella, en la forma que fuera, se cerró sobre su pecho como una súbita asfixia.

Esta vez obvió la tapa de lámina y empinó la garrafa de raicilla directamente sobre su boca. El mezcal le sacudió todo el cuerpo antes de asentarse en el fondo de su estómago vacío. Aurelio cerró los ojos, exhaló una nube de alcohol invisible y cuando volvió a abrirlos, todo a su alrededor le pareció distinto. La oscuridad era la misma, pero un ribete de luz amarilla animaba los perfiles de cada objeto. La realidad se había reblandecido. Se sintió capaz de cualquier cosa.

El resplandor de la luna había seguido su camino sobre la superficie del coro. Sólo la orilla superior del libro seguía siendo visible dentro de su círculo de plata. Aurelio lo colocó otra vez en el centro de la luz y se acomodó de rodillas a su lado. Se trataba de una edición en cuarto, barata, con forros de piel sintética. Aurelio la abrió al azar y recorrió sin ton ni son algunas páginas. La impresión era irregular y precaria. Tal vez había sido producida durante la violencia, cuando los recursos para hacer libros eran ya muy escasos. Volvió a cerrar el volumen. Antes de decidirse a leer, se acercó la garrafa a la boca y bebió de nuevo. Luego levantó la cubierta, pasó de prisa la portadilla, el índice, una tabla de abreviaturas y comenzó a leer la primera línea del Génesis: *En el principio creó Dios los cielos y la tierra*. Volvió a leerla enseguida y luego una tercera vez. Levantó los ojos de la página. Después siguió leyendo el resto de la estrofa. Las palabras se abrían en su mente como flores. Una sensación de certidumbre colmó su corazón de inmediato. El tono de los versículos no admitía vacilaciones. Las cosas habían sido así, punto, desde el principio. Desde el principio del principio. Desde el principio anterior al principio. El cosmos era una entidad articulada, uniforme, imbuida de un propósito preciso. Dios señoreaba imponente sobre todas las cosas y las ordenaba de acuerdo con sus designios divinos. Cada ser se desprendía sin esfuerzo de la nada, puesto en movimiento por aquellos giros milagrosos de la palabra. Dios decía y la realidad era. En el centro de esa realidad estaba el hombre y el lazo que lo ligaba con el poder de Dios, con el conocimiento de Dios y con la protección de Dios era la suma condensada de nuestra voluntad de pertenencia, la antítesis pura del desamparo. Los ojos de Aurelio comenzaron a llenarse de lágrimas. Los anhelos de toda su vida se le revelaron como una serie de torpes remedos de esa intimidad primigenia, inútiles esfuerzos por restablecer aquella conexión inasible, hipotética, acaso irreal y sin embargo intuible, palpable, próxima, reconocible por el dolor de su ausencia, concreta en la magnitud de su vacío. A pesar de la oscuridad, las palabras se recortaban sobre la superficie del papel como milimétricos relieves de tinta y a pesar del alcohol resonaban al interior de su conciencia con toda su potencia intacta. Aurelio perdió la cuenta de las veces que se llevó la garrafa a la boca mientras releía aquellas líneas luminosas. Hubiera querido no salir nunca de ellas, como un niño que se niega a desprenderse de los brazos tibios de su madre.

Pero aquel macizo de estabilidad maravillosa no pasaba de la tercera página. En un abrir y cerrar de ojos la humanidad quedaba desprotegida, desnuda, perdida en la indigencia y la ignorancia. El paraíso era apenas un espejismo de veinticinco líneas. Una ilusión efímera. Un engaño. El Dios majestuoso de las primeras estrofas se rebajaba sin transiciones a las triquiñuelas de cualquier tirano. Colérico, inseguro, resentido, no dudaba en enredar a sus propios hijos en una trampa sangrienta. La caída era demasiado repentina, demasiado brutal. Los condenados por ella, generaciones desprevenidas de víctimas inocentes.

El ánimo de Aurelio dio un giro radical. Una rabia sorda se asentó en su pecho. Cerró el volumen con furia y lo lanzó contra el muro. Trató de ponerse de pie, pero el piso se le fue de lado. Volvió a enderezarse sobre sus rodillas y tomó otro trago largo, como si hacerlo pudiera devolverle la estabilidad perdida. Se levantó poco a poco y caminó con pasos vacilantes y tenues hacia la balaustrada del coro. A sus pies se extendía el espacio de la nave, iluminado apenas por un resplandor nocturno y recubierto de un brillo inasible, que acaso sólo existía en el interior de su cabeza. El ámbito cerrado del templo le pareció una tumba. Comenzó a sentir que aquellos muros lo asfixiaban. Caminaba de un rincón al otro, como animal enjaulado, balbuceando incoherencias. Uno de esos recorridos lo condujo a la escalera del campanario. La idea de salir a un horizonte abierto lo capturó enseguida. Penetró sin vacilar en la oscuridad del cubo y subió dando traspiés entre sus paredes estrechas. Afuera, el aire frío de la montaña dio de golpe sobre su rostro y canceló de inmediato sus ánimos expansivos. Una luna famélica se alzaba como un intruso en mitad de la noche. Todo estaba envuelto por un silencio profundo, que Aurelio alcanzaba a adivinar detrás del zumbido insistente que agitaba sin descanso sus oídos.

En torno suyo, la sierra era una secuencia de bordes luminosos, un mar ondulante de líneas de espuma, una celosía. Caminó en dirección a la cúpula, la cruzó sobre manos y piernas y se sentó sobre su borde externo. La extensión de la barranca se había convertido en una sustancia pastosa, inmóvil, difusa, mucho más negra que la oscuridad que la contenía. Cuando sus ojos trataron de penetrar en ella, la vista se le diluyó en la nada. Sintió entonces la presencia de una brecha infranqueable. Lo tocó la punzada de un terror instintivo. Le pareció que la iglesia era lo único que lo guardaba de hundirse en ese pantano informe, de perderse en las profundidades de su fondo renegrido. Se supo insuficiente, menguado, quebradizo. No era una intimación de peligro lo que lo abrumaba, sino la magnitud de la indiferencia. Hubiera querido que su vida significara algo, cualquier cosa.

Se le volvió más que urgente bajar a darle otro trago a la garrafa de raicilla. Volvió al interior de la iglesia y se sentó sobre el piso del coro, con la espalda recargada en el muro. Decidió tomar ahora de manera civilizada, así que comenzó a llenar con cuidado la tapa de la botella y a vaciarla a sorbos pequeños, como si fuera un pájaro. Respetar aquella preceptiva reclamaba todo su esfuerzo y lo tuvo entretenido durante un buen rato. Para entonces sus pensamientos habían perdido cualquier residuo de cohesión y flotaban como los desechos de una tormenta en las aguas revueltas de un río. La mirada se le dilataba sobre los perfiles fantasmales del coro, morosamente, en imágenes fluidas, que parecían derrumbarse y reconstruirse de nuevo cada vez que su objeto se desplazaba. Así se topó con la sombra de la Biblia, abierta boca abajo sobre la superficie de madera. Un impulso mecánico lo movió a arrastrarse hasta ella para cerrarla como era debido. Al tomarla entre sus manos, una hoja de papel se desprendió de sus páginas. Aurelio no alcanzó a verla, pero la escuchó aletear en el aire antes de perderse de nuevo en la oscuridad del piso.

Tardó unos segundos en dar con ella. Al tacto, parecía tratarse de una lámina impresa, que alguien había doblado por la mitad y guardado en el interior del volumen. Caminó con dificultad hasta quedar debajo de la mancha de luz, que para entonces casi había recorrido la extensión completa del coro. Abrió la hoja de papel sobre sus manos. El brillo de la luna diluía los colores en una gama de sombras opacas, pero Aurelio pudo distinguir sin problemas los trazos dramáticos de *La asunción de la Virgen* de Tiziano. Reconoció el cuadro de inmediato porque su madre se lo había mandado en una tarjeta postal, desde Venecia, cuando era niño. Como casi todos los proyectos de su madre, resultaba imposible determinar cuál había sido el verdadero propósito de ese viaje y qué mensaje pudo querer implicar con aquel envío. El hecho era que Aurelio había tenido la imagen junto a su cabecera durante años, hasta el día en que la desprendió de la pared y la quemó con frialdad en la llama de una vela porque había llegado a la conclusión de que el catolicismo era un fardo mental para gente estúpida.

Se trataba de un lienzo vertical, alargado, de remate redondo, que acentuaba la dinámica ascendente de la composición. El elemento central del conjunto era la figura de la Virgen María, que flotaba sobre una masa de nubes, sostenida por ángeles niños, camino del cielo. La aguardaba en la cúspide la efigie majestuosa del Padre celestial y tras ella, la luz radiante de la gloria. Abajo, oscurecidos por las sombras, las figuras de los apóstoles se prolongaban en un esfuerzo inútil por alcanzarla. Aurelio creía haber olvidado aquella imagen, pero la pálida semblanza del impreso, iluminada apenas por la luz de la luna, disparaba en su mente nítidas evocaciones, cuya lucidez se conservaba intacta. Podía recordar, por encima de todo, la intensidad sobrecogedora de esa luz dorada, que emanaba con serena claridad desde el espacio perfecto de la espiritualidad pura. A lo largo de su niñez, su mirada y sus pensamientos habían girado en torno de aquella promesa, que en la palpable inmediatez de la pintura adquiría una realidad irrefutable. Nuevo todavía para el mundo, su ánimo rebosaba entonces aspiraciones de trascendencia. Ahora, en cambio, cerca ya del final de su vida, su atención se centraba en los rostros ateridos de los apóstoles, en sus manos crispadas por la angustia, en la tensión de sus brazos alzados inútilmente al cielo. Junto a la fácil ingravidez de la Virgen, la aplastante materialidad de sus cuerpos semejaba una cárcel. La Virgen había dejado de compartir con ellos una naturaleza común. Los estrechos límites de su condición humana se les revelaban de golpe. Era difícil saber si los gestos desesperados de los apóstoles expresaban la aspiración imposible de elevarse al cielo con ella o la determinación de arrastrarla a como diera lugar de regreso a la tierra.

Aurelio se reconoció sin dificultad como uno de ellos: condenado al mundo, mientras el ideal se desprendía hacia los confines de una realidad aparte. En la penumbra del coro, la figura ascendente de la Virgen parecía condensar las imágenes íntimas de su madre, de Laila, de Clara, de Catalina; de todas las mujeres que habían marcado su vida. Cada una, a su modo, encarnaciones del absoluto, resplandecientes caminos hacia la luz de la gloria.

El cuadro parecía ilustrar la condición de su vida de manera transparente y total, pero Aurelio no perdía de vista que había una parte de la historia que no contaba y otra cuyos términos reales invertía. En el ánimo sin restricciones de la borrachera, pudo ver sin dificultad cómo la imagen de la mujer ideal elevándose al cielo conducía de un modo intrincado pero consecuente a la imagen de la mujer real encerrada en un sótano. La misma amalgama de sentimientos que daba cuerpo al anhelo representado por la primera sustentaba la lógica que iba justificando la serie de eventos discretos que culminaban con la segunda. Tal vez no tenía por qué ser así, pero así había sido. Y más allá de los remordimientos o de la culpa, lo que lo intrigaba en ese momento era la proximidad en el interior de su espíritu de ambas posibilidades, el que hubieran podido compartir un mismo espacio emocional durante tanto tiempo.

Aurelio no podía pensar con claridad, pero perseveraba como si hubiera podido y llegaba a hacerlo por momentos en brotes aislados. Las ideas aparecían en su cabeza de improviso, echaban a andar por su cuenta y se perdían al poco tiempo detrás de un horizonte brumoso. En ese ir y venir de intimaciones difusas, un motivo recurrente comenzaba a cobrar vida propia. La Virgen había subido al cielo en cuerpo y alma. En *cuerpo* y alma. Aurelio no lograba asir por completo las implicaciones de ese detalle específico, pero estaba seguro de que revestía una significación muy grande. Era el cuerpo, a fin de cuentas, lo que agregaba a todo el asunto sus aristas más problemáticas. Tal vez lo espiritual fuera la luz que orientaba nuestras aspiraciones, pero era un impulso orgánico, anclado en la carne, lo que nos compelía hacia ella. Y si bien los ideales podían existir como abstracciones puras, todos los cuerpos estaban habitados por alguien.

El retablo de Tiziano daba cuenta de esa realidad de un modo subrepticio, al recurrir a una trampa. Llegado el final de su vida, María tenía que haber sido una anciana, o cuando menos una mujer madura, pero la semblanza en el cuadro era la de una mujer joven. El pintor había tomado la única decisión factible desde el punto de vista del arte. La escena podía estar repleta de implicaciones sublimes, pero era el atractivo tangible de esa figura lo que las ponía a nuestro alcance. La importancia del efecto era tan grande que justificaba pasar por alto la doctrina. La Virgen había subido al cielo, en cuerpo y alma si se quiere, pero nadie había sugerido jamás que nunca hubiera envejecido.

¿O sí?

Aurelio ya no estaba tan seguro. Todo era posible en esa clase de temas. Se esforzó por evocar alguna referencia, pero su memoria era un caldo confuso de recuerdos fragmentados. Si la Virgen había dejado el mundo en un cuerpo joven, la plenitud física era un atributo digno de preservarse para la gloria eterna. Bajo tal premisa, el cielo entero se erotizaba. Volvió a poner los ojos sobre la lámina impresa: ese, sin duda, parecía ser el punto de vista del Renacimiento italiano.

Lo primero, en todo caso, era establecer con claridad los hechos. Regresó al lugar en donde había quedado la Biblia, recuperó por el camino la garrafa de raicilla y se volvió a sentar con ambas a la mano bajo la mancha de luz de luna. Comenzó a buscar en los evangelios. Tras un repaso somero, lo sorprendió no encontrar nada en ellos sobre la asunción al cielo de la Virgen. Juan y Mateo terminaban con una crónica de la resurrección; Lucas y Marcos, con la ascensión al cielo de Jesucristo. Era evidente que María había vivido más tiempo. Probó entonces su suerte con los Hechos de los Apóstoles. Ahí tenía que continuar la historia que los evangelios dejaban inconclusa. Entre la penumbra del recinto y el vértigo del alcohol no era fácil concentrarse en la lectura, pero por más que Aurelio iba y venía de una página a otra, revisaba con cuidado los encabezados, aguzaba la vista para dar con el nombre entre las líneas de texto, no encontraba por ninguna parte alusión alguna a la muerte de María. O a cualquier otro aspecto de su vida, para el caso. Un par de menciones aisladas, siempre con otras mujeres, eso era todo. Muerto el hijo, la figura de la madre se difuminaba. Costaba creer que se le descartara con tal desenfado, pero así era. Había leído esas páginas antes, ahora creía estarlas viendo bajo una luz distinta. Le parecían apenas burdos vehículos para el culto personal de los apóstoles, torpes intentos por justificar su actuación deplorable frente a la serie de sucesos que condujeron al tormento público de su maestro. Cabía esperar un poco de autocrítica, pero lo cierto era que aquellos textos se leían como un manual de ventas para los agentes viajeros de una nueva compañía. Aurelio no estaba para medias tintas: quería que alguien diera cuenta por la ausencia de esa figura central para la vida de la Iglesia en la que había crecido y que la estampa de Tiziano le volvió presente de un modo tan palpable. Si las fuentes textuales no existían, ¿cómo había llegado a crecer de ese modo? ¿A qué clase de apremios respondía?

Aurelio levantó los ojos. La luna había dejado su lugar a los primeros destellos de la alborada. Filones de un resplandor blanquecino se derramaban sobre los contornos rígidos de la piedra. En todo parecía haber un lado blando y un lado duro, deslizándose y envolviéndose mutuamente con cada giro de su mirada. La mente de Aurelio comenzó a oscilar de manera rítmica, cautivada por los efluvios de esa atmósfera de ensueño. La garrafa de raicilla seguía recurriendo a sus labios, pero sus movimientos eran cada vez menos precisos. Buena parte del licor eludía la cavidad de su boca y acababa por escurrirse en hilos amarillos a través de sus barbas. Cuando Aurelio volvió la vista al suelo, una apretada constelación de gotas salpicaba de un extremo al otro las páginas del libro.

En un primer momento, no pensó que aquellas manchas estuvieran relacionadas con su bebida. Cuando por fin lo hizo, sintió un agobio instantáneo. Trató de absorber el derrame con la manga de su camisa pero su intervención sólo sirvió para empeorar las cosas. El alcohol había disuelto la tinta. Un borrón negruzco desfiguraba la página. Se trataba de una sombra elíptica, con forma de galaxia, en cuyo centro flotaba, como mínima isla, una línea solitaria. Aurelio la leyó despacio, suspirando con dificultad cada palabra: *tendrán su tribulación en la carne.*

Volvió a leerla con cuidado, como si la sopesara. El tono sentencioso lo irritaba: la cantaleta santurrona de que cualquier desviación acabará por importar su castigo. Aurelio había tenido su tribulación en la carne, pero también había tenido su redención en la carne. Todo, bueno y malo, le había sucedido, a fin de cuentas, en la carne. Hasta su vida espiritual, en última instancia, tuvo lugar en la carne. ¿Por qué tanto encono contra lo único en el mundo que cualquiera podía reclamar como propio?

Sin pensar demasiado en lo que hacía, volvió a coger la garrafa, se llenó con ella la boca y con los labios entreabiertos dejó que el raicilla se le escurriera deliberadamente entre las barbas. Las gotas cayeron sobre el texto como bombas y comenzaron a formar surcos blancos entre las columnas escritas. La palabra *carne* se diluyó en un pequeño charco de mezcal y tinta. Aurelio dejó escapar un chillido de gozo. Un brote de renovada energía se abrió paso hasta su ánimo a través del estupor de la borrachera. El encanto primario de ese impulso destructivo lo cautivó por completo. Se propuso entonces ensayar en otras páginas variantes de su nuevo procedimiento de disolución etílica. El raicilla cundía entre las líneas impresas como una plaga, arrasando a su paso las mieses de aquellos campos de signos. Aurelio actuaba sin reflexionar, pero haberse detenido a hacerlo no lo hubiera disuadido. Sus actos eran impulsivos, pero no del todo arbitrarios. Surgían de una motivación profunda, incubada en el tiempo, impasible y amorfa, que el alcohol y las circunstancias habían puesto en activo. Era la resolución caótica de un cúmulo de agravios contenidos, que una vez echados a andar no iban a dejar de fluir hasta extinguirse. Cuando se cansó por fin de jugar a las correduras, probó a impregnar con cuidado una página entera y luego la repasó de un extremo a otro con la tela de su camisa. Repitió la operación en la superficie de la página opuesta y luego en el reverso de ambas. Dejó que los residuos de licor se evaporaran por completo y contempló el resultado final bajo la luz del nuevo día, que se filtraba desde el exterior de la iglesia como el aliento impaciente de un animal divino. El libro semejaba una ofrenda ritual sobre sus manos abiertas. La página en blanco brillaba en el aire dorado del coro con el imperioso optimismo de un horizonte nuevo.

Laila lo encontró ya pasado el mediodía, tirado de bruces sobre el coro, tieso, torcido, semidesnudo y como fulminado. Junto a su boca había un derrame viscoso y amarillo. Unos pasos más allá, la garrafa vacía. En medio de ambas, una especie de garra negra formaba un bulto sin forma sobre las tablas del piso: era la camisa de Aurelio, húmeda de mezcal y pegajosa de tinta. El aire estaba lleno de un tufo inmóvil, mezcla de los vapores del alcohol y de las secreciones comunes de un cuerpo humano. Al volverlo sobre su espalda, Laila descubrió bajo el cuerpo un extraño libro, con una palabra en la portada que no conocía y cientos de páginas muy delgadas en las que no había nada escrito.

Aurelio tardó una semana en volver a la vida. En cuanto pudo tenerse en pie, Laila le comunicó que había llegado la hora de irse. No protestó. Tenía el ánimo en blanco, cualquier otra cosa le hubiera dado lo mismo. Al salir de la iglesia, se encontró con que Laila había cargado la mula. No veía la carreta por ninguna parte. Sólo después descubrió sus huellas: dos líneas que se prolongaban hasta el borde del abismo. Por lo visto, Laila había decidido resolver por anticipado cualquier posible disputa a ese respecto. Prefirió no asomarse a la barranca. Tampoco quiso preguntar qué había decidido traer y qué había decidido dejar, ni qué planes tenía para llegar a la costa. Echó a andar en silencio detrás de la mula y siguió andando de ese modo durante todo el día.

El trayecto comenzó sin incidentes. Buena parte de lo que cargaba la mula eran las provisiones que Laila había preparado para poder avanzar de prisa. Hablaron muy poco durante ese tiempo. Aurelio seguía sumido en una especie de sopor, hecho a partes iguales de incredulidad y de vergüenza. Los estragos de la cruda habían quedado atrás, pero el peso de su mala conciencia lo aplastaba. Caminaba con la cabeza gacha, como si buscara algo sobre la tierra y todos sus movimientos tenían un aire impreciso y provisional. Había dejado de preocuparle la posibilidad de que no llegaran jamás a su destino porque ya no le veía sentido a que lo hicieran. En sus ojos sin brillo no quedaba rastro alguno de voluntad, ni de intención ni de deseo. Comenzaba, finalmente, a parecer un verdadero anciano.

Tres días después alcanzaron el extremo poniente de un macizo montañoso. Frente a ellos, la magnitud de la sierra parecía disminuir de manera notable. Al mismo tiempo, sin embargo, la densidad de sus pliegues se complicaba. No había líneas claras en la dirección de los montes, era como si una mano gigante los hubiera comprimido en un amasijo sin forma.

Comenzaron a bajar por la ladera y pronto quedaron sumergidos dentro de un mundo verde. Cada centímetro de ese entorno estaba ocupado por alguna especie de estructura vegetal. Plantas que crecían sobre otras plantas, sobre rocas, sobre el aire mismo; plantas que abrumaban los troncos de los árboles y formaban un volumen compacto alrededor de sus cuerpos. El aire estaba lleno de moscos, las hojas de hormigas, el agua de niguas y sanguijuelas; todos recababan con furia su peaje de sangre. El calor fue creciendo a cada paso hasta convertirse en una pesadilla que lo dominaba todo. Un aire pesado y húmedo entraba y salía de sus pulmones, pero no aliviaba en ningún momento su sensación de asfixia. El sudor los iba reduciendo, ablandando, fundiendo con la realidad descompuesta que los circundaba. La selva era una fauce colosal, un molino de materia orgánica, una fábrica de transformar vida en lodo y lodo en vida: mecánica, circular, redundante, perpetua.

Siguieron caminando por las entrañas de ese mundo que era siempre el mismo. Lo único que los dejaba imaginar que se movían eran los cambios en la pendiente del piso, la aparición esporádica de algunas rocas, el surgimiento repentino de charcos y riachuelos. Cuando la cúpula vegetal llegaba a abrirse por un momento, no alcanzaban a ver a través de sus huecos sino manchones fugaces de un cielo amarillo o el perfil abrupto de los picos de la sierra, que se levantaban a su alrededor como los muros irremontables de un calabozo. Los días eran lentas gradaciones de una luz deslavada; las noches una procesión continua de alimañas que acudían a cebarse sobre sus venas.

El tiempo dejó de tener sentido, su transcurso no modificaba nada. Ninguno de sus actos parecía generar consecuencia alguna. El monte se le fue convirtiendo a Aurelio en una condición vital, en la expresión física de su desencuentro con el mundo. Ya no abrigaba siquiera la ilusión de una muerte digna: sabía que su cuerpo se iba a pudrir en ese lodazal inmundo, convertido en carroña, como cualquier animal salvaje. Había dejado de pensar en el porvenir y aun en el presente. La muerte se le figuraba ahora un mero asunto de procedimiento. Habitaba ya su purgatorio, acaso su mismo infierno. Hubiera querido poder verlo todo como una cadena de giros fatales, una cifra desafortunada en la ruleta del destino, pero algo en su interior se negaba a reducir su condición vital a la de una ficha inerte que manos invisibles deslizan sobre la superficie de un tablero. Le importaba asumir la paternidad de sus actos. Elegía creer que era posible elegir para que todas sus demás elecciones fueran igualmente reales. Había tomado la determinación de decirle la verdad a Laila.

Esa noche llegaron hasta lo que parecía ser el punto más bajo de aquel agujero. A la mañana siguiente comenzarían a remontar una pendiente que con un poco de suerte habría de conducirlos a un entorno más propicio. A pesar de aquella circunstancia alentadora, pesaba sobre todos un aire ominoso. Laila se mostraba tensa, era claro que algo le preocupaba. La mula también parecía nerviosa y se había venido comportando de un modo extraño. Poco antes del anochecer se detuvo de pronto y se negó por completo a seguir adelante. Tuvieron entonces que quedarse ahí y ahora estaban sentados junto a un fuego endeble, esperando que la fatiga los derrumbara del todo.

El único que se mantenía inmune a tales premoniciones era Aurelio, que seguía ensimismado con sus pensamientos, repasando una y otra vez los hechos, sopesando sus tenues, tentativas, acaso puramente imaginarias posibilidades de redención. Cuando se decidió por fin a hablar y comenzó a hacerlo tardó varias frases en darse cuenta de que Laila no lo escuchaba. Después de tantos días de silencio su voz había quedado reducida a un hilo que a duras penas conseguía resonar al interior de su cabeza.

—¡Laila! —exclamó entonces, a un volumen desproporcionado.

Laila dio un respingo, se puso de pie y miró furtivamente en todas direcciones. La mula alzó las orejas y apretó el rabo. Algo pareció sacudirse detrás de la maleza.

—¿Qué pasa?

—Nada. No es nada. Quería decirte algo. Algo que no te dije antes, o no del todo, y que quiero que sepas. Sobre Catalina. Lo que te dije de Catalina... de cuando Catalina... Es decir, antes de que Catalina...

Aurelio acudió a las palabras con la esperanza de encontrar en ellas cierta capacidad de conjuro. Consumar una especie de exorcismo con el solo hecho de formular frases concretas y verterlas dentro de los oídos de Laila. Pero ahora que las palabras trataban de cobrar forma dentro de su boca no estaba seguro de que fueran a decir lo que él quería que dijeran. Trató de recapitular:

—Hubo un momento... Más bien... estaba metido... Sucede que llegó un punto en mi vida, por la razón que quieras, en que chocaba una y otra vez contra las mismas cosas...

Laila pudo darse cuenta de que Aurelio estaba por adentrarse en uno de esos soliloquios cuyo propósito y sentido, en caso de que los tuviera, sólo podía llegar a vislumbrarlos él mismo. En otro momento habría tratado de escucharlo y aprender de lo que le decía, aunque tal aprendizaje no fuera, como no solía serlo, el mismo que él se proponía inculcarle. Pero algo estaba sucediendo o a punto de suceder y ella no tenía cabeza para ninguna otra cosa. Las palabras de Aurelio le llegaban en ráfagas aisladas, inconexas:

—...me dio por pensar día y noche en la larga línea de seres que se extiende desde cada uno de nosotros hasta la oscuridad del origen. Trataba de representarme la imposible fórmula de azares, la voracidad, la furia, el empeño ciego volcado en resistir al mundo. Me maravillaba su implacable geometría, pero también el ánimo febril, encantador, ingenuo, por revestirla de dignidad y de sentido:

la maraña de nombres trenzados como una cuerda para salir del abismo. A mi alrededor, la gente contemplaba su existir como una realidad pedestre. A mí comenzó a parecerme un milagro. La única continuidad irrebatible. Se lo participé a Catalina como una revelación de la mayor importancia, el eje en torno al cual debería ordenarse nuestra vida. Pero ella no dio muestras de compartir mi entusiasmo. Me escuchó sin decir palabra y se me quedó mirando con escepticismo, creo que hasta con cierta piedad...

Laila creía entrever que aquello se relacionaba con algo de lo que había leído en el libro, pero no alcanzaba a discernir en qué forma. Tampoco pudo detenerse a meditarlo, porque un reflejo instintivo la obligó a ponerse de pie. La mula también comenzó a inquietarse y acaso hubiera echado a correr de inmediato de haber podido decidir hacia dónde hacerlo. La selva mantenía un extraño silencio. Su ritmo interno se había dislocado. Ajeno a todo, embebido, Aurelio seguía con su discurso como si nada sucediera. Para entonces, sus palabras iban dirigidas a sí mismo tanto como podían haber ido dirigidas a Laila:

—...el problema no fue que Catalina viera las cosas de diferente modo, sino que a mí me pareció que eso no tenía por qué ser un obstáculo definitivo. Si llevaba el asunto al plano de los hechos consumados, si lograba crear una situación irreversible, lo demás acabaría por tomar su lugar y asentarse por su propio peso. En mi mente fue cobrando forma un plan, que culminaba con la imagen luminosa de una boda íntima, emotiva, sublime, en la capilla de piedra de Chimalistac. Aquel evento singular era indispensable para justificar no sólo mi propia vida, sino todas aquellas que se habían entrecruzado a lo largo del tiempo para hacerla posible. Quise creer que llegado el momento las bondades esenciales del proyecto resultarían evidentes para todos, que las libertades incurridas para cumplirlo se verían justificadas. Pero cuando Catalina se dio cuenta de que estaba embarazada no le pareció ni tan sublime ni tan irreversible...

Aurelio se detuvo al llegar a ese punto. No quedaba por decir sino eso que se había resistido a mirar de frente durante tantos años. Aún en el ánimo confesional en el que se encontraba ahora le era casi imposible reconocerse en lo sucedido. Era cierto que nunca quiso lastimar a Catalina y que nadie hubiera podido prever tal desenlace, pero era justamente el abismo entre el signo de sus intenciones y la realidad de sus actos lo que lo dejaba perplejo. En el espacio donde debía encontrarse su capacidad de juicio no podía descubrir sino un espacio muerto, una cavidad vacía, susceptible de ser ocupada a capricho por cualquier otra fuerza. Que Catalina muriera aplastada porque él la había encerrado en un sótano no se desprendía necesariamente del acto de encerrarla, pero ilustraba la verdadera dimensión de haberlo hecho.

Los sucesos se le aparecían ahora en una secuencia de imágenes extrañamente nítidas, como si acabaran de suceder hace poco, o siguieran sucediendo siempre, de manera continua, en alguna burbuja del tiempo. Podía verse entrando de nuevo a la ciudad destruida, cubierta de silencio y de polvo, ensayando ya por unos días su ulterior futuro de fantasma. Avanza por calles irreconocibles, que topan en continuas desviaciones, del mismo modo que los senderos desquiciantes de un laberinto. La catástrofe colectiva se despliega a su alrededor como los telones irreales de una tramoya, cuadros secundarios sin otro sentido que el de encaminar la trama hacia su clímax. Cuando llega a la casa, sepultada a medias por la masa informe del edificio contiguo, la sensación de irrealidad se intensifica. Los hechos están a la vista, pero su corazón se niega a reconocerlos todavía. Camina hacia la puerta como si todo fuera un espejismo, una distorsión pasajera que habrá de disiparse en cuanto cruce el umbral y anuncie su llegada con un grito. Pero antes de que pueda alcanzar la casa un grupo de vecinos le corta el paso. En sus rostros descompuestos, la verdad comienza a adquirir una concreción irrebatible. Aquellas miradas están al tanto de lo sucedido, al tanto de las circunstancias y lo que han visto reclama de sus conciencias un acto de retribución inmediata. El primer puñetazo es como una cubetada de agua fría que lo devuelve al mundo. La realidad de los hechos se abre paso hasta su entendimiento de un solo golpe. Vive un instante de claridad total mientras se derrumba al piso, antes de que la lluvia de palos y de patadas lo disperse en una constelación informe de dolor físico.

Es entonces cuando aparece Quicho. Nunca llegará a saber cómo, de dónde o por qué pues jamás cruzarán palabra sobre los sucesos de ese día, pero su gente no tarda en abrirse paso hasta él con la cacha de sus pistolas. Los vecinos se repliegan, se reagrupan, consolidan su ánimo y atacan de nuevo. En aquella jornada de impotencia, su voluntad de justicia es más fuerte que su temor a las armas. La turba pugna por llegar hasta él y él pugna por liberarse de los brazos que lo sujetan para alcanzar la casa, revocar el tiempo, cancelar sus actos, restablecer lo perdido. Dos balazos cortan el aire inmóvil y todo se detiene, se acalla, pierde sus perfiles y acaba por disolverse.

Fijos los ojos en el fuego, Aurelio se sentía a punto de decirle a Laila que había sido él quien mató a Catalina, pero algo en la propia naturaleza de sus recuerdos se lo impide. Por un momento le parece que cada uno de aquellos eventos existe por sí mismo, disociado de sus antecedentes, ajeno por completo al futuro. El Aurelio que participó en ellos está tan muerto como la mujer a la que le tocó sufrirlos. Ningún evento presente puede alterar la definitividad de lo sucedido; atenuar, compensar o equilibrar en el esquema universal de las cosas su naturaleza discreta y su carácter finito. Pretender lo contrario no sería sino agregar a la simulación, perpetuar la farsa. Si la turba hubiera culminado en aquel momento su acto de violencia justiciera, ese evento brutal y espontáneo habría tenido sentido. Una y otra muerte hubieran quedado ligadas por emociones vivas. Todo lo que vino después era otra cosa. Ya no estaba seguro de saber quién era Catalina, cuál pudo haber sido en verdad su relación con ella. Había repasado esas imágenes tantas veces, pulido sus aristas a lo largo del tiempo con tal esmero, que le resultaba imposible afirmar con certeza que fueran más o menos reales, o que le atañeran finalmente de un modo más íntimo, que cualquier episodio recogido al azar de las páginas de un libro. El mundo se le difuminaba en abstracciones, se atomizaba, se descomponía. Necesitaba tomar en sus manos un objeto cualquiera y convencerse de que existía. Siempre había querido estar en otra parte, amar a una persona distinta, tener justo las cosas que la vida se negaba a darle. Sus ideas median la realidad e invariablemente la encontraban corta. Sólo Clara había sobrevivido a ese ejercicio de demolición continua. Apenas ahora era capaz de verlo. Todo entre ellos había sido inmediato y presente, concreto, inalterado por la nostalgia o por la fantasía. Al llegar a su punto culminante, aquel dilatado acto de introspección daba un vuelco repentino.

—Clara, Clara... —se escuchó balbucear entonces, mientras cogía un puñado de tierra, lo apretaba entre sus palmas y se lo llevaba al rostro.

En ese mismo momento, Laila tomó de la fogata una rama encendida y marcó con ella un círculo en el aire. El paso de la lumbre pareció agitar las hojas, como si las tocara una levísima oleada de viento.

—Tenemos que irnos de aquí.

La luz de la llama devolvió a Aurelio a la realidad presente. Se miró las manos ennegrecidas. Sintió las manchas de lodo sobre su cara.

—¿Qué pasa?

—Nos vienen cazando.

—¿Qué?

—Aquí estamos muy expuestos. Hay que movernos de prisa.

Laila tomó a la mula del cabestro y comenzó a trotar en dirección a la pendiente. Aurelio tuvo que dejar de lado sus reflexiones y volver a ponerse en manos de sus instintos. Agarró también una rama encendida y echó a correr detrás de Laila. En torno a ellos, la selva parecía haber cobrado vida.

Sólo la antorcha de Laila era visible, medio centenar de metros vereda arriba. Todo lo demás era noche. Bestias invisibles corrían a su lado, con trote firme y seguro. Alcanzaba a sentir el calor de sus cuerpos y escuchar el sonido de su respiración jadeante. El más mínimo error y sus dientes tardarían unos segundos en hacerlo pedazos. Aurelio comenzó a remontar la pendiente. Su rostro chocaba contra ramas invisibles; lianas y raíces le cortaban el paso. Hasta ese momento, su cuerpo había respondido de un modo admirable, pero no iba a poder mantener ese ritmo durante mucho tiempo. Las piernas comenzaban a pesarle. En su pecho cobraba forma una bola de fuego. Ya pensaba en la necesidad de considerar opciones a aquella carrera imposible cuando vio que Laila llegaba por fin a un lugar seguro: dos o tres peñas que formaban un racimo compacto contra la falda del cerro, suficiente para cubrirles las espaldas.

Laila detuvo la mula junto a las rocas y se plantó frente a ella, blandiendo su antorcha en todas direcciones. Aurelio la alcanzó unos instantes después y justo a sus espaldas el tropel de pasos se les vino encima. Escucharon cómo se esparcía en torno a su refugio y casi al instante la noche volvió a sumirse en un profundo silencio.

La huida los había dejado al borde del paroxismo. Las piernas les temblaban con furia, todos sus músculos guardaban una tensión máxima. Siguieron en ese estado de alerta durante mucho tiempo, oteando la oscuridad en busca de cualquier indicio, creyendo escuchar sonidos imaginarios, hasta que lograron convencerse de que nada se movía. Entonces pudieron volver los ojos hacia su entorno inmediato. Tenían que levantar un perímetro de hogueras alrededor de las peñas. Eso bastaría para mantener a raya a sus atacantes durante las siguientes horas.

Al amparo de su muralla de fuego, comenzaron a sentir que el alma les volvía al cuerpo. Poco a poco, la excitación fue dando paso a la fatiga. Consiguieron detenerse, se doblaron sobre la cintura, accedieron a sentarse y acabaron reclinando las espaldas sobre la tierra caliente. Así se quedaron por un periodo indefinido, con el cuerpo abatido y la mente en blanco, escuchando el rumor de las llamas y sintiendo la opresión de la selva, que parecía haber recuperado su engañosa serenidad de costumbre.

La noche transcurrió sin incidentes. Aurelio durmió de maravilla. Al despuntar el día estaba como nuevo. No había dormido tan bien desde su borrachera en el coro. Se sentía repuesto, dispuesto, dueño de un ánimo distinto. Laila, en cambio, sólo había podido dormir a ratos y a medias. Se había pasado la noche cuidando los fuegos. La sensación de peligro no la abandonó del todo en ningún momento.

Tardaron en atreverse a salir del refugio y cuando por fin lo hicieron caminaban muy cerca la una del otro, cada cual armado con su machete y una antorcha encendida. No encontraron signo alguno de sus atacantes. Acaso la lumbre los había convencido de buscarse presas menos complicadas. Decidieron, con todo, extremar precauciones. Cortaron dos varas largas y fuertes y ambos se calaron los machetes a la cintura. Volvieron al campamento original para recoger sus cosas y con el alma todavía en suspenso, comenzaron a remontar la pendiente. Con regular frecuencia, sobre todo al principio, se detenían de manera abrupta para auscultar el entorno, aterrados por la posibilidad de alguna emboscada. Nada, sin embargo, sucedía. La selva volvía a dejarlos hacer, impávida, desentendida. Después de algunas horas y acaso movida por el deseo de distanciar su mente de aquellas anticipaciones oscuras, Laila trató de retomar el hilo de la conversación que el ataque había dejado inconclusa. Estaba cada vez más segura de que se trataba de un asunto de primer orden y una especie de vago remordimiento se mezclaba en su ánimo con una curiosidad infinita. De los retazos de historia que alcanzó a escuchar y que había venido rumiando a lo largo de la caminata, pudo colegir que el asunto se relacionaba con un tema al que Quicho estuvo aludiendo de manera recurrente, en términos más bien confusos, durante los días que pasó con él antes de ir a encontrarse con Aurelio a las cañadas. Laila solía quedarse corta en sus esfuerzos por encontrarle pies y cabeza a tales enredos, en parte porque tenían que ver con formas de relacionarse cuya razón de ser apenas intuía, en parte porque nunca quedaba claro quién había hecho qué cuándo en definitiva y en parte porque siempre había cierta reticencia de parte de sus interlocutores a poner todas sus cartas sobre la mesa. El impulso confesional que los movía a buscarla solía venir acompañado por cierta dosis de reserva, que apelaba tal vez a su buena disposición a leer entre líneas, sin detenerse a pensar que esa clase de destrezas quedaban muy por encima de sus capacidades. Cada vez que un secreto se esclarecía, la posibilidad de un nuevo misterio lo remplazaba y Laila, sin proponérselo, había acabado por volverse adicta a ese juego de espejos.

Estaba además la carta que le había dado Quicho, con instrucciones muy precisas de no mencionársela siquiera a Aurelio hasta llegar a la playa. Ese era el verdadero motivo por el que había ido a buscarla. Pero Aurelio mostraba muy poco interés por volver a internarse en aquellos asuntos. Su locuacidad de la noche anterior había dado lugar a un desconcertante mutismo. El ataque y su reacción al ataque le habían restaurado el apego a la vida. Quería continuar el viaje, llegar a la playa, apurar su destino. De un modo por completo inesperado, una cadena de intrincadas ecuaciones se había despejado en cero al interior de su espíritu. ¿Qué caso podía tener seguir dándole vueltas a esa cifra vacía?

Tardaron tres jornadas en llegar hasta la cima de un monte y lo que encontraron ahí fue una mezcla agridulce de posibilidades. La línea del mar seguía sin aparecer por ninguna parte. En cualquier dirección que se mirara, la sierra se prolongaba hasta el horizonte. Hacia el noroeste, sin embargo, una serie de picos escarpados destacaba sobre el perfil uniforme del entorno. De aquel macizo rocoso se desprendía un pliegue continuo, que seguía hacia el poniente, a cuyo pie, ambos coincidieron en conjeturar, debía correr un cauce de agua más o menos significativo. Ese río, arroyo o lo que fuera tenía que desaguar tarde o temprano en el mar, pues el grueso de la masa montañosa de la sierra había quedado sin lugar a dudas atrás, hacia el oriente.

Decidieron dejar de lado ensoñaciones y titubeos. Hicieron acopio de sus reservas de voluntad y las concentraron en el propósito único de abrirse paso a través del monte, con el empeño maquinal de una columna de hormigas. Al llegar al filón que se desprendía de la montaña confirmaron que a su pie corría cierta clase de arroyo, aunque era imposible verlo desde aquella altura. El sonido de su cauce, proyectado por las laderas de la barranca, les pareció la música más hermosa que jamás hubieran oído. El horizonte no había cambiado, pero el agua estaba ahí, sólo podía correr hacia abajo y ellos no tenían que hacer otra cosa que bajar con ella.

Caminaron por la orilla de la barranca hasta que ésta se disolvió en otra y esa en otra y la otra en una diferente, al tiempo que el arroyo recibía tributarios, desaguaba en un cauce más grande o se bifurcaba en diversas vertientes. En más de una ocasión siguieron un curso que acababa por dispersarse en un abanico insignificante de riachuelos o se descubrían atrapados entre las paredes de alguna angostura, donde el arroyo se transformaba en un torrente y no quedaba espacio para caminar la mula. Entonces tenían que recoger sus pasos y encontrar una ruta distinta. Poco a poco aprendieron a identificar el cauce principal y perfeccionaron las formas de recuperar su posición sobre terreno elevado. El agua corría sin descanso a través de ese mundo de accidentes colosales y ellos corrían tras ella, al límite de sus fuerzas, como quien persigue un tren que se le escapa.

Así llegaron a un punto donde el arroyo comenzaba a descender de golpe por un cañón escarpado. Siguieron caminando sobre la orilla izquierda, viendo desde arriba como el cauce bajaba entre paredes de roca y un poco más adelante cayeron en la cuenta de que estaba por desaguar en un nuevo río, acaso más grande, cuya corriente, a juzgar por la ladera que se les volvió visible, corría en dirección al norte. Entendieron entonces que la lengua de terreno por la que marchaban iba a terminar en forma abrupta al llegar a la confluencia. Conforme se acercaban a ella la densidad de la vegetación se fue reduciendo. El terreno se volvió rocoso. De pronto se sintieron envueltos por un aire distinto, que llegaba desde el noroeste, a contracorriente del nuevo río. Era un viento mineral, salado, tórrido, lleno de aromas calcinados y como podridos.

—¿Qué es eso? —preguntó Laila.

—¿Qué es qué?

—Ese aire. ¿No lo sientes? Nunca había respirado un aire parecido.

Laila se llenó los pulmones varias veces, levantó la cara al cielo y comenzó a trotar en dirección a la orilla, dando giros con el cuerpo y levantando los brazos al aire, como si fuera una niña.

—Es el mar, ¿no es cierto? Ese aire es el mar. Estoy segura.

Aurelio echó a andar tras ella. Llevaba a la mula por la brida y pensaba que todo había valido la pena con tal de ver a Laila desbordar su júbilo de ese modo. No quería decirle que ese aire era el mar, sin duda, porque la playa debía estar aún muy lejos.

Laila trepó sobre una roca para ver a la distancia. Algo señalaba con el brazo mientras se llevaba la otra mano a la boca para hacer bocina, pero Aurelio no podía escucharla porque el ruido del agua al llegar a la confluencia ahogaba todos los demás sonidos.

Fue hasta entonces cuando lo vio, parado frente a sus pies como si nada. Su sorpresa fue tal que ni siquiera se le manifestó como alarma en un primer momento. Se trataba, más que ninguna otra cosa, de una especie de perro, con las facciones chatas, las fauces formidables, el tamaño y la corpulencia de cuartos delanteros de un mastín. Pero tenía las orejas puntiagudas. Y la pelambre clara, rala y metálica de un lobo. Le recordaba además cierto pasaje íntimo y remoto de su vida, que ya no lograba precisar del todo.

Todavía tenía la mente ocupada por esas consideraciones cuando el animal se le vino encima y lo derribó al suelo. Desde el primer envión, las fauces fueron en busca de su cuello. Logró interponer el antebrazo y los dientes se cerraron sobre sus huesos con la fuerza de una rueda de molino. Un estallido de dolor le recorrió el torso. Trató de llevar la otra mano al mango de su machete, pero las patas del perro y su peso se lo impedían. Entonces la mula, que ya empezaba a ser atacada también, dio una coz en aquella dirección y aunque el golpe no bastó para obligar al animal a soltarlo, sí logró quitárselo de encima. Consiguió tomar su machete y hacerle un tajo en el lomo. El perro reculó y Aurelio se puso de pie. Cuando el animal preparaba ya la siguiente embestida, un nuevo golpe le partió el cráneo.

Aurelio levantó los ojos. Sintió que se encontraba en un paisaje de pesadilla. El dolor y la descarga de adrenalina acentuaban su sentido de desconexión con el entorno. A su derecha, la mula estaba copada por cuatro o cinco de aquellos monstruos y retrocedía dando coces en dirección al monte. En el extremo opuesto, Laila seguía subida en la piedra, con el machete en la mano. Varios perros la acosaban desde abajo sin atreverse a saltar sobre ella.

Las varas estaban amarradas con los demás bultos. Un par de días antes creyeron estar seguros de que el peligro había pasado. Aurelio pensó que era mejor acudir primero en auxilio de la mula y tratar de echar mano de las varas. Comenzó a moverse en esa dirección y cuando estaba a unos cuantos metros de distancia, los perros se volvieron hacia él para enfrentarlo. La mula echó a correr colina arriba, Aurelio trató de retroceder en dirección a la punta, pero otra columna de perros le cerró el paso. Entonces entendió que el ataque a la mula había sido sólo una táctica distractoria, una treta para evitar que se uniera con Laila. Él era la presa desde un principio, el eslabón más débil de la cadena.

Los perros lo fueron acorralando contra el borde del cañón. Habían visto el efecto de su machete y esta vez se iban a cuidar de atacarlo de manera impulsiva. Aurelio trataba de evitar que lo rodearan y para hacerlo se acercaba cada vez más a la orilla. Cuando estaba a un par de metros de ella, dos de los perros le saltaron a la cabeza, desde direcciones cruzadas. Logró evitar al primero de ellos y al otro alcanzó a herirlo con el machete, pero casi de manera simultánea, un tercer perro lo atacó por abajo, lo prensó del talón y consiguió derribarlo. Antes de caer, Aurelio se torció sobre su espalda y le rebanó la mitad del hocico de un solo tajo. Otras fauces se cerraron sobre su muñeca y lo obligaron a soltar el arma. El impacto de aquella embestida lo proyectó hacia atrás, por encima del borde y empezó a rodar por las paredes del cañón, con la bestia prendida todavía del brazo. Fueron a caer sobre un estrecho filo de roca y la fuerza del impacto los separó enseguida. Aurelio se recuperó de inmediato y sin siquiera pensarlo dio al animal una patada en el lomo que lo tiró al abismo.

Aquella victoria no significó sino un respiro momentáneo, el resto de los perros ya bajaban por las paredes del cañón a toda prisa. Aurelio sacó de la bolsa de su pantalón una navaja de monte que siempre llevaba consigo. La abrió, dio media vuelta, corrió hasta el final de la orilla de roca en donde se encontraba y desde ahí saltó a otro filón más estrecho todavía. Su única posibilidad de salvación era acercarse lo suficiente al cauce del arroyo para lanzarse al torrente, que corría unos veinte metros más abajo, oculto tras las copas de los árboles.

Los perros no tardaron en echársele encima, esta vez sin detenerse a acosarlo. Enloquecidos por el olor de su sangre, borraron de sus cálculos cualquier otra consideración que no fuera hacerlo trizas. Uno se le prendió de la espalda y le enterró los dientes en el hombro. Otro le atenazó la pierna izquierda a mitad de la pantorrilla. Los tres cayeron al vacío y fueron a dar de lleno contra la fronda de un árbol. El perro que llevaba en la espalda salió despedido y se rompió la cabeza en una parte poco profunda del arroyo. Aurelio y el otro perro quedaron colgados de una rama gruesa, formando entre ambos una especie de horqueta, cuyo vértice era la articulación de su rodilla: el perro colgaba de su pierna por un lado, el resto de su cuerpo colgaba por el otro.

Aurelio tardó unos instantes en registrar su situación. Tenía la navaja en la mano y un perro prendido a la pierna; siete u ocho metros más abajo, al final de una sucesión de ramas, el arroyo se apretaba por un pasaje estrecho entre dos paredes de roca y caía en medio de una poza pequeña formando una cascada blanca. Lo primero era quitarse de encima esos colmillos que le estaban desgarrando la carne. Con un esfuerzo enorme, logró jalar su cuerpo hacia arriba y clavó su navaja entre los ojos del perro. Las mandíbulas se abrieron al instante, la fiera se desplomó enseguida; Aurelio se vino de espaldas y su mano resbaló del nudo. Trató de agarrarse de cualquier otra cosa, pero no pudo. Siguió cayendo a través del follaje, dando tumbos entre las ramas a lo largo de su trayecto. Un reflejo mecánico lo movió a enroscarse. Sintió que un filo de piedra le rasgaba el costado y medio segundo después quedó sumergido en un torrente blanco.

La columna de agua lo jaló hacia el fondo. En la confusión de espuma, era imposible distinguir hacia dónde era arriba y hacia dónde abajo. Un flujo circular parecía mantenerlo en un mismo sitio, mientras la corriente lo zarandeaba en todas direcciones. Se sintió a punto de sucumbir al pánico. Aquel lecho de grava sería su tumba. De pronto, la espalda le chocó violentamente contra una roca. Un instante después consiguió salir al aire, aunque hasta ese momento había estado seguro de que se hundía. Llenó sus pulmones exhaustos. Trató de aferrarse de cualquier cosa. La corriente lo arrastró por encima de una plancha de roca y luego lo precipitó sobre el canto de una nueva cascada.

La velocidad del agua iba en aumento. Todo a su alrededor era un torbellino furioso, caótico, incontenible. A duras penas lograba sacar la cabeza de tanto en tanto para apurar bocanadas angustiosas de un aire escurridizo. Se supo perdido. Por su mente desfilaron en ráfagas furtivas las imágenes de la vida que se le escapaba. Había llegado al límite de su resistencia cuando le pareció que la corriente le daba un respiro. Se sintió penetrar en un cuerpo de agua más estable y acaso más frío, que se desplazaba con serena determinación entre dos paredes de vegetación compacta. Había alcanzado la confluencia. Flotaba en medio del nuevo río. Trató de nadar hacia la orilla pero sus brazos se negaron a responderle. No le quedaba una sola gota de energía. Tuvo que dejar que lo arrastrara la corriente y así se fue alejando de la punta, que se le perdió de vista, y siguió flotando a la deriva durante un largo tiempo hasta llegar a un recodo del río en donde el lecho se hacía más ancho, el cauce se adelgazaba y la corriente se reducía. Entonces pudo dar pie con el fondo y arrastrarse hasta la arena de la orilla. Se desplomó sobre el primer lugar que encontró seco y un instante después perdió el sentido.

Lo despertó el aletear de los zopilotes, que ya se peleaban los lugares de privilegio en el inminente reparto de sus despojos. Tenía el cuerpo molido. Con dificultad logró girarse sobre su espalda. En la arena quedó la huella de su cuerpo, salpicada por manchones de sangre oscura. Su antebrazo izquierdo era todo una mancha púrpura. La muñeca derecha tenía el espesor de su puño. La piel de su talón izquierdo estaba desgarrada y un par de incisiones profundas le cruzaban la pantorrilla. Sentía el ardor de una cortada que le bajaba desde la axila izquierda hasta la cintura y había perdido todo rastro de sensibilidad en el hombro derecho. Su pantalón eran dos círculos de jirones abiertos hasta la mitad del muslo. No quedaba vestigio alguno de sus huaraches ni de su camisa.

Volvió a aflojar el cuerpo sobre la arena. Aun ese breve intento de auscultación lo había dejado rendido. Los zopilotes terminaron por comprender que el cadáver no estaba muerto y optaron por retirarse. Aurelio se quedó mirando al cielo. El sol brillaba con fuerza tras las ramas que lo tenían a su sombra. Debía haber transcurrido cuando menos una noche. Había llegado con Laila a la punta ya pasado el mediodía, de modo que ese sol que miraba ahora tenía que ser por fuerza el de una mañana distinta. Dejó pasar unos minutos y luego trató de erguirse, pero una punzada en el costado volvió a clavarlo en la arena como un insecto cautivo. Tal vez se había roto también alguna costilla. Era inútil intentar moverse. Su cuerpo era un fardo inservible.

Siguió tirado ahí todo el resto de ese día y a lo largo de toda esa noche. Consiguió levantarse por fin a la mañana siguiente. Buscó entonces algo de comida y consumió con avidez lo que logró encontrar: unas flores blancas, que brotaban sobre unos arbustos llenos de espinas; ciertos bulbos parecidos a cebollas; unas frutas redondas, muy ácidas, con gusto a mandarina; racimos de pequeñas jícamas; hormigas que apretaba en bolas compactas y se pasaba enteras como si fueran píldoras. Encontró hierbas para curar sus heridas y se obligó a mover sus músculos atrofiados.

Durante todo ese tiempo se preguntaba qué podía haber sucedido con Laila, si habría sobrevivido, si lo estaría buscando, si acaso pasó por el río sin verlo o porque caminaba sobre la otra orilla. Dedicó otro par de días a recuperar sus fuerzas, con la esperanza de verla aparecer de forma repentina. Era absurdo pretender que podía remontar la corriente para ir en su busca. En un nuevo encuentro con los perros sus posibilidades eran nulas. Habían pasado casi tres días, la suerte de Laila tenía que estar echada. Lo único razonable era seguir caminando corriente abajo por el curso del río. Si Laila seguía con vida, seguramente se iba a proponer lo mismo.

Aurelio echó a andar por la ribera. Cojeaba visiblemente. Con cada paso que daba, la armadura entera de sus miembros parecía más cerca de descoyuntarse. Para moverse mejor, había recortado las piernas de sus pantalones, que estaban reducidos de cualquier manera a una garra inservible. Lo que quedó sobre su cuerpo era una especie de taparrabos, que le daba a su figura un aire de náufrago perdido. El río se deslizaba a su lado constante, voluminoso, flexible, un rasgo singular de certidumbre en mitad de su desamparo. Todo lo demás era profusión desmesurada, oscuridad y peligro. La selva se cernía sobre su soledad como un depósito de posibilidades siniestras. Su belleza misma aparecía a sus ojos como una trampa. El rumor de los insectos, el olor de la madera pudriéndose junto a la orilla, los rayos del sol cayendo a plomo sobre su espalda, todo lo impactaba con una inmediatez desconocida. Hubiera querido encogerse, cerrarse, quedar oculto. Convertirse en una semilla o en una piedra.

No podía hacer otra cosa que moverse y esperar que el movimiento mismo, la expresión de voluntad que implicaba emprenderlo, lo ayudara a recuperar su integridad perdida. Caminaba junto al río y contemplaba al río desplazándose sobre su cauce, firme en su unidad esencial frente al caos que lo contenía. Cuando se cansaba de andar, buscaba un pedazo de tronco seco o formaba un atado de ramas y se echaba a flotar sobre la corriente. El río lo llevaba sobre sus espaldas como una cáscara seca, un grano de polen, un mechón de lana. A su alrededor, la realidad desbordante de la selva se multiplicaba hasta el infinito. Árboles y más árboles hasta donde alcanzaba la vista y debajo de ellos, cada minúsculo espacio vomitando vida. Aurelio creía perderse en aquella proliferación desmedida. Lo abrumaba su magnitud insondable. Sólo el río lo guardaba de ceder a su embrujo, cruzar el umbral, salir de sí, disolverse.

El río se movía por el monte y Aurelio se movía junto al río, pero la tierra parecía avanzar con ellos y extenderse a su lado, tramo por tramo, sin detenerse nunca. De vez en cuando lograba convencerse de que por fin se avecinaba un borde, detrás del cual tenía que encontrarse un espacio vacío, pero entonces aparecía frente a sus ojos un nuevo pliegue, un recodo, una ladera y el cauce se prolongaba con sus contornos de siempre. Era como si la corriente del río desplazara también el confín de la sierra.

Aurelio comenzó a perder de vista el sentido de tanto movimiento. El futuro canceló su urgencia y se volvió algo más cercano a la pura fantasía. Sus ideas fueron perdiendo forma. Ya no se ocupaba de cosas específicas ni trataba de establecer conexiones complejas. Concentraba su atención en lo inmediato y fue desarrollando la capacidad de no concentrarla en nada. El peligro se convirtió en un asunto puntual, que surgía de repente, se resolvía de algún modo y después se disipaba por completo. La determinación de su cuerpo por existir y la disposición del mundo a seguírselo permitiendo no parecían depender en lo absoluto de su voluntad o de su pensamiento. Acaso así había sido siempre, después de todo: ir hacia adelante, pasar por encima de lo que tuviera enfrente, llegar hasta el lugar en el que se encontraba ahora. No él, tal vez, punto por punto, sino algo dentro de él, o él dentro de ese algo, más elemental y remoto, más definitivo y violento. Una tarde se quitó lo que quedaba de sus pantalones y los puso a secar sobre una roca. Luego se olvidó de recogerlos, siguió su camino y unos minutos más tarde no hubiera podido recordar que los había tenido.

Sus heridas sanaron. Lo único que lo seguía molestando era un dolor sordo en el costado izquierdo. Era muy poco lo que podía hacer por esa costilla, tendría que esperar a que se curara sola. Cierto día, mientras flotaba sobre la corriente bajo el sol de la tarde, Aurelio se quedó dormido. En su sueño, el río lo llevaba hasta un recodo donde el agua estancada estaba cubierta de limo. A pesar del entorno viscoso y del aroma vagamente putrefacto, la calidez del lodo lo sumía en un estupor profundo. Sólo el dolor en su costado le impedía encontrar una posición más cómoda. Entonces aparecía de la nada una mano enorme que le abría la carne con el filo de sus uñas y le sacaba la costilla rota. La sensación de alivio era inmediata. Su piel se volvía a cerrar sin que quedara cicatriz alguna. Un instante después, con el cuerpo todavía cubierto por una capa de limo, Aurelio sostenía en las manos un conejo blanco. No se trataba de uno de esos conejos ágiles y correosos que existían ahora, sino de uno regordete y lanudo, similar a los que vendían en las tiendas de mascotas cuando era niño. Aurelio se llevaba el conejo a la boca y lo sentía abrirse bajo sus dientes como si fuera una fruta. Pero el conejo no sabía a fruta, ni tampoco, como llegó a esperar en algún momento, a un pastel de crema. Sabía a sangre fresca y a carne cruda. Sabía a conejo tibio, casi vivo, todavía latente. Aurelio seguía devorando el conejo hasta que su rostro se desfiguraba en una mancha rojiza. De su boca colgaban trozos de hueso y nervios amarillos. Era una imagen terrible, macabra, pero lejos de infundirle horror, lo inundaba de una paz absoluta.

Despertó en un estado de efervescencia. El río había llegado hasta una especie de valle, abierto entre la masa descomunal de la montaña y una línea de montes más pequeños, que se alzaban como una cuña en dirección al norte. Aquel espacio horizontal conseguía rescatar cierta sensación de estabilidad primaria que el abismo interminable de la sierra había destruido. Aurelio miraba a su alrededor con ojos extasiados. Sobre la superficie del río, una nube de garzas blancas se recortaba contra el verde fulgurante de las hojas. Flores púrpuras y amarillas colgaban de enredaderas interminables y el aire estaba cargado de un enervante aroma a vino. Por primera vez desde que estaba solo se apartó de la orilla y se internó sin dudarlo en la espesura. Eran los mismos árboles retorcidos de siempre, pero él lo contemplaba todo con una mirada distinta. Iba y venía de un lugar a otro, recogiendo los frutos acres y picados de todos los días, que la luz dorada del crepúsculo le había transformado en joyas. La belleza del mundo lo cegaba. Un vínculo primigenio lo ligaba con todas las cosas y si hubiera levantado el rostro para dirigirsé al cielo, una voz inconmensurable le hubiera respondido. No lograba recordar el propósito de su viaje, ni cuál podía haber sido su destino, pero estaba seguro de que había llegado. Nadie hubiera querido encontrarse en un lugar distinto.

UN CELAJE SOBRE LA LAGUNA

Llevaban casi una semana detrás de la lluvia. Habían cruzado los montes siguiéndole el paso, sin alcanzarla nunca y sin que ella se aviniera a retrasarse un poco para caerles encima. Al principio no era más que un amasijo de nubes negras que marchaba a toda prisa por encima de sus cabezas. Luego fue una música de truenos en mitad de la tarde. Ahora la podían distinguir a lo lejos, cayendo en franjas uniformes sobre el fondo del valle, entreverada con las columnas de luz oblicua que salpicaban de lamparones azules la superficie del agua. La lluvia iba dejando tras ella un aire distinto, mezcla de los aromas a fruta que traía de lejos y del árido polvo local alborotado por sus gotas. Sus residuos salpicaban de luces el manto amarillo de la hierba, que la recibía con pasmo, como si no supiera qué hacer con ella, cómo abrir los cauces envejecidos de su costra reseca.

La visión del valle provocó en Laila un sentimiento ambiguo. Por una parte, estaba la sensación de alivio de haber regresado a casa; por otra, la vaga inquietud de que ese mundo ya no fuera del todo suyo, o ella la misma persona que lo había dejado. A punto de volver a encontrarse con su gente, se sentía más sola que nunca. No era mucho el tiempo transcurrido: el espacio de una temporada de secas, apenas unos cuantos meses. Sin embargo, lo sucedido en ese lapso la había modificado de tal modo que ahora contemplaba el valle como si fuera el escenario nebuloso de una vida anterior, transcurrida dentro de un cuerpo distinto, en una edad olvidada, algo que sólo le concernía de forma tangencial y remota.

El viaje entero se le presentó entonces condensado en una imagen definitiva. Pudo verse de nuevo parada en la roca, rodeada por los ladridos furibundos de los perros. A unos metros de distancia la mula daba de coces, tratando de ganar el monte. Aurelio resistía apenas. Su primer impulso había sido saltar de la roca y acudir en ayuda de su amigo, pero una claridad repentina le hizo darse cuenta de que hacerlo hubiera sido un sacrifico inútil. Se detuvo casi en el aire, con los músculos contraídos. Aquella fue la decisión más difícil de toda su vida. También, sin duda, la que más directamente incidía sobre el hecho de que la conservara. Asumir la determinación de abandonar a Aurelio, contemplar impasible cómo se cerraba a su alrededor el círculo de fauces, verlo desaparecer en una nube de polvo tras el filo de la barranca. Había optado por vivir, por seguir viviendo, aunque fuera sólo unas cuantas horas, pues sus propias posibilidades de conservar el pellejo no lucían tampoco tan propicias.

Las condiciones del cerco quedaron establecidas de inmediato, cuando uno de los perros más jóvenes, ignorante aún de las potencialidades del machete, se atrevió a trepar por una orilla de la roca. Laila le partió el espinazo de un golpe seco, con una facilidad que sorprendió a todos, incluida ella misma. Aquella fulminante victoria provocó un silencio ominoso entre las huestes caninas. Todos los gruñidos se apagaron de golpe en las gargantas. Para mayor efecto, Laila desmembró el cuerpo en varios trozos informes y los fue dejando caer en medio de sus compañeros. Ambos bandos comprendieron entonces lo que se venía: los perros no iban a poder atacarla encima de la roca; ella no iba a poder moverse de ese sitio. También, que el tiempo corría en contra de Laila. Sus únicos recursos eran un bule con agua y un puñado de chapulines secos, olvidados providencialmente al interior de un pañuelo en el fondo de su morral.

Al cabo de un par de días, la situación seguía atorada en el mismo punto, sólo que Laila había llegado al borde de su capacidad de resistencia. El sol la estaba volviendo loca. Trataba de parapetarse debajo de su cabello o encontrar alguna posición que la expusiera menos a sus rayos, pero todo era inútil. Tenía la piel encendida y los labios llagados. El día entero estuvo considerando opciones cada vez más descabelladas para romper el cerco, mientras postergaba hasta lo imposible el momento de tomar su último trago de agua. Antes del amanecer trató de cortar las líneas enemigas con un ataque desesperado, que casi le cuesta la vida. La tarde anterior había destrozado la manga de su camisa en un intento infructuoso por encender fuego. Su única salvación era correr la breve distancia que la separaba de la barranca y lanzarse a las aguas del río. Pero las posibilidades de hacerlo sin que los perros la alcanzaran antes eran nulas.

Para entonces, el grueso de la jauría ya había desertado. La presa no alcanzaba para todos y la ilusión de matarla pronto se había desvanecido. Quedaban ocho perros, hembras y machos, todos fuertes, meticulosos y fríos. Más que suficientes para hacerla pedazos. Laila los había estado observando, ya los conocía. Caminaban despacio, cubrían el terreno, pensaban lo mismo: eran como piezas bien ensambladas en un engranaje de relojería. Tenían claro lo que quedaba por hacer y estaban dispuestos a esperar lo que fuera necesario para capitalizar el esfuerzo invertido.

Laila levantó la vista al cielo: el sol había quedado cubierto por un cúmulo de nubes. Se irguió entonces sobre los codos, aliviada. Faltaban algunas horas para el final del día. No podía prolongar más las cosas. En cuanto cayera la noche y la mente se le despejara un poco, iba a tener que intentar algo. Tomó el bule del agua, lo agitó ligeramente para comprobar que su trago seguía ahí, levantó la tapa de olote e inclinó el recipiente sobre sus labios. El agua estaba tibia. El trago resultó más pequeño de lo que había imaginado. Apenas si alcanzó a quitarle la resequedad de la boca, antes de difuminarse en un lugar impreciso de su garganta. Se quedó mirando el bule como si esperara un milagro. Había repasado la gama completa de escenarios posibles y sabía que todo estaba perdido. Decidió volver a recostarse y esperar a que llegara la noche. Por alguna razón, le parecía preferible enfrentar a la muerte lejos de aquel sol implacable. Mientras inclinaba la cabeza, alcanzó a ver con el rabillo del ojo que uno de los perros alzaba las orejas de golpe. Un instante después, todos estaban de pie, gruñendo por lo bajo y mirando fijamente hacia el mismo punto.

El jaguar tardó todavía un rato en hacerse visible. Caminaba con desgano, como si sólo paseara por ahí y lo que sucedía en torno a la roca no tuviera para él la menor importancia. Laila se puso en cuclillas de inmediato. Apretó el machete con el puño. El jaguar no necesitaba esperar a que bajara de la roca. Podía derribarla de un salto fácilmente.

Después de dar algunas vueltas, el jaguar abandonó sus pretensiones de indiferencia y comenzó a caminar en línea recta hacia la roca. Cuando estuvo a unos diez metros de distancia, abrió las fauces, mostró los colmillos y profirió una serie de rugidos aterradores. Por lo visto, había llegado a la conclusión de que no tendría que hacer otra cosa que plantarse sobre el terreno, poner de manifiesto su poder y reclamar la presa como suya. Pero los perros no parecían dispuestos a ceder sin pelear el trabajo de tantos días. Estaban, por lo demás, tan fastidiados de la espera, que la idea de entrar en acción, por pobres que pudieran ser sus expectativas, cobraba en ese momento un atractivo irresistible. Salieron al encuentro del intruso y comenzaron a envolverlo en un sistema de círculos. El jaguar optó por ignorarlos y siguió caminando en dirección a la roca. No había dado más de tres pasos cuando dos de la hembras lo atacaron por los cuartos traseros. El jaguar las repelió con un par de zarpazos. Otros dos perros se lanzaron entonces sobre su espalda y trataron de prendérsele del cuello. El aire se llenó de gruñidos. El jaguar consiguió sacudirse a los perros, pero no salió limpio de la refriega: un hilo de sangre le escurría ahora por detrás de la oreja. La siguiente embestida tardó apenas un instante en producirse y condujo de nuevo a un resultado incierto.

Desde la punta de la roca, Laila contemplaba con fascinación la escaramuza. No podía dejar de admirar la disciplina táctica de los perros. Golpear y retirarse, acosar, sorprender, producir el mayor daño posible y tratar al mismo tiempo de salir indemnes, pues cualquier sacrificio inútil sería la perdición del grupo entero. No apostaban a matar a su enemigo, sino a lastimarlo lo suficiente para que decidiera marcharse. El jaguar pareció entender demasiado tarde que aquello no iba a ser un paseo. Los perros iban a seguir peleando hasta que lograra herir de gravedad a dos o tres de ellos, lo cual no parecía posible en el corto plazo. Sus contrincantes percibieron la indecisión y tomaron la iniciativa. Decidieron atacar con todo. Una maraña de fauces, garras y polvo comenzó a desplazarse en zig-zag sobre la grava del suelo.

Fue entonces cuando Laila cayó en la cuenta de que nada le impedía bajar de la roca y correr hasta el borde de la barranca. Con el campo abierto, tardó unos cuantos segundos en bajar por ella. La distancia que la separaba de la orilla era mucho menor de la que había previsto. Aún podía escuchar los alaridos de la pelea cuando se detuvo en una piedra para ceñirse el machete, antes de saltar a la corriente del río. Se dejó arrastrar por ella hasta perder de vista la cuchilla de roca. Cuando consideró que estaba lo bastante lejos, alcanzó la orilla, caminó hasta un promontorio que le pareció seguro, se sentó a descansar un momento y pronto se quedó dormida. Despertó a media tarde del día siguiente, con los huesos molidos, pero en realidad intacta. Comió lo que pudo y se puso a meditar sobre lo que convenía hacer. Decidió que lo primero era repasar ambas márgenes del río, en busca de algún indicio de la suerte que podía haber corrido Aurelio.

Caminó por la ribera hasta quedar frente a la desembocadura del arroyo por el que habían llegado. Para entonces ya había descubierto la camisa, con grandes manchas de un rojo deslavado, y uno de los huaraches, suspendido de una rama que rozaba la corriente. Consideró por un momento internarse de nuevo en el cañón, pero el recuerdo de los perros estaba aún demasiado fresco. Mejor seguiría buscando en la dirección opuesta. Casi al final del día, llegó a la playa donde había convalecido Aurelio y pudo distinguir sobre la arena los residuos color marrón de su sangre reseca.

Las huellas mostraban claramente que había seguido caminando río abajo. ¿Por qué no había vuelto a buscarla?, pensó enseguida; ¿o esperado ahí otro poco a que llegara? El alivio de saber que su compañero seguía con vida se mezclaba en su ánimo con un dejo de despecho, como si el sentimiento de culpa que la había perseguido por haberlo abandonado a su suerte alimentara ahora su reverso, la sensación de que era ella, después de todo, la abandonada.

Un par de días después descubrió los restos tiesos del pantalón, extendidos en mitad de una roca, y muy cerca de ellos, varado contra la maleza de la orilla, uno de los paquetes que había cargado la mula. La proximidad entre ambas cosas parecía ser mera coincidencia. No había encontrado hasta entonces el menor rastro de la mula, así que tuvo que suponer que el paquete había llegado hasta ahí arrastrado por la corriente. Adentro había ropa, una manta, dos tramos de cuerda, un atado de pinole podrido y el volumen despintado de la Biblia, milagrosamente seco, protegido del agua por una capa compacta de la mariguana de Aurelio.

Laila siguió caminando río abajo hasta que llegó por fin al recodo en donde había encallado el flotador de Aurelio. Lo primero que hizo fue gritar su nombre, pero su voz se perdió una y otra vez en la espesura sin recibir respuesta. Entonces se internó en la selva para buscarlo. La vegetación era tan intrincada y tan poco lo que abarcaba la vista, que era necesario ir recorriendo el terreno palmo a palmo. Acabó por descubrirlo de golpe, al apartar las ramas de un enorme helecho. Estaba reclinado sobre las raíces de un árbol, inmóvil y desnudo. Tenía los ojos abiertos, pero sólo uno de ellos parecía estar vivo. La mitad derecha de su rostro estaba contraída en una especie de mueca y todo ese lado del cuerpo daba la impresión de haberse colapsado dentro de sí mismo. Su piel mostraba los estragos de la intemperie y del apetito voraz de los insectos. Laila se acercó con cautela. Había en el aire un tufo a orines y excremento. Aurelio no pareció percibirla. Cuando estuvo frente a él, se inclinó sobre su rostro:

—Ya estoy aquí, Aurelio.

El ojo pareció despertar en ese momento. Se abrió muy grande, como si no pudiera creer lo que veía o no pudiera verlo en realidad del todo. La siguió buscando durante varios segundos con una mirada oblicua y cuando logró confirmar que se trataba de ella se humedeció enseguida. Aurelio hizo por iniciar un gesto que no condujo a nada y luego se volvió con lentitud hacia su brazo derecho, como si buscara explicarse por qué no se había movido. Entonces levantó la otra mano y le acarició con ella el cabello, mientras salía de sus labios una maraña de voces ininteligibles. Las inflexiones en su voz eran claras, pero nada de lo que creía estar diciendo tenía sentido. Era como si alguien cambiara las sílabas de lugar en el trayecto que conducía desde el interior de su mente hasta la orilla de su boca. Laila había visto el mismo cuadro en otros viejos y lo reconoció enseguida. Algo se rompía dentro de sus cabezas, una mitad de sus cuerpos se marchitaba.

Aurelio estaba en los huesos. No le costó trabajo echárselo a la espalda y llevarlo cargando hasta la orilla del río. Ahí le limpió todo el cuerpo, le puso un ungüento de hierbas en las heridas, le dio a beber agua fresca y lo hizo comer algunos bocados de una papilla de frutas. Luego lo acomodó sobre la manta, debajo de un árbol, en una cama que improvisó de prisa. Aurelio se dejaba hacer con una mansedumbre desconocida.

Pasaron ahí la noche. Antes del amanecer, Laila se puso de pie y comenzó a caminar por la orilla del río. No había dormido mucho de cualquier manera. Quería saber dónde estaban y qué podía encontrarse en la proximidad inmediata antes de decidir su siguiente paso. Alcanzó el extremo del valle, tras el cual la topografía agreste de la sierra se difuminaba. Lo que seguía era un espacio abierto, sin accidentes ni elevaciones, en cuyo transcurso la corriente del río iba perdiendo fuerza hasta quedar casi inmóvil. El cauce terminaba por recogerse en un estero largo y angosto, detrás del cual alcanzaba a distinguirse el perfil blanquecino de una barra de arena. En ese punto llegó por primera vez hasta sus oídos el sonido recurrente de las olas. Había caminado apenas un par de kilómetros. No esperaba encontrarse de improviso con la playa.

El mar decidía aparecerse por fin de ese modo repentino, casi subrepticio, sin los signos portentosos y las visiones dramáticas que tendrían que haber acompañado su revelación grandiosa. Un tanto desconcertada, como quién se sospecha víctima de un embuste, Laila cruzó el estero con el agua hasta la cintura. Caminó unos pasos sobre la arena y se sentó a contemplar el ir y venir de lenguas de espuma y los brillos esporádicos en la cresta de algunas olas. Nada más era visible en la oscuridad sin luna de aquellas horas. Después de unos momentos caminó hasta la orilla y hundió los pies en el agua. Estaba tibia. Se inclinó para probarla. Le supo salada. Tal y como dijo Aurelio que sería.

Se instalaron en las ruinas de una casa cuadrangular, que coronaba la cima de una punta rocosa. Un pórtico de teja había rodeado una distribución muy sencilla, con dos habitaciones, un baño, estancia y cocina, de todo lo cual sólo seguía en pie el tramo sur de la terraza y la recámara contigua. En el resto de la casa el tejado había sucumbido y la maleza la había copado. Tres cactos de pitaya se elevaban ahora en mitad de los escombros como sendas chimeneas vegetales. Se trataba de un refugio mínimo, que Laila tuvo que despejar con fuego, pero después de las semanas transcurridas en el monte era como habitar de pronto los suntuosos salones de un palacio.

A la derecha de la casa se prolongaba la barra de arena a la que había llegado Laila en un principio; a la izquierda había una serie de pequeñas caletas, separadas por puntas de roca. El volumen principal de la sierra había quedado a sus espaldas, en dirección al norte, donde podía verse a lo lejos un macizo que llegaba hasta la costa. Hacia el sur el terreno se aplanaba y se cubría de palmeras y ahí venían a diluirse las últimas extensiones dispersas de la montaña. Fuera de esa casa solitaria, Laila no encontró en las cercanías rastros significativos de habitación prolongada. Estaban los residuos de una aldea de pescadores, a la orilla de una playa vecina; y tierra adentro, las ruinas de un rancho, rodeadas por una especie de bosque en el que se mezclaban sin orden alguno mangos, naranjos, guayabos, nísperos y limoneros. Fuera de eso, nada. Nada, en fin, que la arena o el monte no se hubieran tragado. Aquello no podía ser Puerto Vallarta. Aurelio había hablado de una enorme bahía (que en la mente de Laila cobraba la forma de un lago muy grande), al borde mismo de la sierra, con un poblado considerable en su centro y numerosas construcciones sobre sus playas, de todo lo cual tendría que quedar alguna huella. Pero el mar que se extendía frente a la casa era una franja continua a lo largo del horizonte y por ahí no parecía haber más pueblos que aquel caserío miserable, cuyos restos sólo se podían distinguir a duras penas.

Ya no había modo de preguntarle a Aurelio, ni saber si se daba cuenta de lo que sucedía, o si era algo que pudiera llegar a importarle de cualquier modo. La comunicación entre ambos había quedado reducida a un repertorio mínimo de signos elementales, con los que Aurelio le daba a conocer sus necesidades más inmediatas. Los soliloquios de frases absurdas habían cesado por completo. De alguna manera, Aurelio cayó en la cuenta de que sus palabras ya no decían lo que quería que dijeran. Tal vez porque las que le llegaban de boca de Laila tampoco acababan por encajar del todo. La escuchaba decirlas y conseguía entender algunas de ellas, pero cuando trataba de ligar unas con otras o de ponerlas en un contexto que pudiera darles sentido, no encontraba el adhesivo mental que le había permitido reunirlas en el pasado. Las palabras se quedaban flotando en una especie de limbo, donde se iban encimando unas con otras, sin llegar a resolverse nunca. También su vista le mostraban una realidad en fragmentos: medio árbol, medio mar, medio trapo, media pitaya, medio rostro de Laila. Al principio, el esfuerzo por devolverle cohesión a su mundo y la intuición de que nunca volvería a lograrlo le provocaban brotes continuos de una ansiedad extrema. Con el tiempo, sin embargo, acabó por perder la energía necesaria para alimentar tales episodios y optó por replegarse en un estado meramente contemplativo, del que sólo lo sacaba por momentos el apremio de alguna pulsión primaria.

Laila cuidaba de él como había cuidado en otro tiempo de sus hijos y de los hijos de todos. Lo limpiaba, lo cambiaba de posición, le daba de comer y de beber, lo recargaba contra su pecho cuando hacía falta. En cierto modo, le resultaba menos difícil acomodarlo dentro de su registro emocional en ese nuevo papel de niño indefenso de lo que había sido hacerlo hasta entonces como la extraña mezcla de amigo, mentor, enamorado y padre. Por lo demás, encontraba casi imposible creer que esos dos seres diametralmente opuestos pudieran haber habitado un mismo cuerpo. El anciano esquelético que se pasaba los días contemplando con expresión vacía las nubes del cielo o las grietas del piso o alguna de las vigas del techo y masticaba mansamente las papillas que Laila le ponía en la boca no podía ser sino un pariente lejano, un antepasado disminuido y remoto del viejo que le llenó la cabeza de ideas y cruzó con ella la sierra en ese periplo descabellado.

Con todo, lo primero que hizo Laila en cuanto se hubieron establecido fue sacar la carta de Quicho, que siempre llevó sobre su persona, envuelta en la misma bolsa de plástico en que la había recibido. Cortó el sobre por una orilla, sacó las hojas de papel y la fotografía en blanco y negro que había visto por primera vez en la alberca olímpica y se la leyó a Aurelio despacio, repetidas veces, cerca de cada uno de sus dos oídos. No era un escrito extenso y buena parte de él estaba dedicado a reiterar las ironías banales y los cariñosos improperios con que se habían tratado siempre los dos amigos. Pero en medio de aquella paja, como un objeto precioso que se recubre con borra para que resista los vaivenes de un largo viaje, estaban las poco más de veinte líneas donde Quicho le revelaba que ciertas cosas no habían sido en realidad como Aurelio suponía que fueron y que tal ignorancia no tenía por qué haberse extendido hasta entonces si Cora no hubiera dejado tirada en el piso de la camioneta una carta muy semejante a la que le estaban leyendo ahora. Cuando volvieron a encontrarse después de la violencia, le llevó mucho tiempo descubrir que Aurelio seguía sin saber lo que él creía haberle explicado ya por ese medio, pues se trataba de un tema que jamás tocaban. Al entender por fin que aquella primera carta nunca llegó a su destino, decidió que no valía la pena amargarse los años que les quedaran de vida con el peso de tales revelaciones, ni meterse en la especulación de lo que pudo haberse hecho de un modo distinto. Ahora le escribía, a fin de cuentas, desde la cómoda distancia de la muerte.

Laila, como siempre, no lograba asimilar del todo los pormenores de la situación. Se aludía a contextos que ignoraba y se llenaban lagunas que no sabía que existieran. Se arrepintió entonces de haber cumplido las instrucciones de Quicho con tanto celo. Si hubiera abierto la carta durante el viaje, como se sintió tentada a hacer numerosas veces, no estaría ahora rompiéndose la cabeza con ese manojo de cabos sueltos. Lo único que parecía estar fuera de duda era que Catalina no había muerto durante el terremoto. De un modo que encontraba confuso, porque nada la había preparado para imaginarla de pronto encerrada en un sótano, entendía que Quicho la había sacado de ahí maltrecha pero con vida y sustituido su cuerpo por el de una mujer aplastada en un edificio contiguo, a la que vistió con su ropa. Ese era el cadáver desfigurado que habían descubierto los vecinos. Lo cual Laila sólo podía valorar a medias, pues no saber que Aurelio había vivido creyendo que era responsable de la muerte de Catalina le impedía apreciar el hecho de que no lo fuera después de todo. Catalina murió unos meses después de dar a luz a una niña, de un cáncer que le descubrieron en ese momento. Así que Cora era su hija, como Laila había imaginado siempre, aunque entonces pareciera imposible. Quién podía ser su padre no acababa de quedarle claro, aunque todo apuntaba, según creía discernir, a que era hija de Aurelio, cuando menos en parte.

El rostro de Aurelio pareció reaccionar en diferentes momentos de la lectura, sobre todo a la mención de ciertos nombres. Aun así, resultaba imposible saber si la carta había llegado a tocarlo. Era más o menos evidente que las palabras *Cora*, *Clara*, *Catalina* lo afectaban en alguna medida, pero eso no quería decir que hubiera logrado descifrar el mensaje de Quicho o ponderar sus implicaciones. Y si bien Laila creyó descubrir en él un aire más melancólico durante los siguientes días, aquél era por fuerza un juicio arbitrario. Aurelio era cada vez menos una persona y más un simple conglomerado de órganos y tejidos, en los que residía una conciencia hipotética o en todo caso inaccesible. Su existencia se prolongaba ahora de un modo automático, impulsada únicamente por el empeño mecánico de la vida.

Era en Laila en quien la carta había tenido un efecto definitivo, que nunca hubiera podido prever y que se fue manifestando con mayor claridad con el paso del tiempo. Hasta entonces, las historias de Aurelio habían sido curiosidades que no le concernían, reliquias de un mundo distante y excéntrico, sin conexión alguna con su realidad o con su vida. Ahora, en cambio, sentía la necesidad de descubrirse en ellas. Quería que la alcanzaran, que la implicaran, que se resolvieran en ella. Anhelaba que su llegar al mundo pudiera ser también el resultado de una serie de sucesos intrincados y poco plausibles, para que quedara revestido de un carácter necesario, se volviera un hecho menos fortuito. No conseguía precisar lo que había cambiado, sólo que todo la afectaba de un modo distinto. Acaso era la combinación de la soledad, el espacio abierto y la intensidad de todo lo vivido, que apenas ahora, en mitad de aquel vacío, se le hacía presente con toda su fuerza. El mundo había dejado de emanar de su persona, ya no era una extensión natural de su sola presencia. A cada momento se topaba con una distancia que nunca antes estuvo ahí y que parecía seguir creciendo entre mayores eran sus esfuerzos por reducirla. En las noches, cuando levantaba la vista al cielo, ya no podía ver en las estrellas el juego inocente de luces que la había maravillado desde que era niña. Ahora veía volúmenes descomunales, bolas candentes de energía, meteoros que surcaban el espacio a velocidades vertiginosas, siguiendo trayectorias infinitas.

Laila comenzó a sentir un gran apego por el volumen borroneado de la Biblia. Le gustaba tenerlo en sus manos, repasar con los dedos sus hojas vacías, llevarlo consigo a todas partes. Muchas páginas estaban en blanco y otras eran manchas informes y oscuras, como si el raicilla las hubiera anegado y disuelto sin que Aurelio alcanzara a repasarlas con la tela de su camisa. En otras eran visibles aún residuos de texto, trozos sueltos de escritura que formaban patrones caprichosos, cornisas, garabatos, polígonos, grecas. Laila los examinaba con reverencia, mientras trataba de representarse lo que habían sido, la vida de las personas que los habían creado. Estaba muy lejos de poder imaginar la clase de libro que tenían en las manos, pero había algo en la seriedad de su encuadernación oscura, en la brevedad de su título, en la profusión y delgadez de sus páginas, que inspiraba respeto. Ahora que le sobraba tiempo para pensar, se preguntaba qué pudo haber dicho la Biblia para alterar a Aurelio de tal modo. Hasta entonces, su actitud frente a los libros había sido justamente la contraria. Tenía que ser algo grave. Algo que no quería que llegara hasta ella. O tal vez sólo fue la borrachera. A veces las cosas tenía explicaciones simples, aunque fueran de suyo complejas. O ninguna explicación, realmente.

Era muy poco lo que podía desprenderse de los fragmentos restantes: media palabra por aquí, cuatro sílabas por allá, el fantasma borroso de una columna de texto. No era su contenido, sin embargo, lo que ahora le parecía más importante a Laila, sino el hecho mismo de que siguieran ahí, como puentes que le volvían palpable una visión del mundo atemporal, colectiva, concreta; una humanidad que se asentaba con certidumbre frente a la maquinaria ciega del cosmos. Laila quería sentirse parte de ella, con todo su corazón, aunque apenas si alcanzara a vislumbrar en qué consistía. Sólo era capaz de concebir la Biblia como una versión más extensa de algo semejante al libro de Aurelio, entreverada tal vez con fragmentos de poemas como los grabados en las láminas de las radiografías. Se negaba a creer que fuera un libro como los que se leían en el convento, sobre la forma de montar un taller de torno o de envasar confituras al vacío y no tenía otras referencias de lo que podían ser los libros. Así que cuando se decidió por fin a probar suerte ella misma, con una tinta púrpura que obtuvo de las secreciones de unos moluscos y una larga pluma de garza, como le había dicho Aurelio que se hacía, las frases interminables que comenzó a garrapatear con letras tentativas y tiesas se proponían ser una mezcla de ambas cosas. Claro que nadie, puesto a tratar de leerlas, las hubiera entendido, cuando menos en los términos que ella pretendía enunciarlas. Su escritura no sólo acusaba la ausencia de una multitud de letras, de sintaxis en cuanto tal y de puntuación de cualquier tipo, sino que las palabras se fundían unas con otras, se aglomeraban con preposiciones y artículos, estaban reducidas a sus sílabas elementales o adicionadas con extensiones indefinibles. A pesar de sus limitaciones, Laila vivía aquella labor como una actividad sagrada. Sentía que la ligaba de un modo profundo con sus ancestros, aunque no tuviera claro quiénes fueran o justamente porque no los tenía. Al escribir, creía estar obedeciendo sus instrucciones secretas: seguir abriendo un camino infinito, continuar un tejido cuyo borde se perdía en la nada.

El tiempo siguió su curso. Laila nadaba sobre las olas, pescaba con una lanza en las caletas, recogía mariscos y frutas, miraba el atardecer desde las rocas, cuidaba de Aurelio. Entendió lo que tenía que entender, se maravilló de lo que tenía que maravillarse y escribió en las páginas en blanco de la Biblia lo que tenía que escribir. Hasta que llegó el momento en que los días comenzaron a extenderse frente a su soledad como un suplicio. La novedad del entorno había pasado y la magnitud del vacío que la rodeaba empezó a manifestársele con toda su fuerza. El calor iba en aumento, a la espera de unas lluvias que no llegaban. Las nubes aparecían en el horizonte y se iban acumulando sobre los perfiles de la sierra, sin llegar a detenerse del todo o a reventar nunca. La piel de los montes se había convertido en una costra parda, endurecida y reseca, una maraña afilada de cardos y espinas. Laila acabó por entender que vivía prisionera. Aurelio se consumía poco a poco, pero no tenía para cuando consumirse del todo. Aun si pudiera decidirse a abandonarlo, o a poner fin a su vegetar de manera expedita, la idea de cruzar la sierra ella sola la aterraba.

Tampoco podía seguir esperando indefinidamente. Había llegado a la conclusión de que en cuanto empezara a llover en forma todo se iba a llenar de charcos, de lodo, de alimañas; la playa se iba a convertir en un infierno. Tal vez fuera posible bordear la sierra por su base en dirección al sureste, hasta encontrar un paso menos denso que el macizo montañoso por el que habían llegado. Si ese paso no existía o no lograba descubrirlo, prefería morir en el intento a esperar que se la comieran los insectos en aquella extensión desolada. Ya sólo estaba esperando reunir la presencia de ánimo suficiente para llevar a término lo inevitable, que sus emociones alcanzaran la claridad que había alcanzado su pensamiento, cuando un hecho imprevisto la salvó de enfrentar aquel trance homicida. Al salir del cuarto una mañana para comenzar su día, se encontró con la mula parada ahí, al pie de los escalones, como si ese hubiera sido su lugar de siempre. Lucía igual que de costumbre, acaso un poco más raspada, más polvosa, más taciturna, más descreída de que el mundo pudiera contener algún lado amable. De la carga no quedaba nada, pero aún llevaba alrededor del lomo una cincha de cuero que no había conseguido arrancarse. La claridad que Laila había estado esperando para decidirse a despachar a Aurelio llegó finalmente con el signo contrario: la posibilidad de no tener que hacerlo. Contar con la mula cambiaba su situación por completo. Podía hacer una camilla y amarrársela al lomo. Levantarla por el otro extremo cuando hiciera falta. No sería un viaje sencillo, pero era posible que Aurelio lo resistiera. Cuando menos era mejor que dejarlo a merced de las fieras, mejor que darle muerte con sus propias manos. La mula sería capaz de encontrar un camino más directo a través de la sierra. Antes nunca supo a dónde iba, ahora sabía muy bien a dónde regresaba.

—Ya llegamos, Aurelio —dijo Laila, aunque no estaba segura de que pudiera oírla, o entender lo que le decía, en caso de que la oyera. Se había acostumbrado a hablarle sin esperar de él ni comprensión ni respuesta, como otros le hablan a sus pericos o a sus perros. Durante los últimos días, desde que comenzaron a remontar el altiplano, Aurelio había manifestado una notable mejoría.

Estaba más despierto, hacía por abrir los ojos, trataba de abarcar el entorno con la mirada. Mascullaba también continuamente, pero a un volumen tan bajo, que más bien parecía que estuviera leyendo para sí o que rezara. Mejoría relativa, claro. Seguía estando inmóvil, descolorido, en los huesos. Su aliento era apenas un suspiro que se arrastraba por su garganta reseca. Como suele suceder en estos casos, Laila quiso ver en los modestos signos de vitalidad un motivo de esperanza, acaso el principio, con voluntad y cuidados, de una franca recuperación; pero lo que en realidad anunciaban era justamente lo contrario.

Aurelio la había escuchado. Y había entendido su nombre. Siempre entendía su nombre, aunque no lograra componer en la mente la locución que lo significaba. El resto de la frase se le había perdido; ya sabía, sin embargo, que habían llegado. Lo supo desde antes que Laila detuviera la mula para contemplar el valle. Lo supo sin que nada se lo dijera, como algo que encaja en su sitio y deja, por lo tanto, de producir la sensación de que hace falta acomodarlo. Así que cuando Laila orientó su camilla para que viera el paisaje, él ya lo estaba viendo a su modo. Volver significaba para Aurelio no sólo el fin de aquel viaje, sino el fin de todos los viajes. Había querido, desde su impotencia, permanecer al lado de Laila hasta estar seguro de que llegaba a puerto. Ahora podía abandonarse, abrir las manos, desprenderse.

Mientras caminaban hacia el fondo del valle, el sol terminó de ocultarse bajo el perfil de los montes. En la espesura del bosque, la oscuridad llegó de un modo repentino. Aurelio miraba desde su camilla las copas de los árboles, y tras ellas, los trozos de cielo que iban cambiando del azul al gris, del gris al amarillo, de un amarillo más oscuro al naranja. Mecido por las irregularidades del terreno, sus pensamientos se fueron disolviendo poco a poco en esas imágenes, o en esos trozos de imagen que se abrían por momentos detrás del verde casi negro de las frondas y volvían a dividirse nuevamente al pasar a través de su mirada. Aurelio ya no trataba de apretar su cuerpo para resistir las asperezas del camino. Buscaba en cambio sentir cada golpe, aflojarse otro poco con cada sacudida.

Cuando salieron al espacio abierto de la laguna, el aire se había teñido de rojo. Ráfagas de nubes encendidas surgían como un torrente de fuego desde el fondo del valle. El cielo parecía haberse rasgado, sangraba como un ser de carne y hueso. Aurelio abrió los ojos hasta donde pudo y se dejó penetrar por los colores dramáticos del celaje. Era el umbral que se incendiaba para recibirlo. Quería fundir la intensidad de aquel momento con el pulso cada vez más apagado de su vida, abrazar del mismo modo que las horas una parte de ese fin resplandeciente. En las alturas del valle, la luz no se quedaba quieta. Jugaba con los perfiles de las nubes, creaba aquí un ribete dorado; allá una explosión de púrpuras; más lejos todavía, manchas de un azul profundo en medio de un barrido anaranjado. Aurelio la seguía con la vista, hacía por diluirse en ella, trataba de convertirse en pura mirada, hasta que la luz dejó de ser un suceso exterior, algo que impactaba sus sentidos desde afuera. Era ya una misma cosa con su sangre, que corría en oleadas casi imperceptibles por el interior de sus venas. Ambas parecían fluir con un mismo ritmo y ambas parecieron detenerse en el mismo instante.

—¡Aurelio, mira, el cielo! —exclamó Laila. Había visto infinidad de crepúsculos deslumbrantes, pero esta vez se sentía halagada, como si el valle hubiera encendido sus luces de fiesta para celebrar su retorno. Tal erupción de belleza tenía que ser el remate triunfal que Aurelio imaginó siempre, aunque las circunstancias no fueran las que había previsto. Laila sintió el impulso de abrazar a su compañero. Quería llenarlo de besos. Quería que fuera de nuevo un hombre joven, ella ser mujer en todo a su lado. Se sentía dispuesta para cualquier cosa, con derecho de permitirse cualquier cosa. Dio unos pasos hacia la camilla y lo tomó de la mano. La mano se escurrió entre sus dedos como un fardo inerte.

El pecho se le vació de golpe. El mundo se cerró sobre su cuerpo. Tuvo que hacer un esfuerzo para jalar aire. Había llegado a suponer que en la medida en que Aurelio se reducía, su apego por él también se difuminaba. Era tan poco lo que iba quedando que no podía ser mucho el dolor contenido en la eventualidad de su ausencia. Pero aquello era muy distinto de lo que había imagina-do. Aurelio estaba ahí unos segundos antes y ahora encontraba en su lugar esa caparazón vacía, ese trozo inanimado de carne hueca.

La muerte lo cambiaba todo. La sensación de propósito que la había acompañado hasta ese punto se disolvió al instante. Una multitud de ideas encontradas iban y venían sin rumbo al interior de su pensamiento. Ya no tenía sentido llegar a San Ángel. Mien-tras Aurelio estuvo vivo, aunque fuera un guiñapo, tendía un lazo que la ligaba con ese mundo. ¿Qué cuentas podía rendirles ahora? Se sentía incapaz de enfrentar las preguntas de los viejos, de soste-nerle los ojos a Clara.

Se le ocurrió entonces que debía significar de algún modo la muerte de su amigo. Habían hablado de fosas, de piras, de ritos y de plegarias; de conductos misteriosos hacia mundos distintos y vidas nuevas. Pero la realidad inerte de su cuerpo parecía contradecir con un simple argumento brutal todas esas especulaciones. Algo había dejado de existir, alguien se había convertido en nada.

Laila atinó por fin a desatar la camilla y a ponerla en un lugar horizontal sobre la hierba. Sin tener bien claro por qué, le acomo-dó algunas piedras alrededor y acabó de cubrir el cuerpo con la manta. Pensó y desechó la idea de encender fuego. Para entonces ya había salido la luna y la claridad de su luz inundaba la escena. Laila procuraba asumir un talante solemne, pero cada vez le costaba más trabajo permanecer inmóvil. Una ansiedad irreductible la em-pujaba a seguir adelante. Necesitaba hacer algo, recordarse que aún estaba viva. Llegar con los suyos, confirmar que lo seguían siendo. Aurelio ya no estaba ahí. Aquella vigilia no significaba nada. Cuando la mula llegara a San Ángel los viejos se iban a preguntar de dónde venía, saldrían a investigar, encontrarían el cadáver. Harían con él lo que solían hacer con su gente. Y si no, la tierra estaba para ocuparse del asunto a su manera. Eso era a fin de cuentas lo que se hacía con los muertos, dejárselos a la tierra. Si así era con todo lo demás, ¿por qué tenía que ser de otro modo con Aurelio?

Laila se puso de pie y comenzó a descargar la mula. Acomodó en su morral las cosas que necesitaba y luego le dio unas palmadas en la grupa para que se fuera. La bestia titubeó por un instante, luego pareció entender lo que se le pedía y echó a andar a trote lento por el borde de la laguna. Laila se colgó su morral en el hombro, se amarró el machete a la cintura, miró por última vez a Aurelio, a lo que había sido Aurelio y comenzó a alejarse en dirección al monte. Llegó hasta el lindero del bosque y ahí se detuvo a contemplar por unos segundos el perfil mortecino de la ciudad, ahogada por el fango y por la niebla. Trató de esclarecer los sentimientos que esa imagen le producía, pero eran demasiadas las cosas que revoloteaban entonces por su cabeza. Tal vez más tarde podría escribir algo en el libro, pensó, y mientras maduraba esa idea siguió caminando ladera arriba, siempre un paso adelante de sus huellas.

ÍNDICE

Las puertas del reino
se imprimió en los talleres de
Litográfica Ingramex, S.A. de C.V.
Centeno núm. 162
Colonia Granjas Esmeralda
México, D.F.

Impreso y hecho en México
Printed and made in Mexico

Certificado No. 02-2082